RENOUER AVEC SA BONTÉ PROFONDE

DU MÊME AUTEUR

Devenir femme au sein du triangle familial, Dervy, 2014.
Comme un vide en moi. Habiter son présent, Fayard, 2012 ; Le Livre de Poche, 2014.
La Bible, une parole moderne pour se reconstruire, Dervy, 2011.
Vivre une solitude heureuse (en collaboration avec Marie Borrel), Hachette Pratique, 2010.
Le fils et son père. Pour en finir avec le complexe d'Œdipe, Les Liens qui libèrent, 2009 ; Le Livre de Poche, 2011.
Guérir son enfant intérieur, Fayard, 2008 ; Le Livre de Poche, 2009.
Ces interdits qui nous libèrent, Dervy, 2007, format poche, 2012.
Le bonheur d'être soi, Fayard, 2006 ; Le Livre de Poche, 2008. Prix Psychologies 2006.
La dépression : une maladie ou une chance ?, Fayard, 2005 ; Le Livre de Poche, 2010.
L'Humour-Thérapie, Bernet Danilo, 2002 ; Le Livre de Poche, 2010.
La Dépression, Bernet Danilo, 2002.
Le père, à quoi ça sert ? La valeur du triangle père-mère-enfant, Jouvence, 1994, Dervy, 2015.

Moussa Nabati

Renouer avec sa bonté profonde

Fayard

Pour être informé du programme des séminaires de Moussa Nabati,
vous pouvez lui écrire à l'adresse suivante : moussa.nabati927@orange.fr

Couverture : Nicolas Wiel
Illustration : Rosemary Calvert/Getty
Photographie : Moussa Nabati © Valérie Ménard/Opale/Leemage.

Dépôt légal : avril 2016

ISBN : 978-2-213-68180-1

Toute ma gratitude à mes patients :
Claire, Didier, Flore et les autres...

TROP DE BIEN, EST-CE UN MAL ?

« LE VIEILLARD ET LE SERPENT »

Un vieil homme parcourt tous les jours, de long en large, le vaste désert, pour ramasser broussailles et brindilles. Il les coupe d'abord d'un coup de serpe avant de les empiler en tas. Il les emporte ensuite au village, monnayant une partie de sa récolte et conservant l'autre comme combustible pour sa propre consommation.

Un jour, en pleine activité et perdu un peu dans ses pensées, il aperçoit une touffe plus grosse que les autres. Il s'approche pour l'arracher comme à son habitude, mais s'immobilise d'un seul coup, comme paralysé. Une grosse vipère se dresse en plein milieu du buisson. Le vieil homme est effrayé. Il décide évidemment de déguerpir tout de suite, aussi vite que possible. Il se dit cependant : « Cette pauvre créature est sans doute coincée dans ces broussailles, prise au piège. Si elle tente le moindre mouvement pour se dégager, les épines s'enfonceront dans sa chair et entraîneront sa mort. Si, par contre, elle ne bouge pas du tout, elle finira bientôt par crever de faim et de soif dans ce lieu torride et inamical. Elle me fait de la peine, cette bête. Je dois la secourir, je dois la sauver ! »

Il attache son gros sac de toile à l'extrémité de son long bâton. Il approche ensuite le sac le plus près possible de l'animal. Celui-ci, devinant l'astuce, s'y faufile aisément. Le vieil homme le libère très délicatement loin de la broussaille. Le voici alors enchanté d'avoir réussi à sauver le serpent. Son bonheur ne dure cependant pas bien longtemps, puisqu'il entend la vipère lui intimer d'un ton menaçant :

« Maintenant, sois prêt bonhomme, je vais devoir te piquer ! »

Extrêmement étonné, voire bouleversé par cette menace, le vieil homme proteste :

« Oh, c'est ainsi que tu me remercies de t'avoir sauvé la vie ? Est-ce bien le mal, la récompense du bien ? »

Le serpent rit et répond sans hésiter :

« Eh oui, mon cher ami, c'est comme cela que ça se passe. Si tu ne me crois pas, allons demander aux autres, à une créature de ton choix. »

Le vieil homme réfléchit un instant avant de déclarer, tremblotant :

« Je suis d'accord, allons poser la question. Je suis absolument certain que nul au monde ne pourra confirmer une doctrine aussi injuste. J'ai toujours cru que le bien incite au bien et non pas au mal, comme tu le soutiens. »

La première créature que le vieil homme et le serpent rencontrent sur leur chemin, c'est une vache.

« Nous avons une importante question à te poser tous les deux, déclare le vieil homme. La voici : La récompense du bien, est-ce le mal d'après toi ? »

La vache secoue calmement la tête et rétorque, comme s'il s'agissait pour elle d'une question familière, avec une réponse toute prête :

« Oui, bien sûr, c'est l'exacte vérité. Je veux bien te le prouver, si tu ne me crois pas. Vois-tu, avant j'étais une belle vache laitière. J'accouchais d'un joli veau tous les ans. Je faisais vraiment le bonheur de mon fermier en contribuant à sa prospérité avec tout le lait que je produisais. Mais voilà, dès que je suis devenue vieille, donc inféconde et fatiguée, le propriétaire a décidé de me vendre sans scrupule au boucher. Celui-ci va bientôt m'abattre et me couper en mille morceaux. Je serai donc vendue dans sa boucherie, cuite au four ou dans la marmite avant d'être avalée. Penses-tu vraiment que je mérite ce destin funeste au bout de tant d'années de bons et loyaux services ? Est-ce un traitement équitable après tous les biens que je lui ai prodigués ou, au contraire un mal ? »

Le témoignage de la vache étonne et interloque le vieil homme. Le serpent s'en réjouit, par contre. Celui-ci se met à rire victorieusement en s'apprêtant à nouveau à enfoncer son venin dans la chair de son bienfaiteur.

« Oui d'accord, répond obligeamment le vieil homme, mais un seul témoin ne suffit point. Allons en interroger un autre. »

La vipère répond, un peu agacée, en secouant sa tête :

« Je veux bien, mais sache que tout le monde sans exception te donnera la même leçon. Tu ne fais rien d'autre que reculer l'échéance. Tu perds notre temps. »

Le vieil homme et le serpent arrivent ensuite auprès d'un grand arbre. Cette fois, c'est le serpent qui prend en premier la parole :

« Réponds-nous, vieil arbre, toi qui as tant d'expérience, qui as vu et entendu tant de choses au cours de ta longue existence, quelle est, d'après toi, la récompense d'une bonne action ? »

L'arbre, vraisemblablement préoccupé, se ressaisit et répond sans hésitation :

« Le mal évidemment ! Oui, plus tu es gentil et plus on devient ingrat et même méchant avec toi. Moi, j'offre depuis toujours gracieusement mes fruits, si succulents et désaltérants, mon ombrage où tout le monde vient s'abriter, se reposer ou se protéger des rayons brûlants du soleil, sans parler d'une autre de mes vertus principales, celle de nettoyer, de purifier sans relâche l'air pour le rendre respirable. Mais voilà, chaque fois que quelqu'un s'approche de moi, il prend plaisir à me blesser, il me donne un coup de canif ou de hache, m'arrache un morceau de ma peau ou me coupe une branche, en s'exclamant : « Tiens, celle-ci est parfaite pour un manche de balai, celle-là pour une pelle, etc. ! »

Le vieil homme commence à paniquer sérieusement à l'écoute de ce réquisitoire. Il sent sa fin approcher à grands pas. Pis encore, il se met à douter de lui-même pour la première fois, à mettre son intime conviction en cause. Il se demande si, après tout, ce ne sont pas les autres, l'arbre, la vache et le serpent, qui ont raison, et lui totalement tort, quand ils soutiennent que la récompense d'un bien ne peut être qu'un mal. Puis, cherchant désespérément une issue, il s'adresse, sur un ton réconciliateur, au serpent :

« Je comprends les paroles de ce témoin. Je pourrais les accepter peut-être. Mais n'aurions-nous pas besoin d'un juge également pour qu'il confirme cette doctrine par son verdict final ? »

La vipère secoue encore une fois sa tête :

« D'accord, vieil homme. J'acquiesce à ta demande, mais pour la dernière fois. Tu dois me promettre que si le juge me donne raison, ce dont je ne doute point, tu obéiras à sa décision sans plus atermoyer ! »

« Oui, je te le promets ! », rétorque le sursitaire.

À cet instant même, le vieil homme aperçoit un beau renard courant après un gros lièvre mais ne réussissant pas à l'attraper :

« Ô renard, toi qui es l'être le plus malin de cette contrée, veux-tu nous venir en aide, nous éclairer, en résolvant notre difficulté ? »

Le renard s'arrête, reprend son souffle et répond :

« Quel est votre souci ? Que puis-je pour vous ? »

Le serpent se précipite :

« La récompense d'un bien est un mal, es-tu bien d'accord avec ce principe ? »

Le renard, au lieu de répondre d'emblée par un oui ou un non, pose à son tour une autre question :

« Dis-moi d'abord pourquoi tu me poses cette devinette ? »

Cette fois, c'est le vieil homme qui s'empresse de réagir :

« Oui, voilà toute l'histoire. J'ai trouvé cette vipère coincée dans une touffe d'épines et de broussailles. J'ai eu pitié pour elle.

Je me suis lancé à son secours et je l'ai sauvée. Seulement, une fois libérée de son piège mortel, elle s'est mis dans la tête de me piquer et de m'injecter son venin, prétendant que la récompense d'un bien ne peut être qu'un mal ! Nous avons interrogé une vache et un grand arbre à ce propos. Ils ont, malheureusement pour moi, confirmé tous les deux l'assertion de la vipère. Qu'en penses-tu toi, maintenant ? Ta parole sera considérée comme une sentence. Nous respecterons, quoi que tu dises, ton jugement. »

Le renard répond, tout en éclatant de rire :

« Je n'ai jamais entendu une chose pareille. Je ne crois pas un seul mot de ce que vous me racontez. Comment serait-il concevable de sauver un gros serpent pris dans une touffe de broussailles ? Cessez de vous moquer de moi ! Veux-tu me montrer comment tu as procédé, vieillard? »

« C'est l'exacte vérité que je raconte, réplique le vieil homme, tout en saisissant son sac de toile pour présenter sa technique de sauvetage. Voilà, j'ai accroché ce sac au bout de mon bâton que j'ai approché au plus près du serpent. Celui-ci n'avait plus qu'à s'y laisser glisser gentiment. Ensuite, je l'ai sorti de là sans qu'il ait eu à se plaindre de la moindre égratignure. »

Tout en continuant à s'esclaffer, le renard reprend :

« Je viens de te le dire, tu te moques de moi, je me demande bien pourquoi. Comment voudrais-tu que je croie une absurdité pareille ; un si gros serpent est incapable de tenir dans un si petit sac. Votre histoire est incroyable parce qu'elle est tout simplement impossible ! Vous cherchez à me berner, j'ignore pourquoi ! »

Le serpent, muet jusque-là, intervient, agacé, nerveux et impatient :

« Non, je confirme ce que le vieil homme déclare. Regarde, je tiens sans difficulté dans ce sac ! »

Joignant l'acte à la parole, le serpent se faufile en un clin d'œil dans le cabas. L'astucieux renard fait alors signe au vieillard de se dépêcher de le boucler. En un éclair de seconde, la vipère devient ainsi prisonnière du piège que lui avait tendu le malicieux renard.

«Tu m'as sauvé la vie, je te rends grâce, dit alors le vieil homme au renard. J'avoue que je commençais à perdre tout espoir.»

Le renard s'apprêtant à reprendre sa course momentanément interrompue affiche un grand sourire et déclare:

«Souviens-toi toujours de cette leçon de vie que tu viens d'expérimenter aujourd'hui. Ne te lie jamais d'amitié avec une vipère.»

De Majad Khavafi, conteur persan du XIVe siècle.

*

Quel est le message de ce conte ?

Le mot bonté renvoie quasi exclusivement, de nos jours, à une conduite altruiste, orientée vers les autres, dans un sens moral, voire surmoïque. Chacun est en effet exhorté, au sein surtout de notre culture moderne qualifiée d'individualiste, à témoigner à l'égard de ses semblables de la bienveillance, de la gentillesse, de la tolérance, du respect, de la solidarité...

Ce terme contient une autre signification, cette fois psychologique, concernant l'affection et l'estime qu'une personne s'accorde à elle-même.

Curieusement, si la première orientation se trouve socialement valorisée, félicitée, la seconde est vilipendée, confondue de façon péjorative avec l'égoïsme. Pourtant, ces deux amours, à l'égard d'autrui et de soi-même, loin de s'opposer et de s'exclure de façon manichéenne, sont reliés et se complètent. Je dirais même que c'est plutôt la bonté vis-à-vis de soi-même qui sert d'assise et de nutriment à celle prodiguée aux autres. Son défaut empêche non seulement le sujet d'aimer quiconque dans la gratuité du désir, mais il lui interdit surtout d'accepter d'être chéri, en toute sécurité, en s'estimant digne, à l'abri de la hantise d'être trahi ou délaissé.

Que signifie donc la bonté profonde ? Comment se manifeste-t-elle ? Pourquoi certains en disposent alors que d'autres en sont privés ? Avoir accès à sa bonté veut dire jouir d'une image de soi, non pas forcément bonne, mais saine, avec confiance en ses capacités, mais aussi conscience de ses limites, à distance des excès, de l'arrogance ou de la honte. Le sujet peut ainsi se regarder, se traiter en particulier, avec douceur, bienveillance, indulgence, sans se juger trop sévèrement. Il prendra alors soin de sa personne, comme une gentille maman avec son bébé, tout en se préservant des dangers, à l'instar d'un père protecteur.

La connexion à sa bonté l'aide à devenir psychiquement autonome pour disposer librement de son énergie vitale, orientée vers la construction. Porté spontanément par le plaisir de vivre, il se permettra de goûter sans culpabilité aux plaisirs de la vie, relié aux autres, habitant son présent et enraciné dans l'espace où il a choisi de planter sa tente.

Tout à fait à l'opposé, celui qui s'en trouve coupé souffre d'une représentation narcissique écornée, déprimée, dévalorisée, dénutrie. Il ne s'aime pas, manque de confiance en lui, se croit nul, bête, moche, sans valeur et nuisible, aveugle à ses vertus et capacités, souvent bien réelles.

De même, au lieu d'utiliser son énergie vitale à construire, à tisser des liens, au lieu de jouir dans la gratitude de celui qu'il est et de ce dont il dispose, il se replie sur lui-même et déconstruit les fils qui le retiennent à la vie et aux autres. Il aura tendance à se plaindre, à s'interdire le bonheur et, pire encore, à se saboter inconsciemment, à se maltraiter masochistement, à s'offrir en victime, à se rendre malade enfin, répétant incessamment de vieux scénarios d'échec et d'exclusion.

Mais pourquoi s'érige-t-il en bourreau de lui-même ? Pour s'auto-punir, expier, parce qu'il est poursuivi par la certitude imaginaire d'être coupable, indigne et mauvais. En fait, ce n'est pas l'adulte qui se juge si sévèrement, ni qui se maltraite de la sorte, mais le petit garçon ou la petite fille en lui, affecté par la Dépression Infantile Précoce (D.I.P.) consécutive à une carence matricielle ancienne. La D.I.P. germe et se développe en effet chez tout enfant en détresse, victime directe de désamour, ou témoin de l'affliction d'un proche ou de la violence entre ses parents, ou qui a été conçu pour rafistoler un couple, ou encore pris pour un autre à remplacer, un frère ou une sœur précédemment disparu.

La D.I.P., directement imperceptible, est néanmoins détectable à travers ses deux manifestations majeures : les fantasmes de culpabilité et de mauvaiseté. L'enfant est ainsi convaincu, à l'encontre de toute logique, que le mal qu'il subit ou auquel il assiste est de son fait et de sa faute, dû à sa mauvaiseté foncière, alors même qu'il en est victime. Il s'attribue, de surcroît, la mission de réparer les dégâts qu'il est convaincu d'avoir causés. C'est donc la D.I.P., par le biais de ces deux certitudes imaginaires, qui désunit le sujet, le détourne de son intériorité et l'arrache à sa bonté naturellement présente de façon innée. C'est encore elle qui le fragilise en lui imposant une image dévalorisée et flétrie, en le persuadant qu'il est nul et laid, mauvais père ou mauvaise mère, inférieur à tous, indigne par conséquent d'estime et d'amour.

Cette désertion de l'intériorité est compensée, comme sur les deux plateaux d'une balance, par une sur-occupation, un surinvestissement du dehors, des objets et des personnes, dès lors exagérément idéalisés : amour, réussite, pouvoir, argent.

L'adulte ainsi coupé et dépossédé de son trésor intérieur devient psychologiquement affaibli, dépendant des autres, magnifiés à l'excès, quelquefois pervers et manipulateurs, lorsqu'ils tentent de le rassurer quant à sa valeur pour mieux le dominer. Hypersensible à leurs jugements, il sera autant avide de leurs marques d'affection qu'épouvanté par la moindre remontrance, autant attiré par la fusion qu'effaré par la rupture. Au lieu de se sustenter à ses sources profondes, il quémandera des gouttelettes d'amour, toujours insuffisantes évidemment, vue l'étendue de sa pénurie narcissique. Obnubilé par le souci de recouvrer son innocence et sa bonté, il utilisera préférentiellement son énergie vitale à expier en cherchant des verges pour se faire fouetter, ou s'imposera d'être parfait, pourchassé par un moi idéal hypertrophié.

Ces deux mécanismes le forcent surtout à cacher son être profond, voire même à le sacrifier dans le but de plaire, en conformité aux attentes parentales et aux normes sociales. Être soi, vrai, différent des autres, percevoir la vie et le monde par référence à ses valeurs, agir en étant enfin guidé par son désir propre, embrase instantanément ses craintes infantiles de déplaire et d'être mauvais, sa peur de nuire à ceux qu'il chérit, de les décevoir, de les délaisser. Dire non, frustrer, fixer des limites, et, pire encore, s'affirmer en défendant ses intérêts apparaissent à ses yeux comme des agressions, des fautes l'exposant à des représailles.

Le besoin impérieux de reconquérir son innocence et sa bonté le maintient donc dans la position de l'éternel enfant thérapeute, gentil, sauveur, altruiste justement, voire parfois servile et complaisant. Pourquoi l'infortuné vieillard de notre conte s'est-il ingénié à délivrer des broussailles une dangereuse vipère sans avoir pensé une seule seconde au risque vital qu'il encourait ? Il a voulu être trop bon et trop bien faire !

Tous ces combats conçus à l'origine pour délivrer le Moi de la D.I.P., loin de rapprocher le sujet de lui-même et de sa bonté, ne font que l'en éloigner, aggravant paradoxalement sa représentation narcissique déjà délabrée. Aucune faute n'est plus grave pour l'inconscient que celle consistant à se malmener. Il est impossible, de plus, de résorber une préoccupation intérieure par recours à des stratagèmes provenant du dehors.

Comment renouer dès lors avec sa bonté profonde ? Comment réussir à s'aimer et à se regarder avec bienveillance ? Livrer une lutte sans merci contre ses deux fantasmes de culpabilité et de mauvaiseté, expier pour obtenir l'absolution, s'épuiser à devenir parfait, se sacrifier au profit des autres pour décrocher une attestation d'impeccabilité, tous ces soi-disant remèdes s'avèrent bien pire que le mal qu'ils sont censés guérir. C'est la D.I.P. consécutive à une carence matricielle ancienne qui divise le sujet, qui inocule la dissociation dans son psychisme, qui clive les divers pans de son identité plurielle. C'est par conséquent cette fracture originaire qu'il conviendrait de repérer et de réparer, pour parvenir à s'unifier. Guérir, renouer avec sa bonté ne signifie pas déraciner sa D.I.P., tâche évidemment impossible, mais rétablir la dialectique des contraires. Il s'agit, autrement dit, de cesser de dresser l'un contre l'autre, de façon manichéenne et rédhibitoire, le bien et le mal, le positif et le négatif, le bon et le mauvais, le blanc et le noir, le dedans et le dehors, le vide et le plein, l'obscurité et la lumière, l'amour et la loi. Aucune de ces valeurs n'existe en absolu, sans lien avec son opposé, qui lui sert positivement de garant mais aussi de limite.

Renouer avec sa bonté implique ainsi l'intégration de l'imperfection, de son versant ombreux, de ses deux côtés mauvais et coupable, liés au fait d'avoir jadis souffert. Vivre pleinement dans la pluralité de ses visages consiste à marcher sur ses deux jambes, avec ses forces *et* ses faiblesses, un peu moins au-dehors et dans les apparences, mais un peu plus au-dedans, meilleur avec soi, mais moins bon avec les autres. Aimer son prochain comme soi-même... pourquoi pas ? Mais pas davantage !

1

NOURRITURES MATRICIELLES

CLAIRE

Claire vient tout juste de fêter ses quarante-cinq ans. Elle est habillée très simplement, mais avec goût, et surtout un souci évident d'assortiment. Son visage est maquillé avec discrétion, ses cheveux coiffés un peu négligemment, aucun bijou sauf une montre, un collier presque invisible et une bague, le tout sans fantaisie ni fioriture. Son look sérieux dans l'ensemble, dépouillé, sobre, voire même austère, l'aide, on dirait, à camoufler une beauté naturelle. Seul un sourire, qu'elle s'efforce d'abréger cependant, illumine son regard.

« Merci vraiment d'avoir accepté de me recevoir. Voilà, je m'appelle Claire, mais vous le savez déjà. Cela fait plus de vingt-cinq ans que je me débats contre mes démons intérieurs, je veux dire mes angoisses. Je suis fatiguée de lutter. Je me sens mal, oppressée. J'ai le dégoût de tout. J'ai été en analyse pendant quinze ans, avec deux personnes différentes, mais ça ne m'a rien apporté. J'en suis toujours au même point. Je souffre beaucoup, torturée notamment par le pénible sentiment de ne pas me sentir vivante, comme coupée de la réalité. La solitude me pèse et m'emprisonne. Je ne la supporte plus. Ma vie est marquée par toutes sortes d'échecs, de blocages et de frustrations. Mon travail ne m'enchante pas du tout, loin de là. Pourtant, j'ai un emploi stable et bien rémunéré. Tant de personnes envieraient ma situation, j'imagine. Je les comprends. Je leur donne même raison, mais je n'y peux rien, je suis si malheureuse dans ce poste.

Si je ne démissionne pas c'est uniquement par peur du chômage. Je suis assistante de direction dans une importante société cotée en bourse. Je me trouve depuis bientôt vingt ans sous les ordres d'un patron voyou, sans foi ni loi, d'un tyran malhonnête dépourvu de toute moralité. J'aide ce type dans sa criminalité, dans ses magouilles plus juteuses les unes que les autres, même si elles paraissent, à la lettre seulement, conformes aux lois. Il est si violent avec moi, il me fait du mal, me parle avec mépris, poussé par le besoin de se prouver qu'il est invulnérable, et par sa soif maladive du pouvoir. Il se croit tout-puissant et s'imagine dans l'immunité la plus totale. De plus, il court après toutes les femmes. Elles lui cèdent en majorité, pour obtenir une promotion, un week-end luxueux au soleil ou un poste pour le petit-cousin. Il a évidemment cherché à coucher avec moi aussi, mais je ne me suis jamais laissée faire. C'est peut-être pour ça qu'il se montre sadique à mon égard. Il me traite comme une merde, une esclave. Il me commande d'une façon méprisante et seigneuriale.

Le matin, en partant de chez moi, j'ai vraiment l'impression de me rendre à la mine. C'est un sale type. Il cherche constamment à me piéger, à m'humilier. Il me surveille pour savoir ce que j'ai fait, mais surtout pas fait. Il jouit de me prendre en faute. Il ne rate aucune occasion pour me critiquer. Je dois obéir par crainte d'être licenciée. Il est capable de me mettre dehors, s'il en a envie, du jour au lendemain. L'autre jour, par exemple, j'ai dû servir pas moins de soixante-dix cafés à ses visiteurs dans la matinée. Il me prend vraiment pour sa bonne. Il lui arrive aussi d'oublier ou même de s'opposer carrément à payer mon treizième mois, alors que tout le personnel y a légalement droit. Je dois me battre pour obtenir mon dû. Il exige aussi que je prenne mes congés en même temps que les siens, pour pouvoir me garder constamment à son service.

Toute la semaine je compte les jours et j'attends impatiemment le vendredi soir. Mais le week-end, je ne fais pas grand-chose, j'ai la hantise du retour du lundi matin, avec un summum d'angoisse le dimanche soir !

D'ailleurs, il n'est pas le seul à me considérer comme sa servante. Son fils aussi a tendance à suivre l'exemple paternel. L'autre vendredi soir, après dix-neuf heures, à l'instant où j'allais quitter le bureau pour me rendre à la gare, cet enfant gâté m'appelle pour me demander de lui réserver des billets d'avion pour lui et sa petite amie du moment. Lorsque j'ai tenté de lui expliquer poliment que j'avais un train à prendre, il s'est mis à me parler sur un ton agressif et irrespectueux, en "fils du patron". J'ai évidemment fini par céder. J'ai dû remettre mon départ en week-end, programmé depuis longtemps, au lendemain. Curieusement, il m'a envoyé un mail le lundi matin pour critiquer mon attitude. Il m'a reproché d'avoir été "peu coopérative et disgracieuse" !

Quelques jours plus tard, j'ai rêvé que je devais faire l'amour avec lui. Je n'en avais aucune envie, bien sûr, mais je me sentais contrainte. J'ai fait plusieurs fois ce rêve, je veux dire, ce cauchemar, avec son père. Il me violait sans que je puisse rien dire, ni surtout m'opposer. Je me réveillais à chaque fois, tremblant de tout mon corps, sans réussir à me rendormir. Il m'est arrivé de rêver aussi qu'un homme cherchait à m'assassiner, j'ignore pour quel motif.

Je suis bien payée dans cette société, je l'avoue, mais ce n'est pas un travail pour moi. J'ai honte d'être secrétaire. Je me sens minable. Je dois être vraiment 'maso' pour rester à un poste aussi dégradant. Je crains d'être licenciée, c'est vrai, mais je me dis d'un autre côté que, de toute façon, même si je décide de m'en aller, il ne me lâchera pas. Je me sens piégée, enfermée par lui dans une geôle invisible. Si je pars dans une autre entreprise, il serait tout à fait capable de la racheter pour que je reste sous sa domination. Il l'a d'ailleurs dit une fois, en plaisantant à moitié : "Si vous me quittez, Claire, pour une autre boîte, je la rachèterai pour vous garder avec moi!" Et puis, j'ai peur de m'en aller, de me lancer dans l'inconnu. En réalité, je ne sais rien faire d'autre. Je n'ai aucune compétence particulière, je suis donc obligée de me raccrocher à ce travail. En fait, c'est mon père qui, dès le départ, m'a poussée dans cette voie. Il a toujours soutenu que le meilleur boulot pour une femme, c'était le secrétariat. Je lui ai donc obéi. Je n'avais pas le choix. Après mon bac, j'ai traîné un peu dans les facs, mais rien ne m'attirait vraiment. Je me suis inscrite à Sciences Po ensuite, que j'ai laissé tomber au bout de quelques mois. Dans le fond, j'ai totalement raté ma vie professionnelle. J'en suis malheureuse tout en me sentant très coupable de me plaindre. Je me dis que je n'en ai vraiment pas le droit, que je suis trop gâtée en fait, que j'ai tout pour être heureuse si je compare mon sort à celui de tant de personnes au chômage ou devenues clochards.

J'ai peur que Dieu me punisse un jour de mon ingratitude qui frise le blasphème. Oui, je ne vous l'ai pas encore dit, je suis très croyante. J'attache beaucoup d'importance aux valeurs religieuses et spirituelles. »

Voici, en résumé, le tableau dépeint par Claire au cours de nos premiers entretiens. Son vécu professionnel est extrêmement négatif, sombre, voire dépressif. Il justifie amplement l'étymologie de verbe « travailler », *tripaliare* en latin, qui veut dire tourmenter avec le *trepalium*, un instrument de torture ou un appareil à ferrer les bœufs. En ancien français, travailler signifie souffrir physiquement ou moralement, se tourmenter, en parlant d'un condamné que l'on torture, d'une femme dans les douleurs de l'accouchement ou d'une personne agonisante. Claire se rend, en effet, à son bureau tous les matins, comme traînée à l'abattoir !

Il est certes bien possible qu'elle souffre d'un environnement pénible, notamment d'un patron sans scrupule, voire intolérable. Je n'en doute point. Les conditions de travail peuvent parfois se révéler si déplorables que certains employés ne voient plus aucune autre issue que de se donner la mort, au bout du rouleau, acculés au désespoir. De nos jours, le nombre de burn-out directement liés au stress professionnel prolongé se trouve en constante augmentation.

Cependant, tous les travailleurs ne sont pas journellement victimes de brimades et surtout, tous ne se laissent pas harceler passivement sans se défendre. Certains réussissent à poser des limites à leur employeur. D'autres changent de poste ou d'emploi, ou décident de porter plainte.

De plus, il existe malgré tout, par-delà toutes les pénibilités, de nombreuses satisfactions également, à commencer par celle de « gagner sa vie », l'argent indispensable pour assurer sa subsistance. Enfin, la réalisation d'une tâche comporte des aspects positifs. Elle procure certains plaisirs contribuant à l'accomplissement et à l'épanouissement de soi. Claire, par contre, n'éprouve dans son travail, aucun émoi agréable, aucune joie !

Je suis convaincu que la façon d'« être au travail » du sujet dépend en grande partie de sa manière générale d'« être au monde », de sa personnalité globale. Chacun gère sa vie professionnelle selon le même schéma de fluidité ou de blocage, de légèreté ou de gravité qu'il mène sa vie relationnelle, amoureuse en particulier, son alimentation ou ses loisirs. La réussite ou l'échec, le bonheur ou l'infortune dépendront partout de l'autorisation que le sujet s'accorde ou se refuse, en fonction de la bonne ou de la mauvaise image qu'il a de sa personne. Tout dépend de son capital narcissique, de la confiance en sa valeur et par conséquent de son refus ou de son consentement inconscient à se laisser immoler, tel un agneau sur l'autel de l'égoïsme et de la perversion d'autrui. Claire se présente dans une posture victimaire.

Un prédateur ne s'empare jamais indifféremment d'une proie. Il est attiré notamment par celle qui, affaiblie, « déprimée », « suicidaire » en quelque sorte, lui dévoile son talon d'Achille, poussée par l'injonction masochiste de s'auto-punir. La confiance en soi et en sa bonté rend le sujet solide et combatif.

À l'inverse, la carence narcissique, le manque d'amour de soi le fragilise, démolissant son système psychologique de défense immunitaire.

Ainsi, la manière « d'être au travail » de Claire résulte de son « être au monde », c'est-à-dire de sa façon de se situer face à la vie et aux autres. Cela transparaît point par point dans le récit de ses histoires sentimentales. Claire décrit en effet, sans s'en rendre compte, sa vie amoureuse dans le même contexte tendu et conflictuel de grisaille et de frustration, puisqu'au fond, c'est toujours et partout la même petite fille qui s'agite et gémit en elle, inquiète, incomprise, méprisée.

C'est le lien affectif avec son patron qui prédomine chez elle, et non la tâche à proprement parler, en raison d'une affectivisation du travail. Il s'agit d'ailleurs là d'un climat collectif assez courant dans les entreprises modernes. Le « collègue » est de plus en plus perçu de façon émotionnelle. Il est qualifié de « gentil » ou de « méchant », d'« ami » ou d'« ennemi », comme s'il s'agissait d'un membre de la famille.

Voilà pourquoi seule la rencontre avec son enfant intérieur, rendue possible par la découverte et l'intégration de son passé, permet d'éclairer le présent et de le transformer.

« Cela fait déjà huit mois que je suis toute seule. Mon dernier compagnon s'appelait Alain. C'est lui qui m'a laissé tomber ou c'était plutôt moi, enfin, je ne sais plus ! De toute façon, c'est pareil à chaque fois. On se fréquentait depuis trois ans. On se voyait un ou deux soirs par semaine, certains week-ends et pendant les vacances. C'était lui qui décidait, suivant ses désirs ou ses possibilités. Je devais obéir sans rechigner. De mon côté, en dehors de mes heures de travail, j'étais toujours disponible. Lui, il avait été marié auparavant et avait eu quatre enfants, avec deux femmes différentes. Il prétendait qu'il ne pouvait pas me voir davantage. Parce qu'il devait consacrer aussi pas mal de temps à ses enfants, en plus de son travail. Il avait certes des responsabilités, mais il s'en servait à mon avis comme prétexte pour pouvoir me tromper avec d'autres femmes. Ses infidélités m'ont fait beaucoup souffrir. Il s'est comporté méchamment avec moi et m'a utilisée comme un objet, sans aucune considération.

De toute manière, avec les hommes, ça se passe toujours mal. Dès que je suis en couple, je suis terrorisée, ça réveille des angoisses monstres en moi. La relation se transforme rapidement en une source de tortures et de douleurs. Je suis tout de suite certaine que ça n'ira jamais, que je n'y arriverai pas. Lorsqu'un homme me déclare ou me fait deviner son intérêt et ses sentiments, je m'attache à lui de plus en plus fortement. Mais parallèlement, je sens l'effroi m'envahir. L'amour est une véritable souffrance pour moi, alors que toutes les filles que je connais l'encensent et le vivent avec enthousiasme. J'ai peur. Du coup, mon seul objectif consiste à me dégager, à partir, à me libérer pour ne plus souffrir le martyre. Alors, j'investis toute mon énergie dans la séparation. Seulement ce n'est pas facile parce qu'en même temps, je tiens à la relation. La rupture prend du temps, beaucoup de temps parfois – trois ans avec Alain ! Ensuite, une fois la rupture concrétisée, je ne suis pas mieux du tout pour autant. C'est alors un autre supplice qui s'empare de moi. Je regrette, je me sens affreusement seule et coupable. Au fond, j'ai complètement raté ma vie sentimentale. Je n'ai rien construit. Personne ne m'attend nulle part. Tous mes copains et copines vivent en couple, sont mariés et ont des enfants, sauf moi. Je n'ai personne. Ma vie est complètement stérile. Il ne s'y passe rien.

J'ai rêvé l'autre nuit à une foule de personnes dans la rue, des femmes mais surtout des hommes portant chacun un bébé dans ses bras, tous sauf moi. Dès que je croise une poussette dans la rue avec un bébé dedans, ou une maman kangourou, j'ai du chagrin. Donner la vie, c'est se sentir vivant soi-même. Ne pas avoir eu d'enfant signifie pour moi avoir renoncé à vivre.

Sexuellement, chaque fois que je couchais avec Alain, je me sentais mal. Comme si j'étais sous sa domination, sous son emprise, dans une prison. Déjà, le poids de son corps me provoquait des sensations d'étouffement, des craintes d'écrasement. Se donner, se laisser aller, s'abandonner dans l'amour sont des choses qui me font très peur, je redoutais aussi qu'il soit déçu et qu'il ne veuille plus de moi.

Souvent, j'avais tellement mal partout, et surtout au dos, que je ne pouvais plus écarter mes jambes, j'étais comme paralysée, bloquée, handicapée. Les médecins ont diagnostiqué une tendinite, mais je me connais, c'est ma façon à moi de me fermer à double tour, de m'interdire de prendre du plaisir. Alain se montrait parfois compréhensif, mais face à ces frustrations répétées, il finissait souvent par s'énerver. Il me faisait la gueule, m'agressait avec ses regards et ses mots où je lisais la colère, la rupture à venir, l'abandon. Je le comprenais. Je me sentais drôlement coupable de le rendre malheureux. Quelquefois, je réussissais à rassembler mes forces en faisant semblant de prendre du plaisir. Je jouais la comédie. Je feignais de jouir. Alain, occupé par son propre plaisir, ne s'en rendait heureusement pas compte !

Au fond, je ne me sens pas vivante. Je n'ai pas peur de mourir, je suis déjà morte. J'ignore ce qu'on appelle l'orgasme. Je n'ai jamais ressenti non plus de vrai désir, d'excitation sexuelle forte, d'envie de faire l'amour. Fantasmer le corps, l'organe sexuel d'un homme, m'imaginer flirter ou faire l'amour ne me fait pas vibrer du tout. La première fois que j'ai embrassé un garçon, j'avais douze ans je crois. C'était quelque chose de très grave. Je me sentais sale, affreusement coupable. Il m'est arrivé de me masturber quelquefois mais plus par curiosité que par plaisir. J'ai toujours été terrorisée, et même encore maintenant, par les histoires de traite des Blanches. Je rêve aussi parfois qu'un type m'attend derrière la porte de ma chambre avec un long couteau. C'est effrayant !

Je ne comprends pas pourquoi nous nous sommes quittés, Alain et moi. Au début, il avait l'air très amoureux. Il m'appelait plusieurs fois par jour. Nous avions des goûts communs, les expos, le cinéma, la littérature, la peinture, les balades... Nous pouvions discuter de tas de choses ensemble. Cependant, malgré ses qualités et mon énorme besoin de son affection et de sa présence, je me suis débattue pour ne pas me laisser amadouer. J'avais envie de le voir si souvent et si fort qu'à chaque retrouvaille je finissais insatisfaite. J'étais surtout envahie par la terreur qu'il puisse ne plus m'aimer, me laisser tomber du jour au lendemain. En fait, je voulais qu'il soit constamment présent. C'est ça que j'appelle l'emprise de l'homme sur moi. C'est ce pouvoir de vie et de mort qui me révolte, selon qu'il décide de me garder ou de me jeter. Lorsqu'on marchait ensemble, s'il regardait une autre femme dans la rue ou s'il envoyait un texto à son ex ou à ses enfants, je me sentais tout d'un coup abandonnée, démolie. De même, s'il ne m'écoutait pas très attentivement quand je lui parlais, s'il était un peu absent ou distrait, s'il se levait de table avant que j'aie complètement fini de manger, ou s'il allait s'allonger sans moi sur le lit... Je me sentais aussitôt délaissée, comme si je n'existais pas, qu'il me manquait de respect, que nous n'étions pas vraiment ensemble. Dès que quelque chose n'allait pas entre nous, le monde s'effondrait. Alors, je me disputais avec lui. Je me mettais dans une colère que j'avais du mal à contrôler. À la fin, je ne savais plus ce que je voulais ni quel avait vraiment été le but que je poursuivais : casser la relation ou, au contraire, la sauver.

Les jours suivants, je n'avais plus qu'une seule idée en tête : arrêter de le voir pour cesser de souffrir, l'abandonner en prenant les devants et lui voler l'initiative. C'est la seule arme que je détiens, en définitive. Je fais tout pour empêcher l'autre de me quitter pour pouvoir rompre de mon propre chef. C'est toujours moi qui prends la décision de partir. Seulement, ce n'est pas facile, parce que d'une part je suis très dépendante, d'Alain ou d'un autre, et ensuite, je me sens affreusement coupable de m'en aller. Alain, par exemple, avait souvent du mal à payer les pensions alimentaires fixées par le juge au bénéfice de ses deux ex et de ses quatre enfants. C'est souvent moi qui l'aidais en lui « prêtant » de l'argent. Comme il était au chômage depuis plus d'un an, j'ai dû le dépanner plusieurs fois.

Je suis incapable de résister à un homme malheureux, surtout lorsque j'ai l'impression d'avoir été injuste ou méchante. Le voir pleurer m'est insupportable. J'oublie alors tout le contentieux. Je me fais toute petite dans ses bras et je le console. En réalité, j'ai toujours été incapable de quitter définitivement quelqu'un, surtout mes anciens copains. D'une façon ou d'une autre, je reste en lien, téléphonique, épistolaire ou autour d'un verre, parfois.

Voilà, je répète toujours le même schéma. Je veux vraiment sortir de ma solitude, construire un couple et une famille avec quelqu'un, mais dès que ce rêve devient réalisable, je panique et je recule.

Je ne raconte évidemment pas mes histoires de cœur à mes copines. J'ai une immense tristesse en moi mais je ne voudrais pas qu'elles la voient. Et puis, j'évite d'en parler aussi parce que je connais leurs réactions d'avance : "T'es trop compliquée. Tu ne sais pas ce que tu veux. T'es jamais contente. T'es trop sensible. Tu dramatises tout. Faut faire des concessions, etc."

Le pire c'est qu'elles n'ont pas tout à fait tort. J'en conviens. Mais j'ignore comment réussir à ressentir les choses différemment, de façon plus "cool", comme elles disent, ni comment me comporter autrement. Je regrette et je me sens coupable, coupable d'être malheureuse surtout, et de me plaindre. Je déteste ça. J'ai tout. Je suis plutôt jeune, jolie d'après certains, en bonne santé, à l'aise financièrement, issue d'une famille respectable où tout va bien – en apparence en tout cas. Je crains aussi qu'en vous racontant mes problèmes, vous finissiez par refuser de vous occuper de moi, arguant que mon cas n'est pas assez intéressant, ou que vous pensiez n'arriver à rien avec moi. Ce serait vraiment une chance si vous acceptiez de m'aider. »

Voilà, la vie sentimentale de Claire ressemble étrangement, je l'avais souligné, à sa vie professionnelle, bien qu'il s'agisse là de deux domaines distincts. Nous y retrouvons les mêmes thèmes et les mêmes inquiétudes, décrits avec pratiquement les mêmes mots. Il existe, autrement dit, de nombreuses similitudes de fond chez elle entre ces deux pans de son existence, aussi douloureux l'un que l'autre. Nul n'est en prise avec une multitude de difficultés et de blocages. Bien qu'en superficie ils soient multiples et distincts, relevant chacun d'un domaine différent, amour, travail, famille..., ils ne constituent finalement que les diverses branches d'un seul arbre. D'où l'intérêt, au cours de la psychothérapie, de s'efforcer de repérer le sens, la problématique centrale, le thème qui se répète sous des déguisements variés.

Résumons-nous : ma patiente se sent ligotée par une grande souffrance. Celle-ci l'empêche depuis longtemps d'exister tout simplement, de se sentir vivante, de s'épanouir, de s'accomplir en tant que femme et mère. Elle se sent éteinte, dit-elle, séquestrée dans une invisible toile d'araignée trop peu irriguée par le désir. Elle agit, mais sans véritable plaisir, par contrainte, par devoir, comme spectatrice de sa vie.

L'amour, au lieu de constituer une source de joie, se transforme directement en une épreuve pour elle. Elle se dit paniquée par les hommes, son patron d'abord, dont elle considère qu'il la maltraite, le fils de celui-ci, mais aussi tous ses amants. Elle se sent constamment écrasée par ces figures qu'elle juge négatives, redoutant leur domination, leur emprise. Elle est ainsi victime d'une puissante ambivalence : la quête ardente d'un compagnon censé la combler, dans les deux sens du terme, la remplir et la rendre heureuse.

Mais d'un autre côté, elle refuse qu'on puisse la chérir et la désirer par crainte, par conviction plus précisément, de se voir ensuite délaissée. Elle préfère donc abandonner, prendre les devants, pour éviter d'être « larguée », en espérant que cette inversion réussira à conjurer la malédiction. D'où, sans doute, sa hantise de se laisser piéger. Elle est prise entre deux forces d'égale puissance : son profond besoin de fusion et de dépendance et sa crainte de se déposséder de soi, de se perdre dans l'autre et de disparaître. L'amour devient ainsi aussi vivifiant que mortifère !

En outre, il existe chez Claire une forte problématique de culpabilité, quelle que soit la conjoncture. Elle s'interdit de se plaindre si elle est malheureuse, mais aussi de jouir en accueillant tout simplement le plaisir. Enfin et surtout, ma patiente souffre d'une image extrêmement négative d'elle-même. Elle considère la totalité de son existence comme « ratée », sa personne « minable », une « merde ». Elle ne se sent pas aimée – ne s'aime pas, plus exactement –, manque de confiance en elle-même, en son intelligence et en sa bonté. Il existe chez elle une carence narcissique, un vide abyssal, à l'origine, de toute évidence, de ses nombreuses angoisses, de sa dépression et de son sentiment d'absence de légitimité. Il est impossible d'aimer quelqu'un véritablement et d'accepter d'être aimé par lui si l'on ne s'aime pas en premier.

Paradoxalement, le combat que Claire mène depuis vingt-cinq ans, contre ses « démons intérieurs », comme elle dit, loin de l'avoir rassérénée, a fini par l'épuiser, en aggravant ses difficultés. Que faire, alors, quand les outils auxquels chacun a tendance à recourir, valorisés socialement, à savoir le déni, la fuite, l'évitement, le refoulement, la lutte..., se révèlent inefficaces face au conflit psychique ? Pis encore, préjudiciables à long terme, aggravant les problèmes plus qu'ils ne les résolvent. La vraie, pour ne pas dire l'unique, possibilité de changement réside dans le travail que le sujet entreprend sur lui pour comprendre, c'est-à-dire pour repérer les motifs et le sens de ce qui le tourmente. Il s'agit plus exactement de son enfant intérieur, prisonnier de l'Ailleurs et de l'Avant. Ce n'est jamais l'adulte qui souffre véritablement, en prise à des difficultés réelles, mais le petit garçon ou la petite fille en lui, reclus dans les catacombes de l'inconscient. Je dirais, en termes un peu plus savants, que l'apaisement intérieur s'obtient en déconnectant dans un premier temps la souffrance actuelle du facteur déclencheur, de la cause apparente, toujours trompeurs évidemment (« je suis malheureux parce que je viens de subir une rupture sentimentale »). Il faut la reconnecter ensuite au passé, à la détresse de l'enfant intérieur victime jadis (mais le temps ne s'écoule pas, il reste figé, pour l'inconscient) de désamour, d'abandon ou de maltraitances. C'est bien ce pèlerinage dans l'histoire qui permettra paradoxalement de se délivrer de ce qui fut ou ne fut pas pour tourner la page, sans l'arracher toutefois, afin de pouvoir revenir à soi et habiter en adulte, son Ici et Maintenant.

Écoutons Claire. Que lui est-il arrivé dans son passé ?

« Je suis née dans une famille bourgeoise très pratiquante. Mes parents ont eu quatre enfants, deux garçons et deux filles. J'ai perdu ma grande sœur, Charlotte, de trois ans plus âgée que moi, quand j'avais dix-huit ans. Elle est décédée en perdant le contrôle de sa mobylette sur une petite route de montagne.

Toute l'histoire de mon enfance et de mon adolescence, hormis le décès de Charlotte, bien sûr, est marquée par un gros problème, un épais nuage noir obscurcissant notre ciel familial. Voilà : nos parents ne s'entendaient pas. Ils se disputaient sans cesse, pour tout et n'importe quoi, des bagatelles, franchement insignifiantes, mais aussi sur des sujets plus sérieux. Il existait chez nous un climat de tension et de conflit permanent. Mon père reprochait pratiquement tout à ma mère. Il la contredisait, l'humiliait en notre présence. Il était insupportable. Il s'énervait pour rien, la critiquait quoi qu'elle dise ou fasse. Je pense qu'il est misogyne, cet homme. Soit les femmes ne comptent pas à ses yeux, soit il en a drôlement peur ! Il la culpabilisait sans arrêt, cherchant à lui prouver que tout ce qui n'allait pas était de sa faute. Aussi loin que mes souvenirs remontent j'ai toujours baigné dans cette ambiance.

Maman souffrait beaucoup. Elle était très malheureuse, pleurait en silence, appelant le Seigneur à son secours. J'étais le témoin impuissant de cette violence, traumatisée par des scènes que j'étais incapable d'arrêter. Il faisait si mal à ma mère ! Il ne la frappait pas mais je sentais cependant qu'il en avait bien envie quelquefois. Il réussissait à se contrôler, néanmoins. Il lui est déjà arrivé de porter la main sur mes frères et sur ma sœur avec une ceinture, mais pas sur moi. Je me protégeais contre sa violence en lui faisant un charme d'enfer. Je me suis mise à utiliser avec lui une stratégie de séduction dès l'âge de cinq ans. Je me cabrais comme une biche. Je faisais la putain en quelque sorte pour l'amadouer. Ça m'est venu spontanément.

Depuis, j'utilise le même procédé avec les hommes, surtout avec ceux dont j'ai peur. Ma sœur et ma mère s'en rendaient compte et me disputaient. Je me sentais coupable après-coup, mais ça ne m'empêchait pas de recommencer. Il est arrivé quelquefois à mon professeur de danse d'abuser de ma naïveté, en me serrant de façon un peu ambiguë dans ses bras. Un autre type, mon moniteur d'équitation, s'est comporté pareillement. Mon frère aîné s'est permis aussi de mettre une fois sa main dans mon slip, pour "rigoler", m'a-t-il juré. Je lui ai fait comprendre que son geste était insupportable. Il n'a plus jamais recommencé. La psy qui me suivait avant me disait que j'avais les comportements d'une fille sexuellement abusée. Je ne sais pas. Peut-être, mais je n'en ai gardé aucun souvenir, hormis ces épisodes.

Enfant, j'étais souvent paniquée à l'idée que mes parents se quittent dès qu'une dispute démarrait. J'avais peur qu'on se retrouve, mes frères, ma sœur et moi, tous abandonnés, sans protection et surtout isolés dans notre immense maison située dans un quartier résidentiel pratiquement désert. Mes copines n'aimaient d'ailleurs pas trop venir jouer chez moi. Nous n'appartenions pas à la même classe sociale. Je ne me sentais pas intégrée à leur monde. Elles me jalousaient et me prenaient pour une petite princesse gâtée. Je les enviais de mon côté pour la simplicité de la vie qu'elles menaient, leur légèreté, la complicité qu'elles affichaient à la récré, et surtout l'affection dont elles bénéficiaient chez elles. Je les enviais enfin parce que je les trouvais vivantes, joyeuses, alors que moi je me sentais prisonnière de notre mode de vie étriqué. J'avais tellement envie d'être comme tout le monde. J'ai rêvé plusieurs fois que j'étais enfermée dans un château ou dans un gros avion immobilisé. Je courais à droite et à gauche, paniquée, sans réussir à trouver l'issue.

Mes parents se querellaient sans cesse, mais il était hors de question évidemment pour eux de divorcer. Dans notre milieu bourgeois, d'une très haute moralité, dans les apparences en tout cas, la religion occupait une grande place. Elle nous contraignait à accomplir nos devoirs, réprimant avec sévérité nos désirs. Mes parents se devaient ainsi de rester ensemble à vie, « pour le meilleur et pour le pire », selon la formule consacrée ! Du coup, ma mère, malheureuse dans son couple, reportait son énorme demande d'affection sur ses enfants. Elle cherchait à se montrer parfaite. Elle accomplissait ses devoirs avec une abnégation frisant le sacrifice. Elle préparait toujours une tonne de nourriture. La maison était nickel. Tout le linge lavé, repassé et rangé sans qu'on ait besoin de l'aider. Nous avons, ma mère et moi, toujours été collées l'une à l'autre. Nous vivons encore aujourd'hui une dépendance mutuelle. Je réponds à son besoin d'être aimée et sécurisée. Elle est malheureuse, alors je la protège contre mon père. Je la console, disons que je la materne. Pourtant je n'ai jamais ressenti de sa part de la chaleur, cette complicité que je retrouve entre mes copines et leur mère. Je me demande aussi si elle m'aime vraiment, si elle m'accepte telle que je suis. J'ai beaucoup de mal à me séparer d'elle. Je suis en permanence inquiète au sujet de sa santé et de son moral. Je l'appelle pratiquement tous les jours pour prendre de ses nouvelles. Je lui demande surtout si ça se passe bien avec mon père. Elle est fragile, maman. Je suis sa seule source d'affection. J'ai la trouille qu'elle meure. Ce sera si terrible, d'autant plus que ma vie ressemble à un désert. Je n'ai ni enfant ni mari. C'est le vide absolu.

Ce n'est peut-être pas de l'amour que je ressens pour elle, mais de l'inquiétude, de la pitié, de la compassion, pour compenser la méchanceté de mon père. Il empire d'ailleurs en vieillissant.

Mais je ne suis pas en train de dire que je me considère comme sa seule enfant non aimée; le vilain petit canard! Je suis certaine qu'elle n'a désiré aucun de mes frères ni ma sœur. Je pense que nous étions tous des pions dans son schéma de vie. Elle s'est mariée et a eu quatre enfants parce qu'elle se devait de fonder une famille par devoir, par conformisme. Elle m'a d'ailleurs fait quelques confidences allant tout à fait dans ce sens. Elle jure évidemment par ailleurs qu'elle m'aime en m'assurant que je suis l'unique sens de sa vie. Je me dis alors que, pour mériter son amour, je me dois de coller à son idéal, mener la vie qu'elle souhaite et dont elle a rêvé pour moi. Or, ce n'est pas le cas. Je ne corresponds pas à son rêve. Elle est déçue que je ne me sois pas mariée et que je n'aie pas eu d'enfant. Ça m'exaspère quand elle me parle de ça. Et elle me traite comme une petite fille qui lui doit l'obéissance. Si je la contredis, elle se met à pleurer en refaisant son habituel chantage affectif: "Je suis si malheureuse. J'aimerais être morte!"

Ma mère a toujours été une hyperactive. Encore aujourd'hui, à soixante-quinze ans, elle n'arrête pas, malgré sa fatigue et quelques ennuis de santé. Elle fait plein de choses, sans se ménager. C'est une perfectionniste qui dépense une énergie folle pour plaire à tout le monde et ne froisser personne. En plus de l'éducation de ses enfants, du ménage et de l'intendance, elle a toujours trouvé le temps de secourir les "malheureux", comme elle les appelle, en étant bénévole. Elle avait choisi d'être visiteuse de prison. Toute mon enfance j'ai entendu parler des histoires de femmes, toutes plus atroces les unes que les autres. Bien qu'elles aient été condamnées pour avoir commis certains crimes, ma mère soutenait mordicus qu'elles avaient été victimes de la méchanceté des hommes. Elle était si contente de nous raconter tout ce qu'elle avait vu et entendu, souvent des horreurs... Elle était satisfaite d'elle-même, en définitive, pour la consolation qu'elle avait pu leur prodiguer! "Elles sont si heureuses, les pauvres, quand je leur rends visite", disait-elle.»

Je pense que nous pouvons désormais mieux comprendre le sens des douleurs psychiques de ma patiente, motivées par le dysfonctionnement qu'elle a subi dans son enfance au sein du triangle familial. Celui-ci a été vécu de façon particulièrement négative.

Le couple de ses parents souffre manifestement d'une mésentente, voire d'une déchirure chronique, à caractère sans doute sadomasochiste. Leur vie apparaît grisâtre, sans joie ni amour. Le lien entre l'homme et la femme, devenus père et mère, est d'emblée décrit comme compliqué, problématique, explosif. Le premier est perçu comme méchant, dominateur, dangereux, écrasant. La seconde est dominée, humiliée, insatisfaite, prisonnière. Ainsi, bien qu'élevée dans une famille bourgeoise et à l'abri de tout manque réel, Claire a souffert de dénutrition affective et d'insécurité. Elle a été victime de *carence matricielle*.

Sa mère, bien que physiquement présente, trop présente même, s'est montrée absente, indisponible, car retenue dans une relation épineuse avec son mari. Les liens que Claire a tissés et qu'elle entretient avec son patron et ses amants sont sans doute déterminés, intoxiqués, par ce modèle archaïque premier qui a laissé des empreintes tenaces dans son inconscient. La vie professionnelle de ma patiente, totalement « ratée » d'après elle, dans la mesure où son patron la méprise, la traite comme « une merde » et lui adresse des reproches à longueur de journée, sans jamais la valoriser, rappelle clairement les relations conflictuelles entre son père et sa mère. De même, la représentation négative qu'elle a conservée de ses unions successives, chaque fois échouées, source de douleur et d'effroi, véritable prison d'où elle ne songe qu'à s'enfuir, représente des répétitions du même scénario jadis joué par ses parents.

Claire continue à répéter à l'insu d'elle-même, en permanence, la même pièce, comme un disque rayé sur lequel l'aiguille coincée dans un sillon laisse entendre sans fin le même refrain. Ce phénomène, les Anciens le nommaient la « possession ». Une personne possédée décrivait ainsi un individu, apparemment en bonne santé physique, mais ayant perdu son âme, c'est-à-dire ne s'appartenant plus à lui-même, ne pensant et n'agissant plus de façon libre. Il s'agissait d'un être plutôt agi et parlé, telle une marionnette, sous influence, aliénée donc, prisonnier d'une force extérieure. Ils expliquaient ce phénomène par le fait qu'un esprit malin (ou une mauvaise personne défunte) s'attachait à celui d'un vivant. L'âme corrompue s'introduisait invisiblement dans celle d'un pécheur et s'unissait à elle pour pouvoir continuer ainsi à s'exprimer, comme par procuration, par la bouche du possédé. Dans la tradition kabbalistique, le Dibbouk désigne un esprit malin, c'est l'âme d'une personne décédée qui pénètre dans celle d'une personne vivante avec qui elle a eu un différend. Il prend possession de lui et le rend fou, vicieux et corrompu. L'exorcisme, pratique rituelle ayant existé partout sous des formes variées, consistait à chasser le démon, c'est-à-dire à expulser l'entité maléfique qui s'était emparée de l'être animé. Le but était ainsi de le désaliéner, de le purifier grâce à la confession, au jeûne, à la prière et à la communion, dans le catholicisme, à titre d'exemple.

Les psychothérapies modernes, exemptes pourtant de tout contenu religieux, visent elles aussi l'autonomie psychique du névrosé. Seraient-elles, en définitive, si étrangères à l'exorcisme, d'un point de vue des structures, par-delà des approches doctrinales et des vocabulaires certes totalement différents ? Ne visons-nous pas également, par recours à la confession (l'expression émotionnelle), le jeûne (le contrôle pulsionnel) et la prière (la connexion à son intériorité), à libérer nos patients de l'emprise aliénante du désir de l'autre, des parents en priorité ? Ne recherchons-nous pas à alléger leur héritage transgénérationnel pour qu'ils se réapproprient enfin leur parole, dont ils étaient jusque-là dépossédés ?

L'impossibilité qu'a Claire de faire couple dans la paix et l'alliance, autrement dit le thème de la femme victime de la dangerosité de l'homme, constitue d'ailleurs dans son roman familial un refrain, un leitmotiv transgénérationnel.

Ma patiente, après avoir été durant toute son enfance témoin de la violence entre ses parents, se retrouve aujourd'hui, à quarante-cinq ans, dans la même position de souffre-douleur que sa mère et ses aïeules des deux lignées paternelle et maternelle.

« Dans notre famille, la majorité des femmes se partagent en deux catégories. Elles sont soit mortes jeunes, soit ont subi des vies pas enviables du tout, sous la tyrannie des maris. La sœur de mon grand-père paternel est morte de tuberculose à trente ans. Le frère a perdu sa fille aînée de je ne sais quelle maladie. Ma grand-mère paternelle est décédée, emportée par un cancer du sein mal soigné, à cinquante ans. Du côté maternel, la sœur de ma grand-mère est morte à vingt ans. Mon grand-père était un personnage peu sympathique, rigide, autoritaire et misogyne, qui a trompé sans vergogne sa femme toute sa vie. La sœur aînée de ma mère a été hospitalisée en psychiatrie pour dépression grave et soignée par des électrochocs. Elle a eu trois filles ensuite. Le mari de l'aîné l'a abandonnée. C'était la seule qui s'était mariée et avait eu des enfants. Les deux autres nièces de ma mère sont célibataires. L'une a débloqué psychologiquement à trente ans et l'autre, une femme assez étrange, mène une existence marginale et se fait soigner par les sorciers. Le frère de maman a eu trois filles avec trois femmes différentes. L'aînée a eu deux enfants avec deux hommes. Le père de son second est parti avec mon autre cousine, sa belle-sœur en fait, et a eu un enfant d'elle. »

La pièce qui se joue aujourd'hui pour Claire plonge ses racines dans une histoire transgénérationnelle où, pour une femme, s'unir à un homme dans la sécurité et la confiance, l'amour et le partage, n'est pas une évidence. La première se trouve victime d'irrespect et d'offense, le second paraît dangereux et asservissant.

Ainsi, chaque fois que Claire se trouve face à un homme, que ce soit son père, son patron ou son amant, elle est saisie d'effroi, comme si elle représentait les femmes de sa famille en revivant leurs souffrances : sa mère, ses grand-mères, ses tantes, ses cousines... Beaucoup de nos douleurs ne sont, à proprement parler, pas les nôtres, mais celles héritées de nos ascendants. Claire a fini par développer une sorte d'allergie à l'égard du mâle. Le couple représente pour elle « une source de douleur », m'a-t-elle répété à plusieurs reprises.

Quelles sont les conséquences de la mésentente des parents sur le psychisme hypersensible de l'enfant ?

Les retentissements de la discorde parentale sur l'âme enfantine sont multiples. Je ne désapprouve évidemment pas tout conflit entre l'homme et la femme, le père et la mère. Au contraire, je le considère comme inévitable, normal, voire tout à fait sain. Vivre avec l'autre, chacun ayant une vision et une sensibilité propres, notamment lorsque les deux individus appartiennent à deux sexes et à deux générations différents, engendre forcément des frictions, des désaccords, des malentendus. Cela prouve d'ailleurs la bonne santé de la relation. Rien n'est plus délétère qu'une entente et une harmonie parfaites, un accord complet et absolu. Rien n'est plus désexualisant, puisque le désir s'éveille dans la rencontre des différences et non dans la mêmeté gémellaire des équivalences.

Pire, l'accord parfait dans tous les domaines et tout le temps représente souvent un masque, un maquillage, une représentation factice camouflant un blocage, ou une réelle pauvreté des liens, un manque à être des conjoints qui éprouvent de sérieuses difficultés à être soi. D'où l'interdiction inconsciente qu'ils se donnent de s'affirmer, d'exprimer des émotions et des pensées sans crainte de déplaire et d'être rejetés. Non, le conflit est consubstantiel à toute relation, et notamment entre un homme et une femme. Les différences de l'autre demeurant quelque part foncièrement inacceptables, l'essentiel c'est l'effort que le sujet déploie pour les aborder et les comprendre sans volonté de les polir ou de les abolir.

Cependant, le conflit peut devenir alarmant lorsqu'il dépasse une certaine intensité et une certaine fréquence et bien sûr quand il tourne à la violence, paraissant concrètement injustifiable. Autrement dit, il devient malsain lorsqu'il n'a plus pour objectif d'interpeller tel ou tel acte réel, mais qu'il vise indirectement l'être du partenaire dans sa légitimité, et aussi le bien-fondé de la relation en recourant à des prétextes.

Les parents de Claire semblent souffrir d'une véritable déchirure, d'une fissure de leur couple, si celui-ci a un jour réellement existé. Il ne s'agit pas chez eux de différences de goûts et de couleurs, somme toute relatives dans l'espace et le temps, mais d'un désassortiment, d'une incompatibilité. Leurs mésententes ont privé Claire de la possibilité de grandir sainement à l'intérieur du triangle père-mère-enfant, de pouvoir aimer sa mère aussi bien que son père, certes différemment, mais à l'abri d'un déséquilibre outrancier. L'impossibilité de chérir son père l'a ainsi perturbée durablement. Un amour non consommé, non exprimé, non offert, se transforme en venin qui intoxique l'être profond. Il est aussi important de donner que de recevoir.

Dans un tel contexte de négativité, Claire n'a pas pu s'autonomiser et embrasser son destin. La séparation d'avec ses géniteurs ne peut en effet advenir qu'en s'étayant sur des liens préalablement tissés, empreints de tendresse et de sécurité, dans la paix. L'image négative de ceux-ci contrarie l'avènement des parents intérieurs, qui permet sans culpabilité ni mauvaise conscience de renaître à soi, c'est-à-dire de s'aimer et de se protéger, telle une mère aimante et tel un père protecteur.

Ce climat d'agressivité induit en outre chez l'enfant la certitude que ses parents ne s'aiment pas, c'est-à-dire et donc, en ce qui le concerne, qu'il ne peut être le fruit de leur amour, désiré. Un tel climat empêche l'enfant de s'aimer et de se sentir légitime. Il a tendance à se considérer comme un imposteur, « un immigré clandestin » ! Peut-être aussi l'interrogation de certains sur leur origine renvoie-t-elle à ce premier socle de la construction identitaire lié à l'amour parental. Je pense que c'est bien ce fantasme originaire, tout à fait organisateur, qu'il convient de nommer « la scène primitive ». Celle-ci traduit le besoin impérieux du petit de s'assurer qu'il provient vraiment d'une union amoureuse entre ses deux géniteurs. Les psychanalystes orthodoxes décrivent ce concept (« *Urszene* » en allemand) bien différemment. Le fantasme de la « scène primitive » provient d'après eux de l'observation ou de la supposition par l'enfant d'une séquence de rapports sexuels entre ses parents ; spectacle pour lui générateur d'angoisse en raison de l'aspect violent de l'agression sexuelle commise par le père contre la mère. Pour moi, le fantasme fondateur de la « scène primitive » n'a strictement rien à voir avec une séquence surprise de coït agressif. Loin de constituer un acte fautif ni un traumatisme, conçu par Freud comme l'origine des névroses infantiles, elle représente, au contraire, l'assise sur laquelle l'enfant fait germer la légitimité heureuse de son être au monde et de son identité. Il ne réussirait à s'aimer, justement, que grâce à la présence de ce fantasme inconscient de la scène primitive d'amour et de désir entre ses deux géniteurs.

L'absence de ce schéma organisateur a dû plonger dès le départ Claire dans un désert de solitude et d'illégitimité, dans une faim d'amour et de sécurité. Elle a été très tôt confrontée à la carence matricielle, à l'abandon affectif, tiraillée entre deux personnes également chéries mais indisponibles. Ses parents, quoique présents, omniprésents même, étaient psychologiquement absents, sourds aux besoins et aux demandes de leur enfant. L'existence de trois personnes, un homme, une femme et une progéniture, ne suffit donc point à édifier un triangle. Celui-ci s'étaye sur la procréation et la filiation biologique certes, mais ne s'y réduit pas sur le plan psychologique. Une femme devient mère, non pas seulement parce qu'au bout de neuf mois de grossesse elle a donné naissance à un bébé, mais aussi parce qu'elle a été capable de vivre et d'assumer sans déchirure les deux pans de son identité féminine plurielle : la maternité et la féminité. C'est parce qu'elle se sent aimée et reconnue par un homme, désiré à son tour, qu'elle parvient à chérir le fruit de leur union. Idem pour l'homme, le fait biologique d'avoir déposé sa semence dans le sein de la femme, à l'instar de n'importe quel animal, ne le transforme pas en père automatiquement. Il ne mérite cette appellation que s'il est reconnu à son tour dans le cœur de son épouse, désiré par elle tout en la désirant et l'élisant comme la matrice de son enfant.

L'identité de chacun se conçoit, se construit et s'épanouit au sein du triangle, avec des liens de solidarité et d'attachement entre ses trois membres. Or la mère de Claire n'a pas réussi à assumer correctement sa fonction maternelle dans la mesure où la femme en elle n'a pas été épanouie dans son couple, sur le plan amoureux et sexuel. Son époux n'a pas été capable non plus d'occuper sa place ni de remplir sa fonction paternelle, perçu par sa femme et sa fille comme méchant et nocif, à fuir à tout prix !

Une femme insatisfaite, c'est-à-dire qui ne parvient pas à vivre conjointement sa féminité et sa maternité, ne peut envelopper son enfant dans sa matrice, avec chaleur et sécurité. Chez la mère de ma patiente, l'équilibre entre ces deux facettes a été rompu. Sa féminité a été sacrifiée, dénutrie, déprimée au profit d'une excroissance « cancéreuse » de la maternité. Elle a eu quatre enfants, s'en est extrêmement bien occupée, trop même, sur le plan matériel. Elle a été parfaite, mais cela n'a pas pu empêcher Claire de souffrir de carence matricielle. C'est le motif principal du complexe d'abandon chez elle, qui transparaît avec une certitude évidente à travers les deux principaux pans de son existence, l'amour et le travail.

Ce complexe si ancré dans son psychisme contient, je l'ai déjà souligné, deux couches enchevêtrées. La première concerne la carence matricielle, due à l'indisponibilité psychologique maternelle. La seconde renvoie aux angoisses de la petite Claire de voir ses parents se quitter, la laissant elle, ses frères et sa sœur seuls, sans protection, isolés dans une immense maison.

C'est évidemment cette carence qui a maintenu ma patiente dans un état de dépendance infantile dans les divers domaines de son existence. Contrairement à une croyance répandue, l'enfant ne reste pas collé à sa mère parce qu'il a été « pourri gâté », mais parce que, à l'inverse, il n'a pas reçu sa dose d'amour et de contacts corporels. Tout se passe comme s'il restait fixé, accroché à sa mère d'abord, puis à tous les autres substituts maternels, dans l'espérance anxieuse d'un comblement. La fixation ne provient pas de l'abondance, mais de la disette, du manque. La crainte obnubilante, voire la hantise de se séparer de quelqu'un, et, par voie de conséquence, l'impérieuse nécessité de rester collé à lui, prouve justement qu'aucune attache n'a pu être préalablement tressée, ni donc intégrée. En revanche, lorsqu'un lien a été vécu et nourri en son temps, il s'intériorise, devient partie intégrante du sujet et se greffe à son être. Il ne se défera plus au moindre choc, telle une vieille épluchure d'oignon, sans épaisseur ni consistance.

L'intériorisation évitera d'une part au sujet de dilapider son énergie dans la quête infantile de fusion. Elle le protégera, aussi et surtout, du risque permanent d'effondrement à la survenue du moindre heurt. Ainsi, l'angoisse d'abandon renvoie non pas à la possibilité d'une perte, mais, pire encore, au vide maternel, au blanc, au néant, à l'abîme, à un lien forclos, c'est-à-dire non tissé, sans trace. C'est parce qu'il a existé un jour un cordon ombilical d'amour entre la mère et son petit que celui-ci, devenu grand, ne tremblera plus à l'idée d'être rejeté. Du coup, plus personne n'agitera, pour le manipuler, l'épouvantail de l'abandon !

Tous les patients qui ont eu à souffrir dans leur enfance des mésententes entre leurs parents présentent la même peur d'être abandonnés, le même tableau de dépendance affective, le même défaut d'amour de soi. Ne se croyant pas le fruit de l'amour, ils ne s'autorisent pas à s'aimer sainement, faute d'exemple. On a toujours tendance à se comporter à l'égard de soi-même comme on a été traité auparavant. Peut-être même que, si les parents de Claire avaient divorcé, au défi des qu'en dira-t-on, des dogmes religieux et des normes, ils auraient mis ainsi un terme salutaire à leur impossible coexistence. Ils auraient non seulement moins souffert eux-mêmes personnellement, mais ils auraient aussi protégé leurs enfants en les aidant à accomplir l'indispensable processus de deuil, qui n'a jamais pu avoir lieu.

Le principal impact du divorce n'aurait été, au fond, que de reconnaître et d'entériner un « non-mariage ». Ce n'est point la réalité, l'inévitable tragique existentiel, qui perturbe l'âme, mais le brouillard, l'ambiguïté, la tension, le stress. Malheureusement, la crainte de se démarquer, le besoin de se croire intégré coûte que coûte, le respect exagéré des devoirs et le dédain de ses droits ont exposé les membres de cette famille au danger permanent de l'éclatement. La menace d'un risque s'avère ici bien plus délétère et éprouvante que la réalité de l'épreuve.

Claire ne peut pas non plus vivre avec un homme ni sans lui, exactement comme ses parents, ni séparés, ni tout à fait ensemble. Elle désire certes lier sa vie à un compagnon. Cependant, la petite fille en elle, plombée par le besoin de rester collée à sa mère pour la protéger, la force sans cesse à s'échapper.

« Ma mère exprime régulièrement son ras-le-bol. Elle dit qu'elle souhaiterait être morte pour que son calvaire auprès de mon père cesse. Elle évoque de même parfois l'idée de mettre fin à ses jours et, mais très rarement, celle de demander enfin le divorce. Mais toujours elle se rétracte, déclarant qu'elle serait partie depuis longtemps déjà si elle n'avait pas eu d'enfant, insinuant par là qu'elle reste avec notre père à cause de nous, qu'elle souffre donc par notre faute. »

J'ai interrogé évidemment ma patiente quant aux motifs de la mésentente parentale. Voici sa réponse :

« Je ne sais pas. Je n'ai jamais réussi à comprendre. Peut-être qu'eux-mêmes ignorent totalement pourquoi ils se chamaillent. J'ai cru un moment que c'était parce qu'ils n'appartiennent pas à la même classe sociale, ma mère étant issue d'un milieu modeste et mon père d'une famille de banquiers. Mais je doute fort que ce soit pour ce motif là ! Sur ce thème comme sur tous ceux qui touchent la sphère émotionnelle, ma mère reste très discrète. Elle a érigé des barrières autour d'elle. Une fois, je lui ai demandé ce qu'elle ressentait quand elle était enceinte de moi. Elle m'a répondu : "Je ne sais pas. Rien. On s'engueulait comme d'habitude avec ton père…" »

La conséquence la plus délétère de la carence matricielle, due à la dénutrition libidinale précoce, concerne l'apparition dans le psychisme enfantin de zones inanimées. Les angoisses d'inexister de Claire, d'être niée, considérée comme quantité négligeable, constituent les manifestations de ces gouffres. Ainsi, à travers ses relations amoureuses, Claire n'aspire pas à la possibilité d'être aimée en tant que femme adulte. La petite fille en détresse en elle demande à être réanimée, revitalisée, comblée, pour pouvoir se sentir enfin vivante, considérée. Voici pourquoi elle rejette ses amants (mamans), leur reprochant d'avoir « un pouvoir de vie et de mort » sur elle. Une fille ne peut assumer véritablement une relation d'amour et de sexualité avec un homme que si elle a réussi auparavant à se séparer de sa mère !

La mère de Claire aussi a souffert de carence matricielle. Son père, « personnage peu sympathique, rigide, autoritariste et misogyne, a trompé sa femme sans vergogne toute sa vie ». On pourrait imaginer aisément l'affliction de son épouse, la grand-mère de ma patiente, son indisponibilité psychologique auprès de sa fille, la mère de Claire. Rien d'étonnant dès lors que celle-ci, notamment après la disparition tragique de sa fille Charlotte, ait érigé inconsciemment Claire au rang de la bonne mère, dans une place et une mission maternante, réparatrice, consolatrice, dépossédant de la sorte sa fille de son intériorité et de son désir. Le géniteur et sa progéniture sont liés par le biais, souterrain et infra-verbal, des enfants intérieurs. Claire a épongé la dépression de sa mère, l'ajoutant à la sienne propre.

Je ne nourris naturellement nulle intention de culpabiliser les parents en général, ceux de Claire en particulier. Ce n'est nullement de la faute de la mère si elle n'a pu répondre convenablement aux besoins de fusion et d'enveloppement de sa fille, l'essentiel de son énergie vitale se trouvant gaspillée dans les conflits permanents avec son époux. Il n'est possible pour une femme d'assumer correctement sa fonction maternelle que si elle est épanouie sur les plans amoureux et sexuel avec l'homme qu'elle aime. Nous ne connaissons évidement pas le père de Claire d'un point de vue objectif. Nous ignorons totalement si le discours négatif de Claire reflète la personnalité de son père ou si son récit ne représente qu'une vision fantasmatique déformée. Nous ne disposons en psychanalyse, à l'opposé de la médecine, de nul instrument de mesure ni d'observation, test, radio, échographie, scanner, examen de laboratoire. L'inconscient s'obstine à demeurer immatériel, invisible, géographiquement non localisable. La psychanalyse repose sur une parole et une écoute non reproductibles, subjectives, invérifiables, la médecine sur l'observation du corps, devenu transparent, chose, objet du regard. Soit dit en passant, l'économie, qualifiée pompeusement de « science », malgré l'existence pourtant d'une montagne de données précises, de chiffres, de courbes et de statistiques, est incapable d'affirmer et encore moins de garantir aucune vérité. Elle défend certaines théories, mais point de certitudes. D'ailleurs ses plus illustres spécialistes et représentants, dont certains prix Nobel, soutiennent avec la même ferveur des explications et prédictions et proposent des médications parfois diamétralement opposées et discordantes concernant par exemple la crise ou le chômage. Leurs prévisions s'avèrent très rarement efficientes – sans doute en raison de l'orientation idéologique de chacun.

Claire ne dit ni vrai ni faux, en fin de compte. Elle exprime ce qu'elle a ressenti jadis, et ce qu'elle ressent aujourd'hui. Chacun décrit son enfance et son existence présente non pas d'une manière objective, historiquement irréfutable, mais selon sa sensibilité propre, en fonction du prisme, il est vrai quelquefois déformant, de sa vision. D'où un décalage souvent non négligeable entre le récit du sujet, forcément subjectif, relaté avec conviction, et celui de ses parents, défendant avec la même sincérité une version totalement différente. Le premier croit qu'il a été négligé, victime de discrimination et contraint dans ses élans par ses géniteurs, tout ce que ceux-ci nient catégoriquement.

Résumons-nous : Claire a été affectée par la D.I.P. du fait d'une carence matricielle. La privation des nutriments psychiques indispensables à sa construction, à sa croissance et à son épanouissement a laissé chez elle un vide servant de repaire à la D.I.P. Celle-ci peut rester quelquefois en sommeil durant des années, comme un volcan, si aucun traumatisme ne vient l'asticoter. Elle risque de se ranimer, en revanche, parfois brutalement suite à un bouleversement émotionnel qui produit de façon inattendue des déflagrations violentes tout à fait disproportionnées eu égard au facteur déclencheur. Exemple : se donner la mort après avoir perdu son emploi ou suite à une rupture sentimentale. C'est d'ailleurs précisément cette disproportion entre la petite éraflure, en apparence bénigne, et la grosse hémorragie, entre le coup et la brisure, qui révèle la présence et l'importance de la D.I.P.

Peu de temps après le début de sa thérapie, Claire a rencontré un homme lors d'un dîner chez des amis. Celui-ci venait de se séparer de sa femme. Il était plus précisément « viré » par elle, affirme Claire. Cet homme avait quatre enfants, entre huit et dix-huit ans. Je note d'emblée qu'Alain, le précédent amant de Claire, venait de divorcer aussi et qu'il avait eu quatre enfants de deux femmes différentes.

Tout en ressentant un énorme besoin de fusion, de disponibilité et de présence pour se sentir vivante, Claire a « opté » encore une fois pour un homme psychologiquement indisponible. J'ai deviné assez rapidement, et la suite de leur relation me l'a confirmé, qu'elle entretenait avec cet homme des liens de type mère-enfant, se comportant face à lui comme une petite fille avec sa mère. Étant indisponible, Claire attire les hommes qui lui ressemblent, occupés ailleurs, pas encore affranchis de leur passé.

La caractéristique première du fonctionnement du psychisme inconscient, c'est le phénomène de la répétition. Il s'agit là d'un processus incoercible où le sujet se retrouve, se place plus exactement, dans des situations pénibles, réitérant certaines expériences anciennes sans s'en souvenir, évidemment, et sans deviner la continuité du sens entre le passé et ce qui se vit ici et maintenant. Le but de la répétition consiste à reproduire une expérience déplaisante, un conflit, un traumatisme resté jusqu'ici irrésolu, afin de lui trouver enfin une issue. Le trouble alimentaire appelé le mérycisme, fréquent chez le bébé de trois mois à un an (rarement chez l'adulte), qui consiste à régurgiter et à remastiquer involontairement, à ruminer en quelque sorte ses aliments pour en accélérer la digestion, pourrait servir ici d'exemple. C'est une manière aussi de conserver indéfiniment le bol alimentaire – sa mère en d'autres termes – sans se résoudre à s'en séparer.

Claire ne fait évidemment pas exprès de reproduire compulsivement les scénarios traumatisants qu'elle a subis dans son enfance. Elle est parfaitement consciente qu'elle est une femme adulte et non un bébé. Elle ne prend pas son amant rencontré récemment pour sa mère ou son père, ni pour son enfant. Elle reconnaît et accepte les différences de sexe et de génération. Pourtant, ses liens avec son nouvel ami apparaissent d'entrée de jeu de nature infantile. Claire, la petite fille en elle, plus justement, rejoue exactement les mêmes thèmes anciens. Elle cherche constamment à satisfaire son extrême besoin de proximité, voire de fusion, tout en redoutant la rupture et le délaissement, tout en les précipitant, aussi paradoxalement, comme une fatalité, étant donné sa certitude de ne pas mériter d'amour. Nous retrouvons ainsi dans les deux moments, le passé et le présent de Claire, à quarante ans d'écart, la même tension, les mêmes demandes et frayeurs, la même ambivalence :

« Vincent, je l'ai rencontré récemment chez des amis communs. Il n'est pas particulièrement beau, mais il a beaucoup de charme, un côté très sympathique. Il m'a dit, au bout de quelques rendez-vous, qu'il était amoureux de moi. Je me suis laissée attendrir, aussi parce que nous partageons la même culture, les mêmes valeurs et la même religion. J'apprécie sa simplicité. Il est dépouillé des normes de la mondanité et de la consommation. Il est très croyant, comme moi, très droit, ça me rassure. J'ai tant besoin de douceur, d'harmonie, de compréhension et de complicité. S'il pensait différemment je ne le supporterais pas. Il m'aime beaucoup, il m'appelle dix fois par jour. Il ne regarde aucune autre femme. Je suis rassurée, sur ce plan-là. Il ne me laissera jamais tomber. Je ne m'imagine pas pouvoir rencontrer quelqu'un de mieux que lui. »

Vous avez sans doute remarqué qu'en réalité, Claire n'exprime aucun émoi amoureux. À l'inverse, elle est touchée et émue par les sentiments tendres de cet homme à son égard. Elle serait plutôt amoureuse de l'amour que de cet homme.

Cette quête matricielle, autrement dit cette recherche par l'enfant intérieur de l'amour maternel, se trouve corroborée par la place et l'importance tout à fait négligeable que Claire accorde à la sexualité. Elle se contente, voire préfère souvent l'étreinte au coït.

« Quand il me prend dans ses bras, je fonds complètement. Sexuellement je n'atteins jamais le septième ciel. Je n'ai jamais eu d'orgasme. J'ignore ce que ce mot signifie. Je refuse rarement de faire l'amour avec lui, je joue la comédie parfois, je n'adore pas ça, mais c'est pour lui faire plaisir, pour l'empêcher d'avoir envie d'une autre femme. »

Cela démontre sans nulle ambiguïté que l'essence matricielle infantile de la demande d'amour de Claire à l'égard de Vincent renvoie à l'intensité de ses angoisses d'abandon quasi obsédantes. Il s'agit pour elle d'une hantise permanente. Le fantasme d'abandon représente certes une donnée incontournable, disons archétypale, présente chez tous les humains, partout, depuis la nuit des temps. Chacun abrite tout au fond de lui un Petit Poucet, abandonné dans la forêt comme ses frères par ses parents, résigné et la mort dans l'âme. Aucune relation, qu'il s'agisse de celle tissée entre les amants ou encore entre parents et enfants, ne saurait être exempte de ce complexe nucléaire. Aimer place inévitablement le sujet dans un contexte de fragilité et de dépendance. Se donner à l'autre comporte toujours un certain risque, celui d'être refusé, délaissé après usage, trahi, trompé, au bénéfice d'un ou d'une autre.

D'ailleurs, ce fantasme, éprouvé à petite dose, peut servir d'excitant à l'amour, au resserrement des liens. Le sentiment de jalousie, justement, à condition de ne pas dépasser une certaine limite et de ne pas sombrer dans la paranoïa, n'a rien de pathologique. Peut-être qu'en définitive son absence totale serait plus suspecte et plus problématique.

Certains comportements de Vincent titillent le complexe d'abandon hypersensible chez ma patiente, enfonçant ainsi le couteau dans une vieille plaie demeurée béante. Plus ce complexe est sérieux, plus la quête de la présence devient intense, insatiable et décevante aussi, par conséquent. L'idéal de comblement se trouve en décalage de la réalité et des possibilités de don du partenaire. Plus on demande et moins on a l'impression de recevoir, moins on s'autorise à recevoir en réalité, en raison du parasitage des sentiments d'indignité et de non-mérite :

« Vincent m'appelle dix fois par jour mais, lorsque je veux l'appeler, son portable est toujours éteint. Il me parle longtemps à l'avance de mon anniversaire. Il m'envoie des messages brûlants mais, le jour même, il oublie, ne me fait plus aucun signe, ne m'offre rien. Il balance d'ailleurs souvent entre tout ou rien. Il est soit agité ou amorphe, soit bloqué ou frénétique. Chaque fois que je lui demande s'il m'aime, il s'énerve et m'envoie balader. Je sais qu'il est amoureux de moi mais j'aimerais qu'il me le dise plus souvent et qu'il me le montre concrètement. D'ailleurs, on ne se voit pas beaucoup, un soir ou deux par semaine, certains week-ends et les vacances. J'aurais voulu qu'on passe plus de temps tous les deux. Il se plaint d'être toujours trop occupé. Quand je lui dis que je suis mécontente de ne pas le voir davantage, il m'engueule me rétorquant qu'il est bouffé par son travail, l'interminable procédure de divorce avec son ex-femme et ses quatre enfants, dont le plus jeune n'a que huit ans. Certains week-ends, il part en randonnée avec ses copains et ses enfants sans penser à moi, sans me proposer de les accompagner, comme si je n'existais pas, comme si je ne comptais pas.

Parfois même quand nous sommes ensemble, je me sens drôlement seule. Il est absent, ailleurs, pas vraiment là, en tout cas pas présent. Peu de temps après notre rencontre, j'ai découvert qu'il était accro au cannabis et à l'alcool. Ce n'est bien sûr pas un alcoolique, il ne consomme pas forcément tous les jours, mais quand il a une bouteille en face de lui, il m'oublie. Ensuite, il devient désagréable ou il va se coucher tout de suite. Parfois, alors que nous sommes en train de discuter tranquillement, il se lève soudain pour aller fumer ou passer un coup de fil à sa fille ou envoyer un texto à son ex, comme si je n'existais plus. D'ailleurs, quand on se retrouve avec ses enfants, c'est comme si je n'étais pas là. Pendant les vacances, il dort tout le temps. Il passe en fait la semaine à ne pas être là. Du coup, on ne peut concevoir aucun projet de visite ou de balade. J'ai la trouille qu'il me laisse tomber un jour, qu'il disparaisse de ma vie ! »

Disons que, d'une façon générale, le fait que l'un des partenaires se plaigne quelquefois d'une insuffisance de la présence de l'autre, d'un manque d'ardeur, d'attention ou de disponibilité, ne me paraît pas anormal. Tout est une question d'intensité et de fréquence. C'est l'excès de sollicitations ou, à l'inverse, sa carence qui sont révélateurs du dysfonctionnement. Cela prouve que ce n'est point l'adulte qui se trouve aux commandes, réclamant la fusion d'un côté et redoutant le rejet de l'autre, mais l'enfant intérieur en détresse. Une relation amoureuse adulte est fondée sur le désir d'un homme et d'une femme de se connaître, d'entrer en lien, dans le respect mutuel et l'égalité. En revanche, un lien mère-enfant, à l'âge adulte, est imprégné par le besoin vital, non pas d'être avec, mais d'avoir quelqu'un à ses côtés, dans une fonction d'étai, de bouche-trou ou de pansement narcissique pour fuir sa solitude. L'autre n'est ainsi pas désiré gratuitement pour ce qu'il est, mais pour son utilité. Voilà pourquoi dès lors la plus petite inattention, et la moindre absence seront ressenties de façon dramatique, engendrant l'effroi de l'égarement. Le sujet sera aussitôt renvoyé à ses parties inanimées, dénutries, suscitant l'horreur.

Claire lutte ainsi principalement contre son incertitude, sa crainte douloureuse d'inexister, de ne pas compter dans le cœur de son amant, comme naguère dans celui de sa maman. Cette crainte infantile pousse Claire, pourtant adulte, à rechercher en compensation des relations fusionnelles harmonieuses sans nulle ombre. Elle tente de rassurer la petite fille en elle, pour lui prouver qu'elle est insécablement reliée à la matrice, sans risque d'expulsion, qu'elle est bien vivante et qu'elle ne sera pas oubliée. Cette sollicitation extrême n'a cependant aucune chance d'être entendue ni satisfaite par Vincent. Celui-ci qualifie les exigences de Claire d'« intrusives », de « bouffantes », lui ôtant toute liberté.

L'inconvénient majeur d'une demande d'amour insistante, massive et répétitive, c'est que, au lieu d'encourager son partenaire à s'ouvrir et à se rapprocher, elle le pousse à se fermer et à s'éloigner. Moins on réclame et plus on aura la chance de recevoir. Peut-être même que c'est quand le sujet se refuse de recevoir, en raison de sa certitude inconsciente de ne pas en être digne, qu'il devient exigeant et insatiable. De plus, il risque de titiller chez l'autre sa fibre de culpabilité, et partant de là, son agressivité, en le mettant face à son impuissance à le combler. C'est le non-accès à son trésor libidinal, à sa bonté profonde, qui le transforme en un nécessiteux, quémandant l'obole, mais déclinant ce qu'on lui offre.

Le dialogue dans un couple, la « compréhension mutuelle » tant plébiscitée, élevée aujourd'hui au rang de valeur suprême, est en réalité une gageure. Il est d'abord assujetti à la différence entre les psychismes masculin et féminin. L'homme et la femme ressemblent à deux étrangers l'un en face de l'autre. Bien qu'ils parlent la même langue, ils ne s'expriment pas dans le même langage. Rien n'éveille en eux des émois semblables. Rien ne revêt aux yeux de chacun la même importance, la même gravité, le même poids ; l'amour, la sexualité, le travail, l'enfantement, l'argent, la retraite, etc. Il faut ajouter à cette différence naturelle de sensibilité et de vision le prisme de l'histoire personnelle et transgénérationnelle de chacun, d'où le motif chez les couples modernes de tant de malentendus et de malentendants : « on ne se comprend pas », « on n'est jamais sur la même longueur d'ondes »... Ces doléances constituent à l'heure actuelle la cause majeure de l'épidémie des divorces. Chacun étant convaincu naïvement de la possibilité, mais surtout de l'évidence, du dialogue, il devient alors tenté d'accuser l'autre de non-écoute, de mauvaise foi et d'incompréhension.

Je pense d'ailleurs que l'idéologie d'homogénéisation actuelle, s'acharnant à promouvoir l'idée d'une parité, d'une mêmeté et d'une équivalence entre les psychismes masculin et féminin, ne favorise nullement le dialogue et encore moins l'entente. Pour la simple raison que chacun des sexes devient convaincu que c'est l'autre qui doit être comme lui, à son image et à sa ressemblance. Chacun aura alors tendance à exiger de l'autre de ressentir, de penser et d'agir de la même manière, de chérir ou d'abhorrer à l'inverse les mêmes valeurs, ne pouvant supporter plus le moindre écart, la plus petite dissemblance. Il interprétera donc toute dissimilitude soit comme le symptôme d'une névrose soit comme la preuve d'une hostilité à son égard ou d'un désamour. Ce sont donc bien la conscience et l'acceptation des différences qui favorisent la tolérance et l'entente. Ainsi, Vincent réagit à chaque fois aux demandes de maternage de Claire avec agacement, d'une part parce qu'il se croit dévoré, mais aussi sans doute parce qu'il se sent impuissant à combler ma patiente avec tout ce que cet impouvoir réveille en lui de culpabilité, d'incompétence et, finalement, de mauvaiseté !

Dès lors, la réussite d'un couple dépend, au-delà de l'intelligence, de la santé ou de la folie, de la bonne ou de la mauvaise volonté des partenaires, au-delà surtout de ce que chacun donne à entendre et à voir, de la rencontre inconsciente entre deux enfants intérieurs, affectés ou non par la dépression infantile précoce. Plus celle-ci est conséquente et plus elle empêche d'être soi et de se lier à l'autre dans la légèreté et l'insouciance, porté par un désir adulte, connecté à sa bonté profonde, pour avoir confiance en soi et se considérer avec bienveillance.

JEAN

L'histoire de Jean se présente très différemment de celle de Claire. Il s'agit d'un homme, d'abord. Ensuite, il a été marié une première fois et a eu deux enfants, une fille âgée de vingt ans aujourd'hui, et un garçon de dix-sept ans. Il a divorcé il y a une quinzaine d'années.

Il a quarante-huit ans. Il est de petite taille et un peu rondelet, habillé de vêtements de marque, mais de façon décontractée, jeune. Il me serre la main prestement, me lance un : « Bonjour, comment ça va ? » mais évite mon regard. Je le trouve d'emblée soucieux, tourmenté.

Il vit depuis environ quatre ans avec une femme de quarante-quatre ans, qui a deux fils, de dix-sept et quatorze ans. Il est patron d'une entreprise florissante. Pourtant, malgré toutes ces différences, il souffre pratiquement des mêmes maux, des mêmes sentiments pénibles de vide, d'abandon et de non-valeur que Claire, ma patiente précédente.

Cela démontre encore une fois l'emprise de l'inconscient et de l'enfant intérieur sur l'adulte et sa réalité présente, et partant de là, l'impossibilité de panser une blessure intérieure par recours à des succédanés extérieurs. Un problème psychologique ne saurait jamais se résoudre à l'aide de résolutions concrètes.

Ce qui paraît, par contre, diamétralement opposé dans les deux cas, c'est la nature des relations de couple au sein des triangles d'enfance. Si les parents de Claire s'agressaient quotidiennement, ceux de Jean ont vécu à l'inverse dans un climat de paix et de parfaite entente, pratiquement sans jamais se disputer. Tout désaccord, tout conflit était inexistant, repoussé, éliminé.

« Je suis né dans une fratrie de quatre. J'ai deux frères et une sœur aînés, tous nés avec environ un an d'écart, sauf moi, le quatrième et dernier, arrivé onze ans plus tard. J'ai donc été élevé comme un fils unique. Tous les autres étaient devenus majeurs et avaient déjà quitté la maison autour de mes neuf ou dix ans. Je n'ai donc pas beaucoup vécu avec eux. Mes parents non plus, je ne les ai pas vraiment connus. Ils se levaient rarement avant dix heures. J'étais déjà parti depuis longtemps à l'école, accompagné par la bonne. Ils prenaient leur petit déjeuner ensemble, sans enfant, même pendant le week-end et les vacances. Ils menaient une vie assez mondaine, sortaient souvent le soir, dînaient au restaurant, entre amis ou allaient au spectacle. Ils rentraient parfois à l'aube. Dans l'ensemble, je n'ai guère partagé le quotidien avec eux. C'étaient surtout les bonnes qui s'occupaient de moi, ma mère surveillait de loin. Je ne suis pas en train de dire qu'ils ont été maltraitants avec moi, ni particulièrement affectueux d'ailleurs. J'étais seul. Je n'existais tout simplement pas à leurs yeux. Ils étaient tout le temps collés l'un à l'autre. Il n'y avait aucun espace d'accueil entre eux deux où se faufiler. Par moments, je me sentais de trop. J'avais même l'impression de les déranger quand je m'approchais d'eux ou quand je leur parlais. Je me sentais surtout coupable d'exister, comme si je gâchais leur complicité, leur bonheur !

Depuis tout jeune, j'ai eu le curieux sentiment, avant d'avoir pu le formuler clairement, qu'il existait deux sortes de couples, en gros, sur Terre : les amoureux et les parents. J'ai très vite rangé mon père et ma mère dans la première catégorie en observant ce qui se passait dans les familles de mes copains. Dans mon esprit ces deux formes ne pouvaient se mélanger ni coexister. On était parents ou amoureux, pas les deux !

Les miens formaient donc un couple uni, idyllique, soudé, mais ils ne pouvaient pas être des parents. Il n'y avait aucune place pour moi. Tout était clivé dans mon esprit. Je me sentais ainsi sans famille, pas de frère et sœur, ni père et mère. Pourtant, d'après mes frères et ma sœur, qui continuent à me taquiner encore maintenant, j'étais le chouchou de mes parents, le seul autorisé à les tutoyer !

Petit, je me suis senti mal aimé. Je ne me souviens d'aucune manifestation de tendresse, sauf quand j'avais été très sage, que j'avais ramené des bonnes notes de l'école ou que je faisais le clown pour les amuser. C'est bien longtemps plus tard que ma mère m'a avoué, sans émotion particulière d'ailleurs, en riant, qu'elle m'avait "fait toute seule dans le dos de mon père". Celui-ci n'avait nulle envie d'un quatrième "mouflet". Elle a ajouté qu'elle n'avait jamais ressenti d'"instinct maternel", qu'elle ne prenait pas de plaisir particulier à pouponner non plus, mais qu'elle adorait, par contre, être enceinte. Elle se sentait bien alors, "pleine", disait-elle pendant sa grossesse, mais après, les enfants ne l'intéressaient plus tant que ça. C'est pourquoi elle ne s'est jamais trop occupée de moi. J'ai été élevé par des gouvernantes, qui s'occupaient aussi de l'école et de mes devoirs.

J'ai appris plus tard qu'en réalité ma mère avait épousé mon père, de dix ans plus vieux qu'elle, en partie à cause de sa richesse, mais "pas seulement", s'est-elle précipitée de relativiser : "J'ai mené une vie magnifique grâce à ton père !" J'ai été bouleversé de découvrir en mettant bout à bout les récits des uns et des autres que mon père était un vrai "coureur de jupons", malgré ses dehors d'homme romantique. Ma mère le savait apparemment mais ne réagissait pas. Elle a dit une fois : "Quand une femme ne travaille pas, qu'elle est trompée et cocue, c'est un deal, c'est le tarif, c'est comme ça !" Contrairement à ce que je croyais petit, ils ne s'aimaient peut-être pas tant que cela, finalement ; ils n'étaient ni un couple d'amoureux ni de parents.

Le jour de l'enterrement de mon père, qui s'est éteint à quatre-vingt-treize ans, nous avons été ébahis et scandalisés de voir notre mère embrasser un vieil ami de la famille sur la bouche devant l'assemblée. Nous nous sommes tous demandés si cet homme, que nous aimions bien par ailleurs, et qui faisait partie du cercle des amis, n'avait pas aussi exercé la fonction d'amant. Je n'ai pas été triste du tout d'assister à cette scène, mais plutôt révolté. L'image écornée du couple en apparence idyllique de mes parents m'a fait du bien finalement, elle m'a permis de me révolter.

Je m'aperçois de plus en plus, avec le temps, que je n'ai pas grand-chose à dire d'eux, comme s'ils étaient des étrangers. Quand je pense à ma mère c'est le mot “dame” ou “madame” qui me vient à l'esprit, et non maman, tout simplement ! Quant à mon père, j'ignore encore qui il était, je ne l'ai pas vraiment connu, mystère, il ne m'a rien transmis, en fin de compte ; de l'argent oui, mais pas de valeurs.

Lorsque j'étais enfant, aller vers mes parents, l'un, l'autre ou les deux, comportait pour moi le risque de les séparer, de les désunir, de gâcher leur bonheur en fait. J'étais taraudé par deux sortes d'angoisse : la peur d'être abandonné et celle de perdre mon père, sans doute parce que je le trouvais plus vieux que ma mère. Ma crainte de l'abandon était entretenue par l'épée de Damoclès de la pension. Mes deux frères et ma sœur y avaient été placés dès l'âge de six ans et y sont restés jusqu'à leur baccalauréat. Ils ont vécu ces années comme un rejet, un exil. Ils auraient préféré que nous vivions tous ensemble, évidemment, dans une vraie famille. Ils me faisaient remarquer que j'étais chanceux d'avoir échappé à cette épreuve. Oui, dans mon esprit, pension rimait avec punition. Je m'imaginais que mes frères et sœur avaient été punis à cause de je ne sais quelle grave faute. Mon seul but a donc été de tout faire pour me protéger d'un tel sort. Je m'obligeais à être gentil, sage, obéissant à la maison, à bien travailler à l'école, pour éviter la condamnation à l'internat. Je me demandais sans cesse ce que mes parents pensaient de moi et si je correspondais à leurs attentes. Il fallait que je sois parfait en somme, irréprochable !

Ma seconde trouille se rapportait à la mort de mon père. Oui, j'ai grandi dans la hantise que je serai incessamment orphelin. Je croyais que mon père allait mourir bien avant ma mère. Je nourrissais une grande tristesse à ce sujet. J'avais inscrit quelque part dans ma tête qu'il ne vivrait pas assez longtemps pour voir mes enfants. J'en ai parlé à mes frères et sœur, plus tard, et à quelques amis. Aucun d'eux n'a jamais ressenti ce genre de crainte, peut-être parce qu'ils ont eu tous les pères plus jeunes que le mien. C'est bien longtemps après que j'ai su qu'il avait failli perdre la vie durant la Seconde Guerre mondiale. En tant que résistant il a été attrapé et déporté par les Allemands. Il a réussi à s'évader peu de temps après, mais il a été aussitôt repris par la Gestapo et remis dans un autre camp de concentration. Il a subi d'importants traumatismes et sévices dont il a très peu parlé. Peut-être est-ce la raison pour laquelle il évitait tout conflit avec ma mère, parce qu'il ne pensait qu'à profiter au maximum de la vie, à s'amuser dans la paix ! »

Jean et Claire n'ont, sur le plan manifeste, pas du tout vécu la même enfance. Pourtant, les deux histoires s'avèrent dans leur structure tout à fait semblables. Victimes tous les deux de la carence matricielle, ils sont psychologiquement orphelins, de mère aussi bien que de père. L'un comme l'autre, ils se retrouvent ainsi dominés à l'âge adulte par leur enfant intérieur en détresse, atteint de la D.I.P.

Celle-ci se manifeste chez Jean notamment par le blocage, le verrouillage, plus exactement, de sa vie émotionnelle, par le fait qu'il s'interdit d'être soi pour s'affirmer naturellement :

« Mes enfants me reprochent aujourd'hui, bien plus agressivement qu'hier, le fait d'avoir quitté leur mère et de vivre avec une autre femme que j'aime et qui m'aime. Ils me traitent de faible, de lâche. Ils prétendent que je ne me rends pas compte que celle-ci me domine, que je suis sous son emprise, que je n'ose jamais lui dire non, m'affirmer. Ils la qualifient de "folle" et de "pute". En réalité, ce n'est pas moi qui ai voulu divorcer de leur mère. C'est elle qui a décidé de partir avec l'un de mes collègues, trois jours seulement après que je le lui ai présenté. Je la comprenais. J'avais épousé cette fille non pas par amour pour sa personne, mais en tant que mère de mes futurs enfants, une génitrice tout simplement. J'étais pressé de fonder une famille que je n'avais pas eue avant. Je voulais offrir le plus rapidement possible des petits-enfants à mon père avant qu'il ne nous quitte. Elle m'a donné deux enfants, une fille et un garçon avant d'en avoir assez de jouer le rôle de la mère, celui de la "pondeuse", m'a-t-elle dit. Je n'ai posé aucun obstacle à notre séparation. Je lui ai accordé tout ce qu'elle demandait.

Ma compagne actuelle n'est pas tendre non plus. Elle m'en veut surtout de ne pas la défendre suffisamment auprès de mes enfants. Elle me reproche d'être incapable de vivre de façon unifiée mes deux rôles de père et d'amant, de les "cliver", comme elle dit. Elle me compare parfois aussi dans sa colère à Peter Pan. Il est vrai qu'entre nous deux, ça va super bien quand mes enfants ne sont pas là. D'un autre côté, ça se passe aussi très bien entre eux et moi quand ma compagne est absente. D'ailleurs, dès qu'on parle tous les deux de mes enfants, plus rien ne va. Je n'ai envie de me séparer ni d'elle ni de mes enfants. Mais vivre tous ensemble en famille recomposée me paraît de moins en moins évident. Par contre, j'ai accepté sans difficulté dès le départ de vivre dans mon appartement avec ses deux garçons, que je respecte beaucoup.

Alors je ne sais pas quoi faire. Je n'arrive pas à me positionner. J'ignore quelle attitude adopter, comment les satisfaire tous, chacun avec ses exigences propres, et ses conditions. Depuis toujours j'ai du mal à m'affirmer. J'essaie de faire plaisir à tout le monde par crainte de déplaire. Dans mon travail, par exemple, je ne me sens pas capable de prendre la parole en public. Je panique à l'idée de me montrer, comme si je me mettais à poil. J'ai très peur qu'on me juge, qu'on se moque de moi, qu'on me trouve nul. Je bafouille, je bégaie. Je déserte rapidement la scène sous un prétexte quelconque et je laisse la place à un collaborateur, à un "mâle dominant" du groupe. Je me dévalorise systématiquement. Je n'ai vraiment aucune confiance en moi. Dans mon esprit, entre "être parfait" ou "être nul", il n'existe aucune graduation, c'est l'un ou l'autre. Il faudrait donc que je sois parfait pour qu'on m'aime, mais comme je ne le suis pas... J'ai une trouille pas possible des disputes. J'agis encore comme avec mes parents quand j'étais petit, en gentil tambour, pour avoir la paix. Le conflit est terrifiant pour moi. Il signifie le doute sur l'amour, la rupture, la fin du monde.

Je cherche à faire plaisir aux uns et aux autres. Résultat des courses: tout le monde est mécontent ou déçu. Certains deviennent même agressifs, ceux que j'ai le plus gâtés d'ailleurs! J'en suis conscient, mais c'est plus fort que moi. Je recherche la paix, alors je dis oui systématiquement à ce que mes proches me demandent ou attendent de moi. Je finis par m'oublier complètement, du coup. Je ne sais plus ce que je veux, ce que je crois, ce qui pourrait me faire plaisir ou me déplaire. En sortant du cinéma, l'autre soir, avec ma compagne, je me sentais drôlement tendu et bloqué. J'étais préoccupé parce que je cherchais à trouver un commentaire sur le film qu'on venait de voir et la bonne façon de le formuler sans la choquer. Je voulais qu'elle approuve mon analyse, qu'elle m'approuve moi, en réalité. J'ai pris d'abord la précaution de lui demander ce qu'elle en pensait, elle, pour pouvoir concocter ensuite une réponse correcte en fonction de sa vision.

Seulement, mes proches ont fini par détecter mon fonctionnement, ma difficulté à faire des choix et à déclarer clairement ce que je pense. Mon fils me traite de connard, ma fille de girouette, ma compagne de Peter Pan, je vous l'ai dit. Mes enfants me reprochent de me laisser manipuler par ma "pute" de compagne qui ne s'intéresse d'après eux qu'à mon fric. Celle-ci me reproche de ne pas occuper ma place de père et d'adulte face à mes enfants, qui sont manipulés d'après elle par ma "pute" d'ex-épouse. Vous voyez le tableau !

J'avoue que je la trouve parfois un peu injuste à mon égard. Moi, j'accepte volontiers ses deux enfants chez moi, sans me permettre la moindre remarque concernant leur éducation. Par contre, elle ne rate pas une occasion pour commenter mon attitude à l'égard des miens, qu'elle a tendance à dévaloriser en citant en exemple les siens. Elle prétend que c'est pour m'aider à devenir adulte. Il est vrai que Morgane est une femme très intelligente, qu'elle réfléchit beaucoup, qu'elle a lu pas mal de livres de psycho, qu'elle a une culture immense. Elle m'aime profondément, j'en suis certain, mais elle n'apprécie pas que je la contredise. Elle est capable de se mettre dans une colère bleue, de hurler, de casser une assiette ou de me gifler. Après, elle vient me demander pardon, bien sûr, et m'assure de son amour.

Je me suis rendu compte l'autre jour que je ressemblais à un caméléon ou à un Bernard l'Hermite. J'ignore qui je suis et ce que je veux. Je reste convaincu que ce que je pense n'a pas vraiment de valeur ou que ça risque de créer des conflits. Alors, j'essaie d'arrondir les angles en me laissant influencer par les autres. Lorsque je repère une personne qui pense comme je m'imagine qu'il faut penser, je l'imite. Je la pompe, je m'accapare ses analyses et réflexions comme si c'était les miennes.

Je me rends de plus en plus compte que mon attitude n'est pas rentable et qu'elle attire même parfois l'agressivité. Je suis coincé. Quand je ne réagis pas, on me force à "l'ouvrir", et dès que je dis quelque chose, on me presse de "la fermer", sans doute parce qu'on n'a pas l'habitude que je m'exprime ».

Ainsi, Claire et Jean, tout en ayant vécu des histoires familiales incomparables – la première a été élevée au sein d'un triangle composé de parents désunis, le second a grandi avec un couple en apparence extrêmement soudé –, abritent en eux des enfants intérieurs qui se ressemblent. Tous les deux sont affectés par une D.I.P. consécutive à la carence matricielle. L'un et l'autre souffrent du douloureux sentiment d'être abandonnés et de ne pas compter, ce qui les empêche de s'aimer de manière inconditionnelle. Ils se refusent le droit d'exister, et surtout d'avoir confiance en eux-mêmes, en leur valeur et bonté.

Jean vit encore aujourd'hui, à quarante-huit ans, sous la menace permanente de la mise en pension. Il n'y a jamais mis les pieds mais il s'y sent quand même plus séquestré que ses trois frères et sœur. Ceux-ci, y ayant réellement séjourné, ont curieusement réussi à en sortir. L'impact d'une punition fantasmatique se révèle ici bien plus accablant que celui du châtiment vécu, si douloureux soit-il sur le moment.

Mon patient, ayant manqué naguère de mère, a choisi une première femme plutôt mère qu'épouse, une gestatrice, non par amour, mais pour pouvoir offrir des petits-enfants à son vieux père avant que celui-ci ne décède. Il a donc été aussi bien orphelin de mère que de père. Sa compagne actuelle, élue par amour pourtant, semble le dominer totalement et lui manquer de respect. Elle le maintient ainsi dans le statut de Peter Pan, d'éternel enfant.

L'angoisse excessive de la séparation et de la rupture, chez Jean comme chez Claire, renvoie en fait, par-delà la dissemblance des histoires, à l'insupportable vérité d'absence de liens entre eux et leurs parents, et de ces derniers au sein de leur couple. On panique à l'idée de perdre ce qu'on n'a pas, ce qui n'a pu être acquis et intériorisé jadis correctement.

HERVÉ

Hervé vient d'avoir cinquante-deux ans. C'est un homme de grande taille, avec une tignasse fournie, blanchie peut-être un peu trop précocement vu son âge, accentuant la pâleur de son visage. Il me serre la main avec chaleur en me souriant d'un air reconnaissant. Il se plaint d'emblée des crises d'angoisse qu'il qualifie d'« épouvantables ». Il avoue souffrir de sentiments d'insécurité, dans le domaine affectif, notamment, mais aussi de toute une série de symptômes dépressifs : manque d'élan, de désir et d'envie, pessimisme, absence de confiance en lui et en l'existence, incapacité d'affronter la vie et, pis encore, d'idées suicidaires. Malgré le combat acharné et incessant qu'il mène depuis une dizaine d'années, il se désole de n'avoir pas encore réussi à se débarrasser de ces maux et de n'avoir pas trouvé l'issue du tunnel.

Voici les grandes lignes de son histoire :

« Je suis le dernier d'une fratrie de six. Ma mère a épousé mon père alors qu'il venait de perdre sa femme en couches à la naissance de leur second enfant. Mes parents en ont eu quatre autres après. Ils ont perdu leur premier à huit mois d'une mort subite du nourrisson restée inexpliquée. Je suis le sixième et le dernier.

Ma mère a été dépressive toute sa vie, en réalité, prenant des antidépresseurs, même pendant sa grossesse. Elle était malheureuse avec mon père. Je le sais parce qu'elle m'a choisi comme confident. Elle me confessait par exemple qu'en tant que femme, elle avait besoin de tendresse, de caresses, alors que mon père, jouisseur de nature, ne pensait égoïstement qu'à son propre plaisir, d'après elle "animal". Dans son couple elle n'était pas très heureuse avec mon père, qui la trompait. Je pense qu'il ne devait pas supporter de la voir constamment déprimée. Ma mère a toujours entretenu avec moi des liens fusionnels, un peu trop à mon goût. Elle a été étouffante, dévoreuse, à la limite incestueuse, je dirais aujourd'hui. J'ai été vraiment gâté. Je n'ai manqué de rien. Elle m'offrait sur-le-champ tout ce dont j'avais envie, sans doute pour que je lui sois redevable. Certains se plaignent d'avoir été les vilains petits canards dans leur famille, moi, j'ai souffertde mon statut de « petit dernier », le préféré ! Elle me disait encore, il n'y a pas si longtemps : « Si un jour tu divorces de ta femme, je te reprendrai avec moi sans problème ! »

Ma mère a perdu la sienne, à vingt ans, percutée sous ses yeux à vélo par une voiture. Quand elle était toute petite, elle a subi aussi un traumatisme grave. Mes grands-parents maternels travaillaient comme gens de maison chez des bourgeois. Ceux-ci n'acceptaient de prendre à leur service que des employés sans enfant. Mes grands-parents ont donc dû laisser leur petite fille de deux ans dans un pensionnat pendant plus de six mois. Ils ont cependant été contraints de la reprendre. Ma mère risquait de mourir en raison de son refus de s'alimenter. Cette histoire d'abandon a dû, j'en suis certain, marquer ma mère à vie.

L'histoire de mon père n'est guère plus brillante. Mon grand-père paternel est mort clochard, dans la rue, misérable et alcoolique. Il était un enfant bâtard, conçu en l'absence du mari, mobilisé lors de la guerre de 14-18. Cet enfant, l'incarnation vivante de l'infidélité de mon arrière-grand-mère, la honte de la famille, a donc été psychologiquement rejeté, voire maltraité. Il a dû porter et payer ainsi la faute de sa mère.

Quant à ma propre naissance, ma mère m'a raconté qu'elle n'était ni programmée, ni surtout souhaitée. Je suis né par accident. Mes parents ayant déjà perdu un enfant et en en ayant élevé quatre autres, ils ont décidé d'un commun accord, à la découverte de la grossesse, de recourir à l'avortement, à l'époque interdit en France. Ils ont contacté un établissement suisse spécialisé. Cependant, une fois arrivés devant l'immeuble de la clinique, face à la réalité, ils ont été bouleversés. Ils ont changé d'avis en quelques secondes et ont fait marche arrière. Ils sont allés dans une chocolaterie à côté et ont acheté, avec l'argent de l'avortement, une tonne de chocolat et s'en sont gavés à cœur joie, fiers d'avoir renoncé à temps à leur "bêtise".

À ma naissance, je suis devenu le chouchou de ma mère, son "rayon de soleil" me répétait-elle. Elle m'hyper-protégeait, à la limite de l'étouffement et de la dévoration. Pourtant, exactement comme elle et comme mon grand-père paternel, j'ai tout le temps eu peur de me retrouver seul un jour ou l'autre, comme si j'étais maudit. Je ressens sans cesse le besoin d'être entouré, enveloppé, accompagné. Je demande en permanence aux autres, à ma compagne et à mes enfants notamment, de me montrer leur amour, de me le prouver, plus exactement. Cela les fatigue à la longue et ils finissent par m'envoyer balader. La hantise de finir clochard m'a résolu de ne plus boire de l'alcool depuis déjà une dizaine d'années.

Ce qui me travaille, surtout, c'est la crainte d'être rejeté par ma compagne actuelle. J'ai en effet divorcé de ma première épouse à sa demande. Elle a décrété un jour qu'elle ne m'aimait plus. Je n'ai rien compris à ses motifs. Moi, j'avais l'impression qu'on s'entendait bien. C'est elle qui a demandé et obtenu la garde de nos deux filles, qui ont aujourd'hui dix-huit et quatorze ans.

Je vis donc avec ma nouvelle compagne et ses deux filles dans l'appartement qui m'appartient. Mais elle refuse que je reçoive les miennes chez moi un week-end sur deux. Elle prétend qu'elles ne l'aiment pas, alors que c'est le contraire, à mon avis.

Dès que j'insiste pour tenter de l'assouplir, elle me répond de façon rédhibitoire : "C'est comme ça ! Je n'accepterai pas que tes filles viennent à la maison. Tu choisiras entre elles et moi !" Je suis paniqué par l'idée de la perdre. Je ne peux donc que me plier à sa volonté. J'ai si peur d'une seconde rupture, d'une seconde débâcle sentimentale !

Certains soirs, le dessert à peine terminé, elle se lève de table, prend ses clés et son sac à main en se dirigeant vers la porte et déclare : "Je vais prendre un verre dehors", sans même dire avec qui, ni à quelle heure elle rentre. Je n'ose pas réagir. J'aurais envie de protester, de lui demander de rester ou de lui proposer de l'accompagner, mais je me tais. Et puis, nous faisons de moins en moins l'amour. Quand elle accepte, elle fixe passivement le plafond, comme détachée de son corps en attendant que je termine. Elle ne m'embrasse plus, ne me chuchote plus des mots d'amour comme elle le faisait encore il y a un an.»

Exactement comme Jean, Hervé ne parvient pas non plus à s'affirmer. Il n'ose pas s'imposer par crainte d'être puni et rejeté. Nous avons là une autre forme encore de carence matricielle, due à l'indisponibilité psychologique de la mère, qui a pourtant été physiquement présente. Au fond, c'est la petite fille déprimée en elle, abandonnée à deux ans, qui a continué à peser sur son destin de femme et sur sa vie amoureuse et sexuelle. Hervé a été capté par cette petite fille intérieure en détresse. Il n'a donc pas été vraiment relié à sa mère, à la personne adulte qu'elle est. Le lien décisif se tisse entre les deux inconscients, entre les deux enfants intérieurs, par-delà les actes et les discours.

Ce qui prouve l'existence de cette carence chez Hervé, c'est l'hyper-protection maternelle. Toute démesure apparente renvoie en réalité à la présence camouflée de l'excès inverse, qu'elle a pour fonction de compenser, d'occulter, voire de dénier. La quête excessive de fusion ou de proximité, à caractère manifestement incestueux chez cette mère, ne traduit pas l'abondance d'amour et de tendresse. Cette profusion est destinée à contrebalancer une disette. Elle cache, mais révèle aussi, le besoin infantile de recevoir, de se faire materner par son fils/amant/mère, de combler son propre vide, de pallier son manque à être. Ce flot affectif n'est pas gratuit, il représente l'impérieux besoin de se prouver à soi-même et aux autres son innocence et sa bonté, celui aussi de se croire utile et nécessaire.

Ce qui importe à l'enfant, mais à tout adulte également, c'est d'abord et surtout la qualité de l'amour, son sens, et non pas sa quantité, qu'on ne peut peser sur aucune balance. Il constitue certes le nutriment principal de l'âme enfantine, mais à condition que chacun puisse occuper à l'intérieur du triangle sa juste place, dans le respect des différences de sexe et de génération, loin des confusions. L'enfant grandira sainement s'il est accueilli dans la gratuité du désir, pour celui qu'il est, et non utilisé comme un pansement narcissique. Il s'épanouira progressivement s'il n'est pas pris pour un autre, appelé à remplacer un disparu ou chargé de rafistoler à son insu le couple des parents. Ce n'est point Hervé que sa mère a chéri et gâté à outrance mais, à travers lui, un mari idéal, son père peut-être, ou plutôt, je le pense fortement, la petite fille abandonée qu'elle était à l'âge de deux ans, placée en pensionnat.

De toute façon, le triangle dans lequel mon patient a grandi souffre d'un grave déséquilibre. Hervé ne parle que de sa mère et ne cite pratiquement jamais son père, comme si c'était seulement elle qui l'avait engendré, de faon parthénogénétique. Or les trois membres du triangle sont insécablement liés. L'enfant orphelin de mère est forcément orphelin de père aussi. L'amour paraît de bonne qualité lorsqu'il est partagé, mais surtout quand il est limité par son contraire, la loi, la limite, un minimum d'agressivité naturelle. Il est certes légitime, qu'il s'agisse de son enfant ou de son compagnon, de dire « oui », de donner et de se donner, de faire plaisir, mais à condition d'être capable de dire « non » aussi parfois si nécessaire, de refuser, de frustrer, de faire souffrir. L'amour et la loi se complètent. Ils ne représentent pas des opposés antinomiques.

Cette hyper-sollicitation maternelle, loin d'être parvenue à combler le petit Hervé, loin de l'avoir rasséréné, a entretenu et intensifié ses craintes de rejet. L'avortement n'a certes pas eu lieu, mais en tant que fantasme, il continue à le torturer. Il existe pour l'inconscient une certaine équivalence entre l'acte et la pensée, d'où l'assimilation que font les religions entre l'intention et l'action. L'idée de transgresser un interdit, de tromper son conjoint par exemple, est aussi fautive et condamnable que l'infidélité consommée.

L'agressivité de la compagne d'Hervé traduit peut-être son angoisse à elle de se retrouver face à un homme qui, malgré les apparences, n'en est pas un, c'est-à-dire qui ne prend pas sa place, qui ne s'impose pas, qui subit, qui ne se révolte pas, qui ne la rassure pas, en fin de compte, faute de confiance en lui, rongé par les craintes infantiles de désamour et d'exclusion. Son exaspération représente, dans ce sens, une invitation. Elle exhorte Hervé à exister enfin, à s'affirmer sans timidité, à s'assumer en tant que père et amant, bref à ne pas se sentir contraint de rester déprimé par solidarité envers sa mère, ni à devenir clochard par fidélité à l'égard de son grand-père. Elle se défend enfin contre le risque de se voir contaminée par la dépression d'Hervé, qu'elle se sent impuissante à soigner, d'où son agressivité, révélatrice de son anxiété.

En résumé, Hervé ne se conduit pas dans la vie comme une personne risquant d'être frappée un jour ou l'autre par le rejet, ce qui serait susceptible d'arriver à tout un chacun, finalement, car nul n'est à l'abri du tragique existentiel. Il se considère, plus douloureusement, comme déjà délaissé, avorté, clochard, sans que personne réussisse à l'apaiser. Il est vrai que son enfant intérieur est ligaturé par nombre de cadavres et de fantômes errants et sans sépulture : son père veuf, ayant perdu son épouse en couches à la naissance de leur second, sa grand-mère écrasée par une voiture, un de ses frères décédé à huit mois, et lui-même ayant failli disparaître peu après sa conception dans une clinique helvétique. Dès lors, le combat acharné pour se prouver qu'il est vivant, aimé et reconnu ne fait que l'affaiblir et l'empêche de croire en lui, en sa force et sa bonté profondes. Survivre n'est pas vivre !

2

À QUI LA FAUTE ?

LA CULPABILITÉ

La carence matricielle crée dans l'âme enfantine une D.I.P., dont la conséquence la plus importante est la culpabilité de la victime innocente. Cela signifie que l'enfant, subissant sans pouvoir s'en défendre le manque d'accueil, de chaleur et d'enveloppement, est convaincu que cette privation est de son fait et de sa faute, qu'il en est responsable. C'est à cause de lui, croit-il, que ses parents s'agressent ou se quittent par exemple, que sa mère est malheureuse ou déprimée, que son père est malade, au chômage ou maltraitant. S'il n'est pas aimé, rejeté ou battu, cela tient, s'imagine-t-il, au fait qu'il n'est pas aimable. Mauvais par essence et certain de son indignité, il ne mérite donc pas d'être aimé.

Ainsi, Claire a souffert non seulement du manque de place dans le triangle comme dans le cœur de ses parents, mais, de plus, elle est persuadée d'être responsable de cet abandon subi, comme châtiment pour avoir brisé leur couple.

Les situations de désamour peuvent se répartir en gros dans trois catégories. Dans la première, l'enfant se trouve directement visé, personnellement l'objet de la violence. Il est rejeté, par exemple, parce qu'il s'imagine avoir été le fruit d'un « accident », ni désiré ni attendu, tout simplement. Parfois, il a été décevant ; ses parents auraient préféré un garçon plutôt qu'une fille ou inversement. Il peut avoir été battu aussi, abusé sexuellement ou maltraité psychologiquement, négligé, agressé par des mots, moqué, mis de côté, etc. J'ai rencontré de nombreuses personnes qui se sentaient abandonnées, parce qu'elles avaient été élevées par leurs grands-parents ou placées assez jeunes dans des pensionnats.

Dans le second cas, le petit n'est plus l'objet de l'agression, mais il a assisté en témoin impuissant à la violence dans sa famille, à la détresse physique ou psychologique des parents ; mésententes, divorce, maladie, deuil, dépression, alcoolisme, misère...

Notons que le verbe assister comporte en français deux sens, celui d'observer, de regarder, d'être témoin, mais également celui d'aider, de collaborer, de contribuer, d'où sa dimension culpabilisante.

Dans la troisième catégorie, l'enfant n'est victime ni de désamour, ni témoin de la souffrance des parents. Au contraire, il se peut même qu'il soit chéri, parfois exagérément. Cependant, il n'occupe pas sa vraie place, c'est-à-dire qu'il n'est pas aimé, considéré pour celui qu'il est réellement. Il pourrait s'agir d'un enfant consolateur par exemple, pris pour un autre, venant remplacer un petit frère ou une petite sœur disparu précédemment et dont il porte le prénom. Je pense à Vincent Van Gogh et à Salvador Dali.

Il peut aussi être appelé à remplir une fonction, aliénée de sparadrap ou de ciment. Il a été « fait » pour rafistoler le couple boiteux de ses parents. Il peut être utilisé enfin comme un médicament, anxiolytique, antidépresseur. Certains demandent en effet inconsciemment à leur progéniture de réaliser à leur place et pour leur compte, par procuration, la vie qu'ils n'ont pas eux-mêmes vécue, en concrétisant leurs ambitions laissées en suspens. D'autres assignent à leurs enfants une place de parent idéal. Ils aspirent à être aimés par eux, comblés, pour compenser le manque d'affection et de reconnaissance qu'ils ont subi dans leur Ailleurs et Avant.

Cette inversion générationnelle empêche évidemment le petit de vivre tranquillement son enfance dans la légèreté et l'insouciance : c'est une enfance écourtée, spoliée, blanche. Ainsi, dans toutes ces circonstances, l'enfant, même s'il est hyper-protégé et adoré, pourrait néanmoins souffrir d'une carence matricielle. Considéré ou même vénéré pour sa fonction et son utilité, il n'est plus aimé pour ce qu'il est, dans la gratuité du désir, comme le fruit de la vie et de l'amour. Le voici parfois exagérément idéalisé donc pour ce qu'il représente, destiné à satisfaire le besoin infantile des grands, en comblant leur vide intérieur et en remédiant à leur inachèvement.

Ces trois situations servent de terreau à la germination et à l'efflorescence de la D.I.P. et de la culpabilité de la victime innocente. Il existe en fait trois formes de culpabilité, de nature et d'origine diverses. La première, celle de la victime innocente, je viens de le souligner, se rapporte directement aux aléas de l'histoire de l'enfant né et grandi dans le triangle (objet de rejet et désamour ou assistant à la détresse parentale ou établi dans une place qui n'est pas la sienne). La seconde renvoie plus largement à l'héritage transgénérationnel, à savoir la problématique parentale, grand-parentale, voire ancestrale de la faute.

Mon propos concernera toujours l'archéologie de la culpabilité de la victime innocente. Que se passe-t-il, par exemple, au niveau du tissu des liens infra-verbaux inconscients, entre une fille et sa mère, si celle-ci a perdu par malheur la sienne en couches lors de sa propre naissance ou sa sœur jumelle *in utero* après leur conception ? Je veux parler dans ces deux cas du thème de la culpabilité du survivant. Comment une femme pourra-t-elle s'autoriser à vivre pleinement les deux pans insécables de son identité, la féminité et la maternité, si le récit de la vie de sa grand-mère (crâne rasé à la Libération par les résistants pour avoir couché avec les soldats allemands) la hante encore aujourd'hui constamment, soixante-dix ans après les événements ?

Je réalise bien sûr l'aspect quelque peu choquant d'une telle assertion. Nous avons tous tendance en effet à attribuer unanimement la culpabilité d'une agression ou d'une offense à son auteur directement, que celui-ci ait causé le dommage de façon délibérée ou par inadvertance. Cependant, cette logique, soucieuse d'humanité et de justice, basée sur le droit, la raison et l'objectivité des faits, ne correspond nullement à celle « illogique » de l'inconscient, qui obéit à d'autres critères.

L'expérience m'a ainsi montré au cours des années que les plaintes des patients ne dérivaient pas tant d'une privation réelle, du manque de quelque chose ou de quelqu'un, mais plutôt de la culpabilité que ce manque produisait chez eux. Un enfant maltraité ou témoin de la souffrance de ses parents, un homme trompé par sa compagne, une femme abusée sexuellement ou battue, chacun souffre certes dans sa chair et son âme de ces traumatismes, mais par dessus tout de sa certitude imaginaire vénéneuse d'en avoir été la cause.

La troisième forme de culpabilité, je la qualifierais d'« ontologique ». C'est pour signifier qu'elle est consubstantielle à notre humanité, qu'elle concerne tout individu par-delà les époques et les lieux et qu'elle est liée au désir du sujet, à son projet de devenir soi, psychologiquement différencié et autonome. Pourquoi devenir soi serait-il source de culpabilité alors qu'il constitue une nécessité impérieuse en même temps qu'un idéal d'épanouissement personnel ? Parce qu'il implique l'abandon de la matrice, opération rendant la mère vide, seule, incomplète, inutile. Parce qu'il exige la cessation de la fusion, la séparation d'avec ses géniteurs, sa famille, son clan, sa tribu, ses frères et sœurs dans le but de percevoir la vie, le monde et les humains avec sa subjectivité. Il n'est évidemment pas question de rupture, mais de différenciation pour réussir à se lier aux autres en s'exprimant en son nom propre, sans pour autant être comme eux.

Or quitter le nid, voler de ses propres ailes est assimilé par certains à une agression, une infidélité, un désamour, un acte d'abandon ou de trahison. Devenir soi suppose de couper le cordon, c'est une mise à mort symbolique de ses ascendants, de son enfance, du passé. Renaître à soi force à claquer les portes, s'exiler, violer les secrets par ses questions et réponses, crier, refuser, décevoir les attentes, s'accepter imparfait, blesser les cœurs, transgresser l'ordre établi, se révolter, dire non, afin de se bâtir un psychisme propre, un destin singulier, une intimité/intériorité, un nom et une parole personnelle. Ce « péché » est indispensable mais constructeur. Il représente le prix à payer pour devenir soi, à distance de l'idéal parental, de la pulsion aussi bien que des normes collectives.

C'est d'ailleurs, me semble-t-il, ce que symbolise le péché initiatique d'Ève, notre première mère, grâce à l'entremise bénéfique et salvatrice du serpent. En cueillant le fruit sur l'arbre de la connaissance à l'encontre du commandement divin de ne pas le consommer, elle met un terme à l'interminable grossesse édénique, opprimante, étouffante, nous délivrant ainsi du paradis infernal. Grâce à cette désobéissance, Ève réussit à s'extraire de l'indifférenciation primordiale. Ses yeux « se désillèrent » et elle s'aperçut qu'elle était nue, c'est-à-dire qu'elle avait un corps, accédant de la sorte à la lumière de la conscience.

Prométhée pourrait être comparé dans ce sens à Ève. Considéré comme l'initiateur de la civilisation humaine, il avait dérobé le feu sacré de l'Olympe qu'il avait caché dans une tige pour l'apporter aux humains. Pour le punir, Zeus l'enchaîne à un rocher sur le mont Caucase. Un aigle lui ronge le foie chaque jour mais il se régénère le soir. Le feu symbolise la lumière, l'intelligence, la volonté de savoir, c'est-à-dire de différencier, de rendre et de devenir conscient, dégagé des fusions/confusions qui règnent dans l'inconscient.

Une question, tout de suite : comment ces trois formes de culpabilité inconsciente, celle liée aux aléas de l'histoire personnelle, la seconde concernant l'héritage transgénérationnel et la dernière prométhéenne ou ontologique, s'articulent-elles chez le même sujet ? En fait, la culpabilité ontologique de devenir soi sert de miroir et de caisse de résonance aux deux autres. Son intensité et sa nocivité dépendent d'une part du poids de la culpabilité issue de la D.I.P. et de l'histoire individuelle et d'autre part de celle dérivant de l'héritage transgénérationnel. Ce qui signifie que le sujet n'éprouve normalement aucune difficulté sérieuse à devenir adulte, qu'il se montre capable de désirer et d'agir pour son compte propre, confiant dans ses capacités, s'il n'est pas grevé par les deux premières culpabilités. Autrement dit, tout se passera bien s'il a eu la chance de naître et de grandir dans l'entre-deux d'un homme et d'une femme qui s'aimaient et qui l'aimaient pour ce qu'il était, sans le maltraiter ni l'idéaliser. Il lui sera dès lors possible de s'autoriser à grandir sans danger pour lui-même, ni pour ceux qui lui sont chers sans se croire responsable d'eux, leur gardien, leur thérapeute, dégagé de la crainte de les abandonner, de les trahir. L'amour entre l'enfant et ses parents, lorsqu'il est réussi, mène à la séparation, contrairement à ce qui se passe chez les amants.

À l'inverse, en cas d'existence de la D.I.P., source de la culpabilité de la victime innocente, qu'elle soit d'origine personnelle ou transgénérationnelle, le sujet s'interdira inconsciemment d'achever sa maturation. Il bloquera le devenir soi, psychologiquement différencié et autonome. Il se placera alors itérativement dans des situations d'échec, surtout sentimental, comme s'il s'interdisait de devenir adulte et de s'engager dans une relation amoureuse et sexuelle, freiné par la conviction, celle de son enfant intérieur, de n'avoir pas le droit d'abandonner ses géniteurs. La culpabilité ontologique d'être soi sera ainsi embrasée ou, à l'inverse atténuée, en fonction de l'importance de la D.I.P. et de l'héritage transgénérationnel.

À titre d'exemple, quitter la matrice et devenir soi pour un Parisien, issu d'une famille « sans histoire », comme on dit, non meurtri par des sévices dans son enfance, ni chargé par des secrets de famille inavouables, ne sera pas aussi problématique que pour le petit-fils d'un ancien émigré polonais juif, déporté et brûlé pendant la Shoah dans les fours crématoires. Le premier ne sera pas affecté par un licenciement ou une rupture sentimentale de façon aussi dramatique que le second. Une part de celui-ci, un pan non négligeable de son identité plurielle se verra à chaque fois que survient un traumatisme significatif, « déporté » comme le fut son grand-père, avec lui et pour lui, exposé à l'anéantissement. Toute souffrance endurée dans son Ici et Maintenant occasionnera une culpabilité, celle propre à la victime innocente. Son intensité dépendra non pas tant de l'épreuve réellement subie mais de l'importance des deux autres culpabilités. Ce qui peut faire que, face à une même épreuve, un licenciement, par exemple, l'un décide de mettre fin à ses jours, considérant que sa vie a perdu tout son sens, alors qu'un autre, au bout d'une période de déprime, tente de fonder sa propre entreprise. Le présent ne serait pas si compliqué à vivre pour certains s'il n'était pas en permanence parasité par le passé, parfois lointain, grevé par l'héritage ancestral. « Les pères ont mangé des raisins verts et leurs enfants ont eu des dents agacées. »

Les chameaux du désert sont souvent parés d'une série de trois clochettes superposées et gigognes. Ainsi, lorsque la plus grande, placée en haut des deux autres, s'agite, elle touche et fait sonner à son tour la seconde qui, elle aussi, se met par ricochet à actionner la troisième. L'inverse se produit inévitablement aussi. Quand la plus petite percute la moyenne, celle-ci frappe à son tour la plus grosse placée au dessus d'elle.

Cette image nous éclaire sur les liens profonds entre les trois strates de culpabilité. Une épreuve ordinaire, banale, faisant normalement partie des aléas de l'existence, sera vécue d'autant plus péniblement qu'elle réussira à titiller la D.I.P. et l'héritage transgénérationnel. De même, en sens inverse, la présence de ceux-ci transformera la survenue de la moindre contrariété en une catastrophe, une affaire de vie ou de mort.

Il existerait enfin une dernière forme de culpabilité, mais qui se trouve puissamment combattue, déniée, au point de ne même plus être ressentie consciemment. Le sujet se trouve alors contraint de l'expulser au dehors, de la projeter sur l'autre, l'accusant ainsi sans vergogne, l'incriminant de ses propres inconduites. À titre d'exemple, l'abuseur sexuel cherche à se dédouaner en tentant de prouver que, loin d'avoir violenté sa proie, il en a été, à l'inverse, la victime innocente, provoquée, voire même invitée par elle. Il serait cependant faux de s'imaginer que le pervers est froidement dénué de toute culpabilité, imperméable et insensible à la thématique de la faute. Non, il est en réalité d'une telle fragilité psychologique que la reconnaissance et l'aveu de la plus petite impureté risqueraient de le pulvériser. Il dépense en effet une grande partie de son énergie à lutter contre ses deux certitudes de mauvaiseté et de culpabilité. Il me fait penser à Achille, le demi-dieu grec, non pas parce que celui-ci était pervers, mais parce que ce héros invulnérable, beau et valeureux souffrait, sans le savoir, d'un point extrêmement faible : son talon. D'après le mythe, lorsqu'il avait été immergé par sa mère dans le Styx, ce seul fragment de son corps n'avait pas été trempé. C'est d'ailleurs dans cette partie vulnérable qu'est venue se nicher précisément la flèche de Pâris, entraînant sa mort. Le plus fort n'est ainsi pas forcément celui qu'on croit ! Cela dit, je n'éprouve, de toute évidence, nulle compassion pour le pervers. Je suis parfaitement conscient de son sadisme et de sa nuisibilité. Je ne me fais aucune illusion, non plus, sur ses chances tout à fait nulles de s'améliorer, malgré l'encensement du concept « d'injonction thérapeutique », aussi inefficace que ruineux. Lorsqu'il demande pardon, c'est pour pouvoir mieux manipuler !

Le témoignage de Mélanie montre comment la culpabilité de la victime innocente, consécutive à la carence matricielle et à la D.I.P., empêche le sujet d'accéder à sa bonté profonde, pour pouvoir s'autoriser à jouir, en toute légitimité, des bienfaits de la vie, en se sentant digne du bonheur.

MÉLANIE

L'exemple de Mélanie, quarante-cinq ans, m'a paru très touchant. Il est surtout saisissant dans la mesure où il fait découvrir comment peuvent se lier les trois formes de culpabilité de la victime innocente, celle liée à la D.I.P. et à l'histoire personnelle d'abord, mais aussi celle concernant l'héritage transgénérationnel, et enfin, la troisième, ontologique, renvoyant à la difficulté d'être soi, acteur de sa vie.

« Je me débats depuis environ deux ans, date à laquelle je me suis séparée de mon compagnon, contre la dépression. Je réussis tout juste à me lever le matin pour aller au travail. Le reste du temps, c'est-à-dire quand je rentre le soir, le week-end et pendant les vacances, je m'isole chez moi. Je m'allonge sur mon lit où je lis et je grignote des cochonneries avant de m'endormir. Je ne sors plus, je ne vais plus vers les autres, je ne vois plus mes amis, et je n'éprouve plus aucun élan ni désir particulier. Je prends des antidépresseurs que mon généraliste m'a prescrits, mais pas le somnifère qui m'ensuque. J'arrive à assumer tant bien que mal mon travail parce qu'il a toujours représenté quelque chose de très important pour moi, quasi vital, pas seulement parce qu'il me permet de gagner de l'argent pour subvenir à mes besoins. Il m'a toujours aidée à me sentir vivante, à exister, à me donner une certaine légitimité, à garder ma tête hors de l'eau, bref à compenser mon vide. Sans cette bouée de sauvetage, j'aurais sombré depuis belle lurette. C'est maintenant mon unique ancrage dans l'existence. Depuis deux ans, je n'ai eu aucun rapport sexuel. J'ai cessé d'être une femme. Je me maquille au minimum. Je ne suis plus séduisante. Je ne sais plus ce que signifie la féminité.

J'ai vécu avec le dernier homme de ma vie (je n'aime pas l'appeler mon amant) pendant environ trois ans. J'ai pris l'initiative de me séparer de lui parce qu'il était violent dans ses paroles, alors que j'avais tant besoin de compréhension et de douceur. Je pense que je m'étais résolue à rester avec lui tant bien que mal, en me persuadant que je ne méritais pas mieux. Je m'imposais aussi, avançant dans l'âge, de ne pas rater définitivement mes dernières chances de devenir mère.

J'avais eu quelques histoires d'amour auparavant, des aventures, disons, assez courtes, des liaisons passagères, pour ne pas me sentir seule. Ce dernier compagnon, je l'ai quitté aussi parce que justement je n'arrivais pas à avoir d'enfant avec lui, ni par le biais des relations sexuelles ni par recours à la PMA. Toutes mes tentatives de grossesse ont échoué, sans que les examens médicaux aient pu détecter d'anomalie particulière. Chez lui non plus, ils n'ont découvert aucun problème touchant les spermatozoïdes. C'est comme ça. On ne comprend pas !

Ne pas avoir réussi à devenir mère me traumatise. J'ignore si un jour je réussirai à dépasser cette douleur. J'ai la nette impression aussi que si je ne m'autorise pas à éprouver de désir sexuel pour un homme, c'est parce que je n'ai pas réussi à enfanter. C'est comme si, là non plus, je ne méritais pas d'être aimée, ou que faire l'amour ne servait à rien.

Je suis déjà tombée enceinte une fois, mais je me suis fait avorter. Je n'éprouvais pas d'amour pour cet homme à l'époque, qui était par ailleurs indisponible. Je me disais que j'avais encore du temps devant moi. Mon bilan de vie est donc assez sombre. J'ai échoué à former un couple et à fonder une famille. J'ai vraiment honte de moi. Je suis impuissante. Je m'en veux terriblement. Je me sens coupable. J'ai quarante-cinq ans, intellectuellement et socialement j'ai une vie adulte, mais émotionnellement je suis nulle. Je ressemble encore à une petite fille. Je n'ai pas beaucoup grandi. Mes deux faces ne s'emboîtent pas. Je ne comprends pas pourquoi je ne trouve pas de solution sur le plan affectif alors que, depuis toujours, et encore maintenant, dans mon travail, je parviens à résoudre n'importe quelle difficulté. Je peux trouver une solution à tout, sauf à ma dépression. Je ne trouve aucune issue à ma détresse. La sortie du tunnel m'apparaît de moins en moins proche. Je m'en veux !

Je suis née dans un bled paumé au fin fond de la Galice, en Espagne. Mes parents étaient des paysans très pauvres. Je suis la cinquième de six enfants. Ma mère a vécu seule pendant au moins dix ans sans la présence de mon père. Celui-ci habitait en France. Il travaillait comme ouvrier dans l'industrie automobile pour nourrir sa famille en Espagne. Il venait passer un seul mois de l'année avec nous au village, pendant les vacances au mois d'août, on le voyait donc une fois par an. Ma mère a vécu ses six grossesses et accouchements toute seule. Je l'ai toujours connue triste, silencieuse, débordée, soucieuse surtout d'assumer l'intendance. À la naissance de ma sœur, elle a eu peur de la perdre parce que l'accouchement a été assez compliqué. Elle a fait une dépression assez grave qui a nécessité une hospitalisation, un traitement lourd et des électrochocs. Lorsque je suis arrivée au monde, deux ans plus tard, elle a eu très peur.

Pour éviter le pire, elle a demandé et obtenu à titre préventif d'être internée dans un hôpital/couvent tenu par les religieuses. J'ai donc été hospitalisée avec elle dès ma naissance pendant plus de quatre mois, de novembre à février de l'année suivante, en l'absence de mon père évidemment.

Lorsque j'ai eu cinq ans, mes parents ont décidé de s'installer en France. Cet événement a totalement bouleversé ma vie. Je n'ai conservé aucun souvenir, ou presque, de ma petite enfance en Espagne. J'ai dû sans doute gommer pas mal de pages. Je pense que personne ne s'intéressait à moi. Dès le jour de mon entrée à l'école maternelle, je me suis métamorphosée. Je me suis sentie redevenir vivante, tout simplement, comme sortant d'une longue anesthésie. C'était le vrai bonheur ! Là, j'existais enfin, je comptais. J'adorais ma jolie maîtresse, qui m'accueillait le matin en riant et en me serrant fort dans ses bras. Je me souviens encore de son parfum. Elle me chantait des chansons. Elle me proposait plein de jeux, m'offrait des biscuits et du lait, en résumé tout ce dont j'avais été privée jusque-là. Je me trouvais bien, si légère dans cette nouvelle famille, alors que dans l'autre, je me sentais comme un poids pour ma mère. Elle aussi représentait un poids pour moi. Je crois que c'est bien depuis notre arrivée en France et mon entrée à l'école maternelle que j'ai réalisé qu'une autre vie, ailleurs et autrement, hors de ma famille, était possible. J'étais si heureuse ! J'ai appris à parler le français en un rien de temps. J'écoutais des histoires. J'avais l'impression que la maîtresse ne les racontait qu'à moi. Je faisais des dessins. J'apprenais tant de choses. Je m'amusais avec mes copains. Avec certains d'entre eux, j'ai gardé encore aujourd'hui des liens.

J'ai vraiment adoré l'école durant toute ma scolarité. C'est bien elle qui, à l'inverse de ma famille, m'a structurée, m'offrant une armature. J'ai ainsi compris que ma famille était négative pour moi, déstructurante, déprimante, mais qu'ailleurs, dehors, loin, c'était bien, régénérateur, revigorant. À l'époque je ne formulais pas ce sentiment aussi nettement qu'aujourd'hui, mais intuitivement j'en étais certaine.

Ma mère ne m'aimait pas. C'était une mère morte, pour moi. Je n'ai pas tissé de vrais liens avec elle. C'est peut-être pour cette raison que je n'ai pas réussi à devenir mère à mon tour, je ne sais pas ! Je suis très en colère contre elle. Je n'arrive pas à lui pardonner sa longue absence. Je ne l'ai pas aimée non plus, je crois. En revanche, je ressens depuis toujours de la peine pour elle, de la compassion, mais pas de l'amour, ni jamais cette complicité entre mère et fille dont mes copines me parlent. Dans mes souvenirs, elle ne m'a pas souvent prise dans ses bras.

Je prenais une miche de pain que je suçotais silencieusement dans mon coin. À douze ans, je lui ai hurlé dessus, une fois : “Mais pourquoi tu as fait des gosses, alors que t’es pas capable de t’en occuper, sans en avoir les moyens ?” Elle ne m’a pas répondu. Elle est partie, je l’avais détruite ! Je m’en suis voulue à mort ensuite. Je pense que je suis un monstre de dire du mal d’elle. Elle a fait ce qu’elle a pu après tout. Je n’ai pas le droit de la juger, de l’agresser, ni de lui en vouloir.

Peut-être même que si j’avais pu reprocher des choses précises à mes parents, cela aurait été mieux pour moi, plus supportable. Mais, là, je ne peux pas. Ils n’ont pas été méchants du tout, ne m’ont pas battue. Ils se sont même sacrifiés pour leurs enfants, mon père, obligé de travailler dur en France, ma mère élevant toute seule ses six enfants. Je me dis qu’elle a rechuté dans la dépression et a été internée à cause de moi. Si je n’avais pas été née, elle aurait été sûrement bien. Et puis, la pauvre, elle n’a pas eu une vraie famille non plus. Elle a perdu son père écrasé par un bus quand elle n’avait même pas encore dix ans. Ma grand-mère a dû élever aussi toute seule ses quatre enfants en faisant des ménages chez les bourgeois. Je me sens coupable d’être en colère contre eux et d’éprouver de la rancœur juste parce qu’ils n’étaient pas là.

Depuis toute petite, dès mon entrée à l’école maternelle sans doute, j’ai lutté, je me suis bagarrée de toutes mes forces pour briser mes chaînes, m’émanciper, sortir de cette famille dangereuse, m’éloigner pour exister. Ma survie ne me paraissait possible que si je rejetais leur mode de vie, que si je sortais du moule familial, que si je repoussais leur religion, que si je tournais le dos à leurs valeurs ; refuser d’aller à la messe le dimanche par exemple !

Alors j’ai très bien travaillé toute ma scolarité. J’étais une élève brillante. Mes parents étaient fiers de moi. En même temps, à la maison, je continuais à m’occuper de tout le monde. C’est par exemple moi qui surveillais les devoirs de mes sœurs ou qui rencontrais les professeurs de mon frère ou qui accompagnais mes parents comme traductrice attitrée dans les administrations ou qui rédigeais leurs courriers. Encore maintenant c'est moi qui dois gérer leurs problèmes de santé, le mal de dos de mon père, ou la dépression de ma mère. Elle est malade à cause de moi, c'est donc évidemment à moi de réparer.

Après mon baccalauréat, réussi brillamment, j'ai obtenu des bourses pour aller à l'université, en France d'abord, et ensuite pendant quatre ans au Canada. Je suis maintenant cadre supérieure dans une importante multinationale. Je parle quatre langues. Je voyage à travers le monde entier pour les affaires en permanence. Je pratiquais, il y a encore peu de temps, le tennis et le golf. Je partais régulièrement en vacances. Je m'occupais de moi, hygiène alimentaire, la gym, les stages de développement personnel. Je n'arrêtais pas. Cependant, cette combativité, mon envie d'indépendance, ma volonté de m'en sortir sans le secours des autres pour éviter de reproduire l'exemple de ma mère, soumise à mon père, ne plaît pas forcément à tous les hommes. Ils croient qu'une femme qui ne dépend pas de son compagnon n'en est pas vraiment amoureuse.

Aujourd'hui, je n'arrive plus à profiter de la vie. Je ne fais plus rien. Je m'en veux mais je me sens coupable. Je me dis que je n'ai pas le droit de m'amuser, d'aller bien. Je me dis que je les ai trahis. Pourquoi moi j'ai eu accès à la culture et pas eux ? Pourquoi cette injustice ? Pourquoi j'ai tous ces diplômes alors que ma grand-mère, qui a travaillé sa vie entière, ne savait pas lire ? Pourquoi je gagne bien ma vie alors que ma mère n'a jamais travaillé, alors que mon père se tuait à l'usine, loin de sa famille, pour gagner des clopinettes ? Je suis vraiment un monstre de les avoir quittés, d'avoir brisé notre solidarité. Je les ai lâchement laissés pour partir vivre dans un monde où ils n'ont pas accès. J'aurais voulu qu'ils aient les mêmes choses que moi, les mêmes possibilités, les mêmes droits !

Je suis certes sortie de ma famille physiquement, mais je n'arrive pas à la sortir de ma tête. Je pense à elle continuellement. Je me reproche de les avoir largués. C'est d'ailleurs très exactement ce qui s'est passé dans mon précédent emploi. Lorsque je me suis rendu compte que les choses allaient mal tourner, que la boîte était sur le point de déposer le bilan, bref que le bateau allait couler, j'ai ressenti le même sentiment de culpabilité à devoir lâcher mes collègues, de les trahir, de les abandonner. J'ai réussi à me sauver juste avant le naufrage. Cependant, je n'étais pas, je ne suis toujours pas fière de moi. La plupart d'entre eux sont encore au chômage alors que je me suis fait embaucher sans peine dans une autre société. Je me sens, un an après, encore très coupable. Tout se passe curieusement comme si j'étais restée coincée là-bas , c'est tout à fait le même schéma qu'avec ma famille.

Ça se passe d'ailleurs exactement pareil avec les hommes. Je suis incapable de me séparer d'un ami, je ne veux même pas dire d'un amoureux et d'un amant, s'il est malheureux, mal en point, ou qu'il a des difficultés financières. Je suis contrainte de le retaper d'abord avant de m'autoriser à m'en aller. Cela prend beaucoup de temps parfois et finit par m'épuiser.»

Voici, Mélanie souffre ainsi d'une représentation narcissique très négative d'elle, alors même qu'elle a brillamment réussi sur le plan social et professionnel. J'aurais envie d'ajouter: alors même qu'elle jouit d'une beauté que nombre de femmes pourraient lui envier. Cette image flétrie révèle en réalité la présence d'une culpabilité massive, à l'image des autres récits, consécutive à la carence matricielle et à la D.I.P.

Mélanie n'a pas connu, en effet, la chance de naître et de grandir à l'intérieur d'un vrai triangle. Elle a souffert de l'absence physique de son père, contraint de travailler durement loin de sa famille à l'étranger. Quant à sa mère, physiquement présente, elle était, de son côté, absente psychologiquement, l'otage de sa dépression et absorbée par l'éducation de ses six enfants. Elle a donc été orpheline de père et de mère simultanément. Tout se passe comme si elle se considérait responsable des frustrations qu'elle a subies en toute innocence sans pouvoir y remédier.

Elle dit qu'elle a été sauvée, ressuscitée en quelque sorte, en arrivant en France, dès son entrée à l'école, qu'elle considère comme sa famille idéale, sa bonne mère gratifiante, bref sa matrice. Elle a mobilisé dès lors son énergie vitale pour assurer sa survie psychologique, loin de sa famille biologique qu'elle trouvait mortifère. Elle a ainsi placé toute son espérance de bonheur dans la réussite sociale, boostée à la fois par son ambition et sa culpabilité. Ce que je trouve très saisissant chez Mélanie, comme chez beaucoup d'autres, c'est cette volonté de s'évader, de s'exiler loin de certains individus, lieux ou périodes du passé, alors même qu'ils ne les ont pas véritablement connus, habités, ni par conséquent intériorisés.

En revanche, ceux qui ont grandi normalement au sein du triangle, dans leur place d'enfant et dans l'entre-deux du couple de leurs parents, n'éprouvent jamais ce besoin de s'enfuir, du fait précisément d'avoir pu y séjourner, de s'y être enraciné en leur lieu et temps.

Celui qui se bagarre pour se détacher de ses ascendants, c'est qu'il a sans doute manqué jadis d'attachement. C'est donc quelque part soi-même que l'on fuit en définitive, une famille, un père, et une mère qu'on n'a pas eus. On ne s'évade pas d'un temps et d'un lieu, mais d'un vide intérieur, d'un manque à être, d'une absence toujours présente, actuelle.

Il n'est en réalité possible de quitter une personne, une époque ou un endroit que si l'on a tissé avec eux des liens, que si l'on a conservé d'eux une trace, une histoire, des racines. Sinon, on y reste captif, coincé, prisonnier, empêché de devenir adulte. Ce qui fait que, plus Mélanie s'agite et se débat pour se délier de son passé et de sa famille, et plus elle s'enlise dans les sables mouvants de sa problématique. Comment serait-il possible de se détacher des liens que l'on n'a pas pu tramer ? Ici la lutte ne fait paradoxalement que fortifier les symptômes que l'on souhaiterait voir disparaître. La défense ne protège pas. Elle appauvrit en consumant l'énergie. La rupture ne fait qu'intensifier la fusion en empêchant la vraie séparation.

Je le répète, une difficulté psychologique intérieure, notamment lorsqu'elle dérive de la D.I.P., ne peut espérer trouver nul dénouement concret extérieur. Elle aboutit à la longue à couper le sujet de son intériorité, l'empêchant de s'y ancrer, pour, à son tour, s'en sustenter. C'est bien cette coupure intrapsychique qui renforce la mauvaise image que le sujet s'est forgée de lui-même, lui fait perdre confiance dans ses capacités et sa bonté, et accentue finalement son mal-être. Une terre non cultivée, laissée en jachère, est rapidement envahie par les herbes sauvages. Le recours aux herbicides, équivalents des antidépresseurs et des anxiolytiques pour le psychisme, ne résout pas les problèmes comme par magie. Il est impossible de soigner son « cafard » de la même manière qu'on élimine les « cafards » !

C'est donc bien parce que le sujet se trouve hors de lui-même, déconnecté de son intériorité, qu'il se met en quête d'un lieu et surtout d'une goutte d'eau pour se désaltérer, aveugle à la source qui coule dans ses profondeurs. Ce sera alors précisément l'idéalisation excessive du dehors, au détriment de ses forces propres, qui fera proliférer chez lui toutes sortes de craintes, de désespoirs, de douleurs, et le rendra de plus en plus absent et étranger à lui. De toute façon, toutes les idéalisations, qu'il s'agisse de son enfant, de son compagnon, de l'argent ou de l'amour, mènent forcément à la déception. Le fantasme et la réalité parviennent rarement à s'accommoder.

Je ne prône évidemment pas ici la démarche inverse qui consisterait à encourager, dans une optique manichéenne, à délaisser la réalité extérieure : le travail, l'argent, la réussite sociale, l'engagement citoyen, au bénéfice d'un repliement nombriliste. Je n'ai jamais été le partisan d'une existence éthérée, ascète et monacale, en résumé désincarnée. Mépriser les biens matériels en se recroquevillant de façon autistique sur soi représente aussi un dysfonctionnement psychique grave, risquant parfois de mener à la dissociation schizophrénique.

Je mets justement en garde contre ce genre de dislocation, de rupture entre ces deux univers opposés, intérieur et extérieur. Ils constituent en réalité une unité insécable, et sont liés dans une dialectique féconde. Chacun d'eux sert de garant mais aussi de limite à l'autre, de la même manière que tous les autres couples de contraires : corps/esprit – amour/loi – homme/femme – vrai/faux – bon/mauvais... Le Talmud insiste sur cette nécessaire connexion en rappelant : « Pour avoir sa tête dans le ciel, il est indispensable de garder ses pieds sur terre ! » La simple prise de conscience du déséquilibre entre les deux plateaux d'une balance, est susceptible de pondérer les disproportions. C'est en réalité la D.I.P. qui se trouve à l'origine de tous les clivages et divisions. Elle scinde les contraires qui devraient demeurer, certes différenciés, mais toutefois connectés.

Demandons-nous maintenant pourquoi Mélanie se trouve dans l'impossibilité de jouir en paix de la position socioprofessionnelle brillante qu'elle a construite depuis toute petite avec beaucoup de combativité ?

D'abord et surtout parce que son enfant intérieur en détresse, convaincu que la carence matricielle qu'il a subie est de son fait et de sa faute, ne s'autorise pas, ne se donne pas le droit d'être heureux. Se croyant indigne et mauvais, il tourne le dos à l'amour et à la reconnaissance qu'il ne cesse, par ailleurs, de rechercher. C'est sans doute aussi la même culpabilité qui lui interdit de se donner à un homme et d'enfanter, tout ce qui signerait la sortie de sa famille d'origine.

Enfin, sans doute du fait que cette édification n'obéissait pas chez elle au désir naturel de croissance et d'épanouissement, mais au besoin infantile et inquiet de survivre. Peut-être a-t-elle accumulé tous ces diplômes et a appris à parler quatre langues pour venger sa mère et aussi sa grand-mère maternelle analphabète. Mais en même temps elle se sent honteuse d'avoir accès à une culture et à une aisance matérielle dont ces deux femmes étaient privés. Elle n'a donc pas vécu pour elle-même jusque-là, mais, par procuration, pour le compte de ses mères. C'est bien là le motif principal de toutes ses insatisfactions. Au lieu de se nourrir elle-même, elle s'obstine à alimenter les autres.

Mélanie s'est durant de longues années convaincue, de même, qu'elle réussirait, grâce à sa combativité, à maîtriser son intériorité, c'est-à-dire se guérir de sa D.I.P., assurant ainsi sa survie psychique. Il s'agit là toujours d'un leurre, évidemment, dans la mesure où les deux mondes extérieur et intérieur ne fonctionnent pas de façon semblable, n'obéissent pas aux mêmes lois. Ce qui convient à l'un disconvient à l'autre et vice versa. Si le premier appelle à l'action et à la force, à l'évitement de ce qui est désagréable ou dangereux, à l'attaque et à la riposte, à la vitesse et à la compétition, pour atteindre le mieux possible son but, le second, à l'inverse, requiert le retrait et le lâcher-prise, la passivité, la patience et la lenteur, l'acceptation de l'inacceptable, parfois, la perte...

Afin de museler son intériorité et de l'épurer de ses démons, Mélanie a utilisé les outils plutôt adaptés à la gestion de la réalité extérieure. Elle ne pouvait donc que récolter échec et déception, avec, en prime, l'accentuation de la mésestime de soi, de la honte et de la culpabilité qu'inévitablement ce désenchantement entraîne.

Ce que l'on repère très clairement chez ma patiente, c'est surtout le phénomène de la culpabilité ontologique, qui l'empêche de devenir elle-même, et de se différencier du clan monolithique de sa famille. Il n'est évidemment pas facile de se séparer de ceux avec qui le nécessaire lien fusionnel n'a pas été pleinement vécu. Voilà pourquoi Mélanie ressent son émancipation et son épanouissement comme une agression envers ses parents, pis, une trahison, un manque total de loyauté. Tout se passe dans son esprit comme si elle devait les protéger à vie, et que, par conséquent, si elle devient soi, aime un homme et fonde une famille, la sienne, cela ne pourra se faire qu'au détriment de ses proches. Il s'agit vraiment là d'une inversion générationnelle, dans la mesure où c'est Mélanie, victime de délaissement dans son enfance, qui se sent coupable aujourd'hui de quitter ses parents.

Voici pourquoi la petite fille intérieure en détresse chez elle, convaincue d'avoir été fautive de la carence matricielle subie, ne s'autorise plus à se désolidariser de sa mère et de sa grand-mère, à les dépasser, à les surpasser ; comme si c'était de sa faute à elle si ces femmes ont été pauvres, malheureuses en amour et privées de la culture. Ce thème rappelle le phénomène de la culpabilité du survivant, l'interdiction que le sujet s'impose de vivre et de s'épanouir s'il a subi la perte d'êtres particulièrement chers et proches ou avec qui il partageait une même condition. Certains rescapés des camps de concentration se sont ainsi donné la mort après leur libération, ne supportant pas de survivre aux disparus. Continuer à vivre était pour eux synonyme de honte et de trahison.

Malheureusement, la quasi-totalité des psychanalystes d'aujourd'hui, sans doute par fidélité à la pensée freudienne, âgée de plus d'un siècle, continuent à méconnaître ou à repousser la notion de la culpabilité de l'innocent. Ils persistent, malgré l'évidence des faits, à présenter la culpabilité comme dérivant du complexe d'Œdipe et de la sexualité infantile. Pour eux, c'est le sur-moi, véritable juge et procureur du tribunal interne, qui fixe sévèrement la frontière entre le bien et le mal, l'autorisé et l'interdit, qui sert de résidence et de quartier général à la culpabilité. Celle-ci traduit selon eux d'une part le sentiment d'impuissance du tout-petit d'assouvir pleinement sa sexualité par recours à la seule masturbation. Elle renverrait d'un autre côté à la punition, que le sur-moi brandit en représailles à ses fantasmes incestueux vis-à-vis du parent du sexe opposé, avec ambivalence amour-haine à l'égard de celui du même sexe, considéré comme rival. Autrement dit, l'enfant se reproche d'avoir été incapable de jouir tout seul, mais aussi d'avoir voulu coucher avec sa mère (ou son père) en éliminant l'autre qu'il chérit quand même !

La différence importante entre le garçon et la fille consiste en ce que le premier sort du complexe d'Œdipe par la crainte de se voir puni, c'est-à-dire châtré par le père (angoisse de castration), alors que la seconde y entre, au contraire, par le constat du manque de pénis chez elle. Elle cherchera alors à nier ce préjudice subi ou à le réparer en se rapprochant incestueusement de son père, seul personnage capable de la gratifier, et en abhorrant sa mère. Elle réussira, si tout va bien, à sublimer cette envie, portée par l'espérance de se marier plus tard avec un homme dont elle jouira du pénis et qui lui donnera un bébé (équivalent pénien). Cela lui permet ainsi de se sentir enfin sans manque, complète, comblée, dans les deux sens du terme, pleine et heureuse.

Cette vision de l'enfant qualifié de « pervers polymorphe », obsédé de satisfaire son insatiable pulsion sexuelle par la masturbation auto-érotique mais surtout par la réalisation de son désir incestueux pour l'un et de son souhait de mort de l'autre, me paraît aberrante, totalement infondée dans la clinique. Il est faux de croire que l'enfant cherche à diviser le couple parental, à fusionner incestueusement avec l'un et à expulser l'autre du triangle dans l'optique d'une jouissance illimitée. Bien au contraire ! La quête de la jouissance apparaît comme secondaire par rapport à la quête identitaire (qui suis-je ? quel est le sens de ma vie ?...). L'enfant n'aspire pas à la division, mais à l'union entre ses géniteurs, seule condition lui permettant de légitimer son existence et de nourrir son narcissisme. C'est ainsi qu'il pourra s'aimer alors, en se considérant comme le fruit de leur amour.

La théorie du complexe d'Œdipe repose d'abord sur une idée dépréciatrice, je dirais misogyne, de la femme, considérée en réalité comme un « non-homme », plutôt un mâle en mal de pénis, puisqu'elle est définie par référence à une norme phallocentrique, par comparaison au garçon qui en possède un. La fille est donc censée consacrer sa vie entière à réparer ce défaut biologique pour s'attribuer le pénis, par l'union sexuelle et l'enfantement. Ainsi, pour la psychanalyse orthodoxe, il n'existerait pas une âme ni donc une psychologie spécifiquement féminine, d'une autre nature que celles des hommes.

Nous pourrions nous demander judicieusement si ce genre de discours ne tente pas de camoufler plutôt un autre manque, celui-là fondamental, irrémédiable et inconsolable, à savoir l'impossibilité pour l'homme de concevoir, de porter la vie dans son ventre. Disserter sur l'« envie du pénis » chez la petite fille permet d'écarter le souhait fantasmatique du petit garçon d'être une fille et plus tard une femme pour posséder des seins et devenir enceint ! C'est sans doute la raison pour laquelle les hommes s'épuisent à compenser l'aridité stérile de leur ventre, par recours à d'autres stratagèmes : créativité intellectuelle, gain d'argent, de diplômes, de médailles, de la gloire, de pouvoir et de reconnaissance. Certains cherchent plus prosaïquement à posséder ou à dominer les femmes, sans que rien ne parvienne à consoler leur tristesse ou à atténuer leur jalousie de ne pouvoir porter la vie dans leur ventre.

La théorie œdipienne repose, en second lieu, sur une injuste et scandaleuse inversion de la vérité. Ce fut bien Laïos, en premier, qui tenta de se débarrasser de sa progéniture considérée comme menaçante avec la complicité de sa femme Jocaste et non pas Œdipe, victime innocente et sans défense. D'ailleurs, c'est depuis toujours les pères, beaux pères et grands-pères qui ont abîmé les fils ou violé les filles, par jalousie, parfois pour satisfaire leur sadisme ou surtout leurs pulsions sexuelles. Perversement, c'est leurs victimes qu'ils tentent de culpabiliser, de surcroît, en les accusant de les avoir provoqués !

La culpabilité de la victime innocente comporte en réalité deux facettes, deux composantes, toujours associées.

Elle provient du fait d'avoir subi la violence, et simultanément de celui d'avoir été impuissant à l'éviter ou à la stopper. L'enfant ne peut en effet rien tenter, étant donné sa petitesse et sa chétivité, pour échapper à la maltraitance et au désamour, pour mettre fin à la violence entre ses parents et à leur détresse. Il se trouve impuissant à se défendre ou à les sauver. C'est précisément ce thème de l'impuissance, de l'impouvoir, ce sentiment de défaite, d'échec de sa volonté thérapeutique, la confrontation à l'impossible interne qui peut déclencher chez l'adulte de fortes angoisses dans les divers domaines de sa vie.

Ces deux aspects ne sont évidemment pas conscients. Ils ne sauraient être ressentis ni énoncés en mots aussi clairement : « Je suis coupable d'avoir manqué de l'amour de mes parents, sans avoir rien pu entreprendre ensuite pour redresser la situation ». Cette culpabilité diffère donc complètement de la notion juridique fondée sur la transgression concrète de la loi, ou du contrat, ayant occasionné des dommages. Elle se distingue ensuite de la culpabilité d'origine morale décrite par les religions, celle qui s'empare du fidèle lorsqu'il commet un péché, en pensée, par la parole ou par ses actes en contrevenant aux prescriptions sacrées. Elle se différencie enfin du sentiment pénible qu'un individu sain d'esprit pourrait légitimement éprouver suite à la violation volontaire d'un pacte, d'un principe disons « éthique » cette fois : faire souffrir ou blesser quelqu'un par ses mots, lui mentir, le tromper, le manipuler... même de façon ponctuelle, sans que cela relève d'un penchant profond, au fond pervers. Nul n'étant un ange ni un saint, il est impossible de se faire immuniser contre la tentation de ce genre d'écarts.

Ces trois variantes de culpabilité d'origine externe, la première juridique, la seconde morale, et la dernière éthique, sont, en raison de leur aspect conscient et verbalisable, excusables et pardonnables. L'« absolution » s'obtiendra par le biais de l'aveu, du paiement d'une amende, de la purgation d'une peine d'emprisonnement, éventuellement, ou par la promesse de ne pas récidiver. Il est intéressant de remarquer en passant qu'en français le verbe « verbaliser » signifie à la fois mettre en mots, exprimer par la parole, mais aussi dresser un procès-verbal, par exemple à l'encontre d'un conducteur roulant sans permis ou en excès de vitesse.

Le tableau devient un peu plus complexe lorsqu'il s'agit du délinquant et du pervers. Chez le premier, le sentiment de faute ne constitue point, contrairement à la croyance commune, une conséquence de sa méconduite, mais, à l'inverse, sa cause principale. La culpabilité ne résulte pas de la transgression de la loi, mais la précède. Tout se passe comme si le délinquant, torturé par une insupportable tension psychique, cherchait, à travers le passage à l'acte délictueux, un moyen d'évacuer son malaise. C'est certes autrui qui se trouve attaqué, parfois gratuitement, par l'éclatement de la violence. Celle-ci contient néanmoins, et peut-être même principalement, un but masochiste inconscient d'autopunition. Il s'agit de la quête infantile de l'autorité, une sorte d'appel lancé au père, à la Loi pour qu'on lui vienne en aide, qu'on lui pose des limites pour le protéger contre lui-même, contre ses pulsions autodestructrices.

Le pervers, de son côté, même s'il feint d'avouer son inconduite et de la regretter, même s'il se repent et sollicite le pardon de sa victime et de la société, poursuit au fond une stratégie perverse de séduction : faire semblant de reconnaître la loi, pour mieux la désavouer en réalité. Le pervers jouit surtout de la souffrance qu'il inflige à autrui. Un grand-père accusé d'avoir fait subir des attouchements sexuels à sa petite fille âgée d'une dizaine d'années se justifiait en soutenant qu'à travers ses gestes, il cherchait seulement à apaiser sa petite-fille parfois très agitée Ils lui procuraient, prétendait-il, du bien être psychologique, tout en la préparant à sa vie adulte future.

Malheureusement, depuis quelques décennies, la culture moderne s'est lancée dans un combat acharné contre la légitimité même de la notion de culpabilité. Nombre de livres et d'articles, se voulant modernes et progressistes, s'ingénient périodiquement à la vilipender. Ils la qualifient d'émotion négative, inutile et toxique, d'essence religieuse, vestige d'une mentalité et d'une époque archaïques. S'imposant au sujet depuis l'extérieur, la culpabilité ne contient aucun autre objectif que celui, sadique, de le persécuter, de censurer sa liberté, de l'empêcher de vivre heureux et en paix. En conséquence, ils encouragent chacun à s'en débarrasser, à « déculpabiliser » pour agir librement selon sa volonté. Ce genre de discours comporte surtout l'inconvénient de n'aborder que la culpabilité consciente d'origine externe, celle qu'un sujet sain, non pervers, serait susceptible d'éprouver suite à un passage à l'acte transgressant un interdit. Il laisse sous silence la culpabilité d'origine interne. Or, en clinique, pratiquement plus aucun patient ne se dit poursuivi ni tourmenté par une faute ou délit concret consécutif à sa méconduite.

D'ailleurs, le thérapeute, qui n'est pas assimilable au prêtre ou au juge, n'aurait que faire de ce genre d'auto-récriminations. Nous ne rencontrons en réalité, au cours de nos psychothérapies, que la culpabilité de la victime innocente d'origine interne, sous ses trois formes déjà énumérées : historique, transgénérationnelle et ontologique. C'est incontestablement celles-ci qui intoxiquent l'âme du sujet, qui l'empêchent de devenir soi et d'avoir confiance en sa bonté profonde. C'est bien la certitude d'indignité qui interdit de réussir en paix sa vie, notamment amoureuse, et non pas quelques manquements au code de la bonne conduite.

À titre d'exemple, l'adultère ne suscite plus chez son auteur de tourment particulier, contrairement aux bouleversements intimes qu'il provoquait naguère chez nos aïeux. Il est « confessé » gentiment à son « psy », sommé d'occuper désormais la place restée vacante du prêtre. Idem d'ailleurs en ce qui concerne l'avortement et le divorce, psychologiquement bouleversants mais devenus socialement banals.

En outre, décrier systématiquement la notion de la culpabilité de façon si simpliste constitue à mes yeux un grave malentendu qui, loin d'émanciper le sujet et de l'aider à profiter de sa vie, le séquestre encore davantage. D'abord, tout le travail thérapeutique consiste à cesser de refouler les trois formes de culpabilité intérieure, à les reconnaître et à les accueillir dans la lumière de la conscience. Seule cette intégration permettra d'élargir son espace d'autonomie psychique. Ensuite, concernant la culpabilité d'origine externe, celle-ci remplit une fonction très positive. Elle préserve le sujet, en le soumettant à des interdits, contre l'outrance mortifère de ses pulsions sexuelles et agressives. Elle garantit notre humanité de la sorte, aidant le Moi à accepter des limites et à se contrôler. C'est ainsi protégé de ses pulsions qu'il pourra jouir de la liberté intérieure, de l'autonomie psychique Contrairement à l'affirmation simpliste répandue, l'interdit ne vise pas le Moi ni le plaisir. Il ne culpabilise pas le bonheur. Il s'adresse à l'instinct pour l'encadrer, rendant ainsi la joie possible. Nous pourrions nous demander d'ailleurs si, malgré les apparences, la religion, en mettant justement la culpabilité en avant, en la conscientisant, ne chercherait pas plutôt à aider le sujet à s'en distancier ?

Si le combat social a consisté légitimement à la fin du siècle dernier à libérer la pulsion du joug sans doute étouffant d'une moralité rigide, hypocrite et bondieusarde, la tâche prioritaire devrait consister aujourd'hui, les temps ayant changé, à sauver la pulsion de l'anomie cette fois, c'est-à-dire d'un manque cruel de cadre et de repères, de sens et de limite pour qu'elle puisse continuer à sustenter nos vies. Si la libido a besoin d'une dose de liberté pour s'épanouir, elle nécessite également un contenant qui l'empêcherait de dépérir. Ce qui différencie un excès d'un autre n'est jamais plus gros que l'épaisseur d'un cheveu. Faute de thermostat régulateur, la chaudière libidinale risque de s'emballer et de se coincer dans l'un des deux extrêmes, également nocifs, à savoir la dépression ou l'exultation perverse. D'où la prolifération dans notre modernité, en raison de la quasi-disparition des interdits, des pathologies dépressives et perverses.

C'est précisément la culpabilité, dans sa vertu humanisante, qui retient les individus de se conduire dangereusement, dominés par leur impulsivité. C'est elle, enfin, qui incite à un minimum de compassion et de solidarité envers son prochain. Cette éthique n'est pas dictée par le souci d'obéir à une quelconque injonction morale religieuse, elle n'est pas non plus du civisme, ni même crainte de la justice c'est-à-dire pour son équilibre personnel. Elle pourrait se pratiquer d'une façon égoïste en réalité, pour son propre équilibre. Celui qui a versé le sang d'un autre en est lui-même éclaboussé. À l'inverse, donner enrichit aussi bien le receveur que le donneur.

Des sites Internet, ayant reniflé là une mine d'or, commencent à s'intéresser et à se spécialiser dans le secteur des rencontres extraconjugales à fort potentiel d'expansion. Élaborant une séduisante stratégie de marketing, ils acclament et préconisent l'infidélité, par recours à des slogans équivoques tels que : « Restez fidèles... à vos désirs » ! Qualifiant les galipettes furtives de cinq à sept comme un comportement libéré, une valeur « tendance », gage de modernité, ils les présentent comme une source de bien-être, d'épanouissement pour soi, mais aussi pour son entourage. Elles permettraient d'oxygéner son couple et de revigorer son moral, au même titre qu'un euphorisant, un anxiolytique/antidépresseur, ou même une thérapie ! Ce phénomène s'inscrit, par delà des considérations économiques, dans le contexte sociétal plus large de la désinhibition de la pulsion et de sa déculpabilisation.

Je crains cependant, tout impératif moral mis à part, que ce genre de démesure ne se pratique en définitive au détriment des femmes. En effet, chez elles le désir sexuel est d'une tout autre nature, se vit très différemment que chez les hommes. Il est souvent subordonné dans leur esprit à l'existence d'un contexte affectif, d'une histoire d'amour avec l'élu de leur cœur. En revanche, beaucoup d'hommes séparent le sexe et l'amour, aspirent à satisfaire un besoin physique en priorité, à l'instar de la faim et de la soif. La femme ne fait pas l'amour qu'avec une partie isolée de son corps, le vagin. Elle y engage au contraire son être tout entier.

Or ces sites de rencontres contribuent à aggraver l'esclavage psychologique de la femme, qui se voit réduite au rang du « sex toy », d'objet sexuel, d'une chair consommable sans entrave. La question qui se pose alors, dans un tel climat, c'est si l'émancipation féminine n'a pas produit comme effet pervers, celui de favoriser les tendances polygamiques des mâles, les incitant à multiplier leurs conquêtes ? Je ne prône évidemment pas l'abstinence, ni la chasteté monacale. Je ne décrète pas d'une façon arrogante et dogmatique que le divorce, l'avortement et l'infidélité, « c'est pas bien », qu'ils sont répréhensibles, condamnables. Chacun agit comme il le peut, dans le contexte qui lui est particulier, en fonction des aléas de son histoire. Ce que je soutiens, plus modestement, c'est que ces comportements, dans la mesure où ils sont consécutifs à des échecs et à des impouvoirs (« on n'a pas pu faire autrement »), génèrent, qu'on le veuille ou non, de la culpabilité, celle de la victime innocente qui a enduré la souffrance. Un avortement, un divorce, un adultère attestent, chacun à son niveau, d'un échec de couple, d'un impossible enfantement ou d'une union lézardée dans ses fondements. Il ne servirait donc à rien de nier sa culpabilité ni de chercher à déculpabiliser l'autre. Rien n'est plus délétère en réalité que la volonté de s'en débarrasser. Il vaudrait mieux la repérer, au contraire, l'accueillir et l'assumer, non par masochisme, mais pour ne plus en être prisonnier. C'est l'accomplissement du deuil qui aide l'énergie vitale à recirculer dans les allées du jardin de l'identité plurielle, et non son refus. Nul combat, aussi féroce soit-il, ne réussira à la faire disparaître, comme si elle n'avait jamais existé. Le mal refoulé devient invisible tout simplement, intériorisé, et sa nuisance est amplifiée.

Ce que je trouve également dommageable quant au phénomène de la déculpabilisation, consiste dans le fait qu'il abolit la notion de la transgression, la rendant du coup obsolète. Or, s'il est important pour le Moi d'obéir à la loi, de s'incliner devant certaines règles, de respecter l'ordre ou d'intégrer des limites, indispensables à son humanisation, il lui est aussi nécessaire de pouvoir désobéir parfois, de refuser, de se révolter, de dire non et d'assumer la culpabilité que l'insoumission suscite. La déculpabilisation prive ainsi le sujet de cette précieuse friction conflictuelle avec l'ordre et l'autorité, sans parler du risque sérieux de le rendre pervers, ou, à l'inverse, totalement déprimé, bloqué.

Ainsi, la vraie souffrance renvoie de nos jours à la difficulté de l'individu d'être soi, intérieurement libre, c'est-à-dire psychologiquement autonome. La gageure consiste pour lui à s'autoriser à exister, sans trop de culpabilité, dans sa différence et sa singularité, confiant en soi et sa bonté profonde, mais conscient de ses limites. Le vrai pari serait de parvenir un jour à entendre avec ses oreilles et à voir avec ses yeux, c'est-à-dire de ressentir, de penser et de désirer en son propre nom, à distance de ces trois sources d'aliénation par excellence que sont : l'idéal parental, les normes collectives et la tyrannie pulsionnelle.

Loin de jouir paisiblement de l'abondance des corps, des objets et des libertés, le patient moderne se plaint plutôt d'être paumé, sans cadre, privé surtout du soutien du tiers symbolique, vide, en insécurité.

À l'heure actuelle, le tribunal, le procureur et le juge ont émigré, les trois à l'intérieur, jugeant et condamnant la victime innocente pour toutes les offenses qu'il a endurées naguère dans le silence et la passivité, ainsi que pour tout le mal qu'elle continue à s'infliger. L'obstacle au bonheur se trouve au dedans et non plus au dehors comme jadis. L'abondance des biens dans notre culture de consommation actuelle, ainsi que la multiplication des libertés sociologiques nous ont, sans doute en raison de leur excès, plutôt appauvris et séquestrés.

Tout ce qui se trouve nié, combattu, refoulé, éjecté hors du champ de la visibilité, empêche d'accéder le sujet à la lumière de la parole et de la conscience. Il ressurgira tôt ou tard, tel un volcan explosif, comme un fauve évadé de sa cage. Il phagocytera le Moi, paralysant ainsi sa vitalité et l'empêchant de parvenir au bonheur !

C'est précisément ce qui, jusqu'ici, a interdit à ma patiente d'accéder à son bonté profonde, c'est-à-dire à la possibilité de s'imaginer qu'elle est quelqu'un de bien, digne de recevoir de l'amour, et de se délivrer du fantasme toxique de la mauvaiseté. Le combat contre son intériorité ainsi que l'idéalisation du dehors et des autres n'ont fait qu'épuiser Mélanie en la dépossédant d'elle-même. Au fond, la tentation de se croire à l'origine de tous les maux, en déniant ses limites et son impuissance, représente une autre forme de présomption et de toute-puissance vaniteuse !

VÉRONIQUE

Véronique est une jeune femme de quarante-trois ans. Fortement maquillée et parfumée, elle porte un chemisier au décolleté un tantinet provoquant.

Le récit de sa vie, rapporté ici dans ses grandes lignes, révèle également la présence de la D.I.P. et donc de la même culpabilité de la victime innocente.

«Voilà, j'ai quarante-trois ans et je n'ai encore rien réussi à construire dans ma vie. Je me mets toujours dans les histoires compliquées, tordues, qui ne mènent nulle part. J'y reste à chaque fois engluée, mais une fois sortie, je recommence la même chose! Je le sais dès le départ, mais c'est vraiment plus fort que moi. Je commence et recommence des relations avec des hommes que je n'ai pourtant pas l'impression d'aimer. Je n'arrive pas à savoir ce que je ressens exactement, mais ce n'est pas de l'amour. Du point de vue sexuel, ça se passe plutôt bien au début, mais ensuite je m'ennuie, je me lasse. Les hommes s'étonnent de découvrir une femme, de prime abord prude, voire sainte nitouche, mais dans l'intimité très demandeuse et même quasi insatiable. Ils sont aussi stupéfaits plus tard d'assister à la disparition de ma flamme. Ils croient toujours que c'est de leur faute et qu'ils ont été maladroits.

J'ai vécu deux histoires longues toutefois, de trois et quatre ans. Aujourd'hui, je n'ai plus que des aventures qui durent au plus quelques mois. J'ai pourtant toujours l'impression que je dois m'approcher d'un homme et me donner à lui et ensuite tout faire pour le garder le plus longtemps possible, comme si ce n'était pas moi du tout qui agissais. Je le dois, c'est tout. J'en deviens responsable.

Après mes trente ans, je me suis mise avec Hervé, un homme marié. Il était plus vieux que moi. Il avait eu quatre enfants de sa première femme. Il était déprimé parce qu'il venait d'être licencié et qu'il ne réussissait pas à retrouver un emploi. Nous vivions ensemble dans mon appartement. C'est moi qui portais le couple, en définitive, qui subvenais à tous les besoins : loyer, nourriture, vacances. Lui ne participait pratiquement à rien. J'ai vécu quatre ans avec cet homme sans ressentir d'amour pour lui. Je continuais peut-être pour éviter de me sentir seule. Oui, ça doit être cela !

Avec lui, je subissais tout sans rien pouvoir exprimer, encore moins contester. Je faisais l'amour avec lui, l'inverse plus exactement, sans prendre plus aucun plaisir après seulement trois mois. Je ne comprends pas pourquoi j'ai mis quatre ans à réagir. D'un seul coup, j'ai décidé de rompre, comme un violent orage dans un ciel bleu, sans même y avoir réfléchi ni en avoir parlé à quiconque ! Je lui ai annoncé assez sèchement lors d'un dîner que c'était fini entre nous, et qu'il devait déguerpir dès le lendemain. Il m'a demandé des explications, mais je n'en avais aucune à lui fournir. Ce n'était d'ailleurs pas vraiment lui que je visais. Je cherchais peut-être à régler quelque chose avec moi-même. Je voulais me réveiller, prendre une décision, agir, changer. Le lendemain il s'est levé plus tôt que d'habitude. Il a rapidement fait sa valise et il a disparu, sans même me dire au revoir. C'était terminé !

Je me trouvais un peu bizarre au petit déjeuner, euphorique d'un côté, avec la sensation que ma vie m'appartenait à nouveau, que je pouvais donc en disposer à ma volonté, sans avoir de compte à rendre. Cependant, j'étais gênée par la culpabilité d'avoir chassé sans l'avoir prévenu un homme qui dépendait totalement de moi et qui n'avait désormais nulle part où aller.

Trois jours après, sa fille aînée m'a appelée pour me dire que son père s'était suicidé en avalant tous ses cachets avec une bouteille d'alcool. Ma fête d'émancipation a été annihilée par cette atroce nouvelle. Je me suis sentie très coupable bien sûr, mais aussi, alors qu'il était mort et allait bientôt être incinéré et disparaître totalement en fumée, encore plus ligaturée que lorsqu'il était vivant, comme si j'étais séquestrée par un fantôme invisible. J'éprouvais enfin une très grosse colère contre lui, bien plus forte que la compassion. Je criais dans ma tête : "Pourquoi tu m'as fait ça, pourquoi ? Comment je vais me débrouiller avec ça désormais !"

Après quelques petites semaines, espérant que ça m'aiderait à accélérer mon deuil, j'ai multiplié les aventures, en acquiesçant sans trop de résistance à des demandes d'hommes qui, manifestement, ne recherchaient que le sexe. Cela m'arrangeait aussi parce que j'avais besoin d'un délai, d'une période de répit avant de pouvoir m'engager à nouveau et de m'attacher à un autre.

Je me suis rendu compte au bout de quelques mois que non seulement ces "coucheries" ne me soulageaient pas durablement, mais de plus elles me créaient des problèmes que je n'avais pas imaginés au départ. Certains se montraient franchement tordus, pervers, je veux dire. Ils me prenaient pour une prostituée avec parfois des élans violents, en paroles, mais je craignais fort qu'ils ne finissent par se traduire en actes. L'un d'eux me suppliait de faire l'amour à trois, avec lui et sa femme. L'autre insistait pour que je l'accompagne à des partouzes... Le seul avantage de cette période, c'était que je ne souffrais pas de solitude, ce dont j'ai horreur au plus haut point. Globalement, j'étais souvent sollicitée, on m'invitait au restaurant et en week-end. Je jouissais beaucoup de leur donner du plaisir, de les voir dépendants de moi.

Pourtant, j'ai décidé un beau jour de m'arrêter et de tourner la page. Le jeu ne m'intéressait plus. Je commençais à m'ennuyer.

Je me sentais coupable, aussi, vu que la plupart de mes amants de passage étaient mariés. Je ne sais pas comment l'expliquer, mais souvent le sentiment de faute agit comme un excitant chez moi, il me pousse au lieu de m'inciter à me détourner. Et là, j'ai eu honte de moi !

Je sors en ce moment avec un homme d'environ vingt ans de plus que moi. Je ne suis malheureusement pas la seule femme de sa vie. Il en existe une autre : son ex ! Il ne vit pas avec elle, mais ils se fréquentent pas mal et continuent de coucher ensemble "épisodiquement", m'a-t-il avoué. Il prétend que c'est juste pour lui faire plaisir avant de pouvoir la quitter de façon définitive. Au départ, j'ignorais tout de cette histoire. Il m'avait affirmé et même juré plusieurs fois qu'il était divorcé. Il m'avait même montré les papiers de la procédure de divorce. En fait, c'est vrai sur le plan strictement légal, mais pas au point de vue affectif et sexuel. Je ne pourrai évidemment pas supporter longtemps cette situation. Je veux bien garder cet homme dans ma vie. Il est très affectueux et attentionné. Il répète qu'il m'aime et il le montre en faisant la cuisine. Il dit aussi que je lui fais beaucoup de bien, contrairement à son ex. Pourtant, ça ne m'empêche pas de me sentir coupable, comme si c'était moi qui le séparais d'elle en l'obligeant à la quitter.

Autre souci, c'est que j'aurais bien voulu avoir un enfant au moins, ça me manque très fort, mais il refuse l'idée d'un troisième, à son âge. Je me demande d'ailleurs si ce ne serait pas déjà un peu trop tard. Je ne sais pas si j'aime cet homme, mais je me sens bien avec lui. Nous nous entendons pas mal. Il m'apporte une présence qui m'aide à me stabiliser. La solitude me panique. Alors je me sens redevable envers lui et je ne pense pas à le quitter.

J'avais été enceinte de mon compagnon Hervé. J'étais très contente et surtout rassurée quant à ma fécondité. J'ai cependant décidé de me faire avorter parce que je savais que nous ne resterions pas longtemps ensemble. Je ne tenais pas à fonder une famille avec cet homme. J'ai perdu quatre précieuses années de ma vie. Aujourd'hui je regrette de ne pas avoir gardé ce bébé. Je m'en veux ! »

Véronique conduit sa vie émotionnelle non pas en tant que femme adulte, mais comme une petite fille immature. Celle-ci est affectée par la D.I.P. et taraudée par la culpabilité consécutive à la carence matricielle. C'est la raison pour laquelle elle ne parvient pas à se lier à un homme, adulte à son tour, portée par la gratuité du désir, mais qu'elle est poussée par la nécessité infantile de satisfaire son besoin d'être entourée, je dirais maternée, afin d'apaiser son douloureux sentiment de solitude. Le sens de ce qui empêche aujourd'hui Véronique d'être soi se trouve dans les méandres de son enfance. Que s'est-il donc passé dans son Ailleurs et Avant ?

« D'après les renseignements que j'ai pu glaner, ma mère est tombée folle amoureuse de mon père quand elle avait à peine dix-huit ans. Elle était mineure, à l'époque, l'âge de la majorité civile étant fixé à vingt et un ans. Elle fréquentait donc, en cachette bien sûr, son professeur de lettres au lycée, un homme d'une trentaine d'années, marié et père de deux petites filles, et dont elle est tombée enceinte. Cette affaire a fait un scandale. Mes grands-parents ont saisi la justice pour détournement de mineure. La femme du professeur a décidé de se séparer de son mari infidèle. Celui-ci a été radié de l'Éducation nationale pour faute professionnelle. Il a dû quitter ensuite la ville où il vivait depuis toujours. Ma mère, brutalement coupée de celui qu'elle adorait, a sérieusement déprimé. Elle pleurait tous les jours et il fallait la forcer à se nourrir. Elle n'était, paraît-il, pas franchement hostile à l'idée de se faire avorter, en se rendant à l'étranger, vu qu'en France l'avortement était interdit. Mais mes grands-parents, catholiques pratiquants, refusaient catégoriquement cette idée. À cette époque encore, le statut de fille-mère, surtout lorsqu'il s'agissait d'une mineure, était très discrédité. Ma mère a dû beaucoup souffrir aussi, j'imagine, d'avoir tant nui à cet homme. Elle m'a dit elle-même une fois que sa "bêtise de jeunesse" l'avait empêchée de continuer normalement sa vie, c'est-à-dire terminer ses études et préparer son avenir professionnel.

Dans l'ensemble, ma mère ne me faisait pas trop de confidences sur son passé, ça a dû arriver une ou deux fois. C'est plutôt ma grand-mère qui m'a parlé plusieurs fois de "ce drame", je pense que c'est notamment pour pouvoir critiquer ma mère. C'est elle qui m'a élevée de ma naissance jusqu'à mes deux ans à peu près, ma mère travaillant ou se trouvant dans l'incapacité d'assumer ses responsabilités. Par contre, je n'ai jamais vu mon père. Je connais la ville où il habite. Je sais qu'il a eu deux autres enfants, mais je n'ai pas envie de le rencontrer.

Peu après mes deux ans, ma mère a connu un homme, d'une quinzaine d'années plus âgé qu'elle, et qui venait juste de divorcer. Elle a décidé de l'épouser, malgré l'opposition de sa famille. Elle m'a avoué un jour qu'elle s'était mariée non par amour mais surtout pour me donner un père, un foyer. Elle a tenté de réparer, m'a-t-elle dit, les dommages qu'elle m'avait fait subir en me laissant sans père et loin d'elle pendant deux années complètes. Elle m'a dit, le lendemain de mon douzième anniversaire, qu'elle aimait bien cet homme au début, mais qu'elle s'ennuyait depuis longtemps avec lui. Elle l'avait "gardé" dix ans pour mon bien, mais maintenant que j'étais devenue une grande fille, elle avait décidé de s'en séparer. Une semaine plus tard, elle lui a demandé de s'en aller !

Par contre, j'avais beaucoup d'affection pour mon beau-père. Il était gentil avec moi et bien plus présent et attentionné que ma mère. C'est bizarre, nous nous ressemblons pas mal toutes les deux. Moi aussi je m'enthousiasme comme elle au départ, mais je commence vite à m'ennuyer. J'attends aussi hyper longtemps, sans rien exprimer et puis d'un seul coup, je casse tout à bout de patience.

Du coup, pendant mon adolescence, j'étais toute seule la plupart du temps. J'allais parfois rendre visite à une tante, l'aînée de ma mère qui n'a jamais pu avoir d'enfant. Ma mère était souvent absente, elle partait travailler certains soirs ou sortait s'amuser avec des copines. Je ne connais rien de sa vie sentimentale durant cette période. Il est vrai qu'elle n'a jamais ramené d'homme à la maison. Peut-être qu'elle se contentait comme moi avant de quelques aventures sans lendemain, je ne sais pas. Elle a été emportée par une avalanche en faisant, pour la première fois de sa vie, du ski hors piste avec deux copines. J'avais seize ans. Elle m'avait proposé de l'accompagner ce jour-là, mais j'avais préféré rester tranquille à la station avec ma tante. Je ne sais plus ce que j'ai ressenti sur le moment, à l'annonce de sa mort : de la tristesse sûrement, de la culpabilité, aussi, en me disant que, si je l'avais accompagnée ça ne serait pas arrivé, mais beaucoup de colère en même temps contre elle, de n'avoir pas pensé à moi, de m'avoir laissée seule pour toujours cette fois. »

Je note tout de suite que Véronique a réagi à l'annonce du suicide de son compagnon Hervé avec la même tonalité émotionnelle qu'à la mort par accident de sa mère : la colère !

Ma patiente est tourmentée par la culpabilité de la victime innocente. Elle a depuis toujours souffert de solitude. Les mots qui servent à évoquer le roman de sa vie, son mythe, je dirais, notamment relatif à sa conception et à sa naissance, sont sombres, négatifs. Celles-ci sont qualifiées de « drame », de « honte », de « faute », de « bêtise ».

Véronique n'a rien commis de répréhensible, évidemment. Ce n'est pas elle qui s'est amourachée, mineure, de son professeur de lettres au lycée, marié et père de famille. Ce n'est pas elle qui a pensé se faire avorter ni encore elle qui a éloigné cet homme de sa femme, de ses enfants, de son travail et de sa ville natale. Ce n'est point elle non plus qui a séparé ses parents, plus exactement son géniteur de sa génitrice, séparation qui a plongé cette dernière dans une dépression sérieuse. Ce n'est enfin pas la faute de Véronique si sa mère a sacrifié son avenir professionnel en raison de sa grossesse inattendue. La culpabilité la plus ravageuse s'empare justement de celui qui a subi la violence, en toute impuissance, et non pas forcément du malfaiteur.

Plus tard, en devenant adulte, Véronique est restée psychiquement dominée par son enfant intérieur coupable. Elle s'est répétitivement incrustée dans des « histoires compliquées, tordues, qui ne mènent nulle part » avec une très forte probabilité d'échec, dès le départ. Elle s'est quasi systématiquement liée à des hommes mariés, indisponibles, bien plus âgés, ayant des enfants à charge, déprimés souvent, et sans emploi parfois. Elle a agi non pas par amour, dans la gratuité du désir, mais poussée par le besoin infantile incoercible de fuir sa solitude originaire, pour enfin trouver un enveloppement maternel. Véronique a été seule dès sa conception. Elle est née et a grandi toute seule aussi, privée du triangle, sans père ni mère.

Contrairement à la croyance répandue, la solitude ne se réduit pas à une réalité extérieure. Elle est ancienne et intérieure, reflet du vide maternel. Ce qu'il faut viser, ce n'est pas se faire entourer, à n'importe quel prix, boucher un trou, mais s'habiter soi-même, d'abord, pour ne plus dépendre des autres comme un nourrisson, mais les désirer en tant qu'adulte. D'ailleurs, si le besoin fait peur et éloigne, le désir rapproche.

Autre répétition, elle semble avoir emprunté tout à fait inconsciemment la même trajectoire que sa mère. Peut-être recherche-t-elle à travers cette incessante réitération du scénario originel maternel une issue pour s'extraire du tunnel obscur où elle s'est trouvée séquestrée ?

À l'image de sa génitrice naguère « folle amoureuse » de son professeur de lycée, marié et père de famille, Véronique se retrouve, sans l'avoir fait exprès, aux côtés d'hommes déjà engagés ailleurs. Elle forme ainsi avec eux non pas des triangles, mais des trios boiteux, évidemment éphémères. Elle ne souhaite au fond nullement séparer ces hommes de leurs épouses légitimes. Peut-être, même si cela paraît paradoxal, s'épuise-t-elle à dépatouiller sa mère de l'imbroglio émotionnel dans lequel elle s'était embarquée ! L'enfant connecté à l'inconscient parental hérite de sa problématique demeurée irrésolue, restée en souffrance. Il rejoue inlassablement le même scénario en actes, comme s'il s'agissait du sien propre, dans l'espoir de desserrer le blocage. En somme Véronique est missionnée ou elle se charge elle-même de guérir sa mère, de la sauver, de résoudre par procuration un contentieux qui ne lui appartient pas. Elle prend sur elle la « faute » maternelle. Elle tente de se libérer en la libérant.

Dans ce sens, elle se montre bien plus parlée et agie qu'elle n'agit et ne parle en réalité. C'est précisément le motif principal pour lequel je propose l'idée de « se libérer de la liberté » comme tâche prioritaire à l'heure actuelle. Véronique dans ce qu'elle appelle ses « coucheries », ne jouit au fond pas de liberté intérieure, celle de désirer, de choisir et d'agir. Ce n'est point elle en tant que femme adulte, mais la petite fille intérieure en détresse, en quête, par l'entremise de ses multiples amants, d'une mère capable de lui offrir enfin la chaleur, la présence et la tendresse, la matrice qui lui a manquée naguère.

Si ma patiente se sert des hommes comme doudous pour parer à ses angoisses de solitude et d'abandon, comme consolateurs/anxiolytiques/antidépresseurs, eux l'utilisent comme objet sexuel, « sex toy ». Dans ce jeu de dupes, nul n'est considéré en tant que personne. Ce n'est donc malheureusement pas l'adulte qui profite intelligemment des libertés sociologiques qui lui sont consenties pour s'épanouir, mais l'enfant intérieur coupable qui en mésuse masochistement pour s'autodétruire. Je ne cherche nullement à remettre en cause toutes ces libertés précieuses si durement acquises, de pensée, de croyance, d'expression... Je m'inquiète plus précisément du chèque en blanc, du blanc-seing qui a été offert à la pulsion. Véronique peut donner, par moments, l'impression de se comporter dans ses relations avec les hommes de façon égocentrique, immorale, voire même un peu perverse. Cependant, c'est bien le châtiment qu'elle vise, l'auto-flagellation, le rejet, puisqu'elle est convaincue d'être coupable et mauvaise, indigne de toute estime, déconnectée, donc, de sa bonté profonde.

Certains ne manqueront pas de me qualifier, j'en suis conscient, de conservateur. Toutefois, je ne pense pas qu'une doctrine idéologique puisse servir de cadre au débat relatif au fonctionnement du psychisme. Repérer et prendre conscience de la culpabilité de la victime innocente seuls permettront de se dégager un tant soit peu du besoin infantile répétitif, impérieux et irrépressible de recouvrer la matrice, pour laisser surgir le désir adulte.

3

MOI, QUELQU'UN DE BIEN...

Je l'ai déjà souligné, le sentiment de culpabilité – hormis celui éprouvé suite à une faute, à un délit ou à une incorrection commis envers son prochain, en paroles ou en actes – ne constitue pas une émotion consciente, clairement identifiée et ressentie. Nul ne se dira, par exemple : « Je me sens coupable de l'abandon affectif que j'ai subi enfant, ou du divorce de mes parents... » C'est sans doute pour ces raisons, à savoir le non-accès de cet émoi – la culpabilité de la victime innocente –, à l'élaboration et à l'expression conscientes, que le sujet se trouve en souffrance, bloqué dans son cheminement.

Cependant, si cette culpabilité n'est pas d'emblée éprouvable telle quelle, elle se dévoile néanmoins sans ambiguïté à travers ses manifestations diverses, dont la première concerne la certitude de sa mauvaiseté. Autrement dit, c'est la D.I.P. et la culpabilité de la victime innocente, consécutives à la carence matricielle, qui ternissent la représentation que le sujet s'est forgée de lui-même. Il se juge mauvais, son enfant intérieur plus exactement, persuadé que s'il a été abandonné, maltraité ou abusé, ou que si ses parents étaient désunis, malades ou infortunés, c'est lui qui est à l'origine de tous ces malheurs. Il est par conséquent néfaste, mauvais et donc indigne de tout amour et estime. L'image dépréciée de soi démontre ainsi que le sujet a été insuffisamment nourri narcissiquement, c'est-à-dire qu'il n'a pas été aimé pour lui-même dans la gratuité du désir, même si en apparence il a été hyper-investi, hyper-protégé, idolâtré, pourri gâté. Dès lors, il ne lui est pas évident de s'aimer lui-même s'il a manqué de tendresse naguère.

Il est important de le préciser tout de suite, cette représentation négative, dépressive de soi, dont de plus en plus de personnes souffrent et se plaignent à l'heure actuelle, n'a strictement rien à voir avec la réalité. Elle ne se justifie par aucun défaut visible, objectif, que ce soit la beauté physique, la santé, le travail, l'intelligence ou la richesse. Elle n'a pas pour origine le manque réel de quelque chose ou de quelqu'un, qui serait concrètement repérable et réparable. Elle ne reflète pas ce qu'est le sujet vraiment, mais ce qu'il croit, ce qu'il s'imagine être, ce qu'il fantasme, sous le prisme déformant du petit garçon ou de la petite fille intérieure. Ce n'est donc pas l'adulte qui se perçoit à l'aide de ses propres yeux d'homme ou de femme, mais l'enfant en lui qui l'observe et le juge sans indulgence. D'où l'inutilité foncière de s'épuiser à « réparer » ses prétendues insuffisances ou disgrâces par des mesures extérieures : changement impulsif d'emploi, de résidence ou de partenaire, recours à la chirurgie esthétique...

D'ailleurs, une personne non ou peu concernée par la carence matricielle et non affectée par la D.I.P. et la culpabilité parviendra aisément à s'aimer, à se respecter et à s'accepter, malgré la présence de certaines imperfections, car elle ne les dramatisera pas. Cela prouve ainsi que la perception de soi est purement fantasmatique, imaginaire. Nul ne peut se regarder ni se connaître de façon totalement sereine, c'est-à-dire avec distance, à sa juste mesure, dans toute sa richesse et sa complexité. La connaissance de soi reste possible certes, mais souvent très limitée, parasitée, perturbée par la D.I.P. et la culpabilité. L'image de soi apparaît donc positive ou négative uniquement pare qu'elle est chargée ou dépourvue d'amour.

De même, c'est l'amour porté à l'autre qui le fera paraître à nos yeux paré de toutes les qualités et vertus. Le beau et le laid, le bon et le mauvais, n'existent pas en soi. Ils ne reflètent que nos désirs et nos fantasmes. Cette représentation péjorative de sa personne consécutive à la D.I.P. et à la culpabilité devient ainsi l'obstacle majeur empêchant le sujet d'avoir confiance en lui, de se respecter, de croire en sa compétence et sa bonté. La mésestime de soi le rend incrédule et, méfiant par rapport à l'affection et la considération que les autres pourraient lui témoigner en toute sincérité. D'où son ambivalence, c'est-à-dire sa difficulté à recevoir une reconnaissance qu'il ne cesse pourtant de solliciter, en raison de la croyance en sa propre indignité.

Cependant, l'image décharnée de soi n'apparaît pas chez toutes les personnes de manière toujours négative. Si certains se pensent nuls, moches ou idiots, à l'inverse, d'autres seront imbus d'eux-mêmes. Ils se prennent pour des génies, supérieurs dans tous les domaines au commun des mortels. Ainsi, la même misère affective sera susceptible de se manifester sous deux aspects totalement opposés. À l'inverse, l'amour authentique de soi se situe précisément à distance de ces deux excès et se devine chez celui qui jouit de la confiance en ses capacités, mais aussi de la conscience de ses limites. Ainsi, l'image que l'individu se fait de lui-même et des autres, loin de relever d'une observation neutre, objective, réelle, s'avère en grande partie fantasmatique.

La D.I.P. produit chez le sujet, j'en parlerai plus loin, un déséquilibre entre la représentation de soi dénutrie et celle des autres, exagérément idéalisée. Plus il se croit inférieur, plus il sera persuadé de la supériorité des autres, de la beauté, intelligence, bonheur, richesse, complétude qu'il leur accorde. Il se laissera dès lors facilement dévorer par l'envie, la jalousie et la rivalité. Il s'épuisera désespérément à leur ressembler, en investissant massivement sa libido dans la transformation de ce qu'il imagine être la réalité de son être. Il s'agit là d'un miroir aux alouettes, évidemment, d'abord parce que le sujet méconnaît totalement l'intimité de ceux qu'il encense.

Ensuite, parce que toute cette agitation ne fera que l'éloigner davantage de son intériorité, sans évidemment jamais réussir à améliorer sa représentation narcissique écornée. Il n'est certes pas défendu, bien au contraire, de consacrer du temps et de l'énergie à optimiser ses conditions d'existence. Le danger consiste cependant à se figurer qu'un tel projet, même réussi, suffira à transformer l'être profond et à le débarrasser de ses deux fantasmes de culpabilité et de mauvaiseté.

Les récits de vie suivants pourront nous aider à mieux cerner le thème de l'image négative de soi, de sa mauvaiseté, dans son rapport avec la D.I.P. et la culpabilité de la victime innocente, à l'origine de la déconnexion du sujet avec sa bonté profonde.

ÉMILIE

Émilie a trente-cinq ans. Je lui aurais donné dix ans de moins. Elle est assez menue et de petite taille. Elle porte un grand pull et s'est enveloppée d'une épaisse écharpe, comme pour camoufler ses formes et son visage.

« Mon enfance n'a pas été très belle, loin de là. Petite, mes parents ne s'occupaient pas beaucoup de moi. Ils étaient tous les deux dans une secte ; ma mère par conviction et mon père par obéissance, par crainte, disons, de rentrer en conflit avec elle, sans doute. Ma mère, n'étant pas très heureuse dans son couple, avait fait une tentative de suicide assez sérieuse peu après ma naissance. La conversion religieuse représentait ainsi pour elle un salut, "une thérapie", comme elle me l'a avoué une fois.

Moi aussi, je me suis laissée enrôler dans cette bande, pour rester avec mes parents. Ils n'étaient pas maltraitants du tout, mais absents. Mon père, quand il ne travaillait pas, bullait devant la télé ou accompagnait ma mère à ses réunions de prière. Elle était prise, de son côté, par son délire mystique. Elle chantait à tue-tête avec les autres toutes sortes de psaumes suppliant le Seigneur de précipiter son retour pour chasser le Satan et instaurer son règne de paix et de lumière. J'ai réussi tout de même à me délivrer de cette secte peu avant mes dix-huit ans, au grand désespoir de ma mère. C'est à ce moment là, justement, que j'ai fait une grosse dépression, "punie par le Seigneur", a-t-elle renchéri aussitôt. J'ai été soignée avec des antidépresseurs pendant environ six ans. Ensuite, j'ai décidé d'arrêter. J'en avais ras-le-bol de me traîner comme un robot.

Quand j'étais petite, autour de mes six ans, j'étais souvent seule avec mon grand frère de onze ans, chargé de veiller sur moi. Il avait pris l'habitude de me montrer des revues pornos qu'il avait dénichées dans la chambre de mes parents. Il en profitait pour m'embrasser sur les lèvres et me caresser le sexe, comme sur les photos. Je prenais du plaisir parfois, mais souvent il me faisait mal avec ses doigts. Ces "jeux", comme il le disait, ont duré longtemps, jusqu'à mes douze ans environ. À l'arrivée de mes règles, j'ai refusé que ça continue. J'avais honte de moi, je me sentais sale. Il a insisté. J'ai menacé de le dénoncer aux parents. Il n'a plus recommencé. Je leur en ai finalement parlé, mais bien après, au début de ma dépression. J'ai été très déçue de leur réaction. Ils ont dit qu'ils étaient navrés, mais que c'était du passé et qu'il fallait l'oublier. Ils n'ont pas parlé à mon frère !

J'ai subi aussi des attouchements sexuels de la part de mon oncle maternel, handicapé mental, avant ma puberté. C'est moi-même qui allais le chercher quelquefois, trouvant auprès de lui l'affection qui me manquait. J'étais contente de voir qu'il prenait plaisir avec moi. Peu de temps après, il a dû retourner à l'hôpital psychiatrique et, jusqu'à sa mort, avant ma dépression, il n'en est plus jamais ressorti. C'est fou, mais j'ai cru longtemps que c'était à cause de moi, de ce que nous avions fait !

Sinon, le malaise qui me poursuit encore aujourd'hui a débuté au moment de ma puberté en réalité. J'ai débuté à ce moment là ce que les psy appellent une "phobie sociale". J'étais paniquée de me montrer et, davantage encore, de m'exprimer en public. Quand les profs m'interrogeaient, je rougissais, je transpirais, je bafouillais. J'en ai parlé quelquefois à mes parents, mais j'avais l'impression qu'ils s'en foutaient, qu'ils ne m'écoutaient pas vraiment, qu'ils ne s'intéressaient pas trop à ma vie. Une fois, même, mon père s'est moqué de moi en me traitant de "complexée". Du coup, j'ai décidé de ne plus raconter à personne ce que j'éprouvais. Je me suis repliée sur moi. J'ai beaucoup souffert de ce manque de contact.

À l'adolescence, ma mère m'interdisait d'avoir des amis garçons. Elle disait que c'était déconseillé pour une fille bien de se mettre en pantalon ou de se maquiller. Plus tard, quand je devinais le désir d'un garçon, j'avais tendance à le mépriser me disant qu'il devait être bien bête pour s'intéresser à une fille comme moi. Aujourd'hui encore, lorsqu'un homme m'avoue son désir, je ne comprends pas. Ça me gêne au lieu de me flatter ou de m'exciter. Je me sens encore comme une petite fille, pas femme. Je me laisse faire quelquefois, mais en m'étonnant toujours de ce qui peut les attirer et leur plaire chez moi. Je me considère, non, je veux dire, je suis vraiment nulle. Je me demande ce que je fais sur terre. J'ai raté mon enfance et mon adolescence, et je suis en train de gâcher ma vie de femme. J'ai trente-cinq ans et je suis seule, pas en couple, à part quelques aventures éphémères qui ne m'intéressent pas, et sans enfants. J'aimerais bien rencontrer un homme, mais je sabote chaque fois la relation. Il est vrai aussi que le sexe, surtout la pénétration, c'est un peu compliqué pour moi. Je ne mérite pas qu'on s'intéresse à moi. Je me sens sale. Quand quelqu'un me fait un compliment, sur mon habillement, mon physique ou une qualité, je rougis encore, je bloque et ne trouve plus rien à dire, pas même un simple merci. Je me sens très gênée comme si la félicitation n'était pas sincère, qu'elle ne correspondait pas à la réalité, que c'était juste pour me faire plaisir.

J'ai la certitude que, si quelqu'un réussissait à me connaître, il ne m'aimerait plus, au mieux, il me trouverait quelconque. Lorsque je me regarde dans le miroir, ce que j'essaie d'éviter, je ne me trouve pas jolie. C'est pour cela que je méprise ceux qui se croient attirés par moi. Je ne comprends pas. J'ai aussi l'impression qu'on me regarde dans la rue, que je suis jugée et agressée. Je me demande toujours si quelqu'un a repéré une anomalie chez moi ou si j'ai fait une bêtise sans m'en apercevoir. Quant à mon côté maternel, je n'ai pas du tout envie d'avoir un enfant. J'ai si peur de ne pas être capable de l'élever et surtout de lui transmettre ma folie. Je n'ai pas le droit.»

Le cas d'Émilie se passerait presque de commentaire. La carence matricielle apparaît très clairement à travers son récit. Ses parents n'étaient présents ni physiquement, absorbés par le travail et par leur implication dans la secte, ni psychologiquement, se montrant indifférents, insensibles et même moqueurs face à la souffrance de leur fille. Émilie a donc été affectée par la culpabilité de la victime innocente non seulement parce qu'elle a été privée d'un enveloppement chaleureux au sein du triangle, mais aussi parce qu'elle a subi deux séries d'attouchements sexuels de la part de son frère et de son oncle. Elle a même cru longtemps, de surcroît, que l'hospitalisation et le décès de ce dernier étaient de sa faute. Émilie s'est ainsi forgée, taraudée par cette culpabilité, une très mauvaise image d'elle-même. Sa phobie sociale, dès ses douze ans, ainsi que sa dépression à dix-huit ans, confirment le poids des deux fantasmes de culpabilité et de mauvaiseté qui pèsent lourdement sur elle et l'empêchent d'être elle-même, la femme adulte qu'elle est, différenciée de sa famille, dans son identité plurielle.

Ce qui pourrait aider ma patiente à renouer avec sa bonté profonde, afin de se donner une meilleure image, plus saine, affranchie de tant de qualificatifs dépréciateurs: «nulle», «minable» etc., c'est de différencier la représentation de soi de la réalité, l'enfant intérieur de l'adulte, le présent du passé. Il s'agit, autrement dit, de réaliser qu'au fond, ce n'est pas Émilie, la femme de trente-cinq ans, qui constate objectivement qu'elle est mauvaise, mais la petite fille en elle qui s'imagine, qui se juge comme telle. La réalité et l'image ne sont pas superposables, comme l'a si bien décrit Platon à travers son célèbre mythe de la caverne. Je ne suis donc pas celui que je crois! Toutes les croyances ne sont pas forcément justes, ne se valent pas. Cette nuance protégera le sujet contre son penchant à vouloir imposer aux autres sa vision délétère de lui-même. Je me juge comme étant nul et moche, mais je laisse la liberté aux autres de me percevoir autrement, avec leur regard, différent du mien.

PAULINE

Pauline est une jolie fille de trente-huit ans. Présentant un visage plutôt juvénile, elle paraît bien plus jeune que son âge.

« Je travaille dans une banque d'affaires comme assistante de direction. Mon travail ne me pose en soi aucun problème particulier. C'est la relation aux autres qui est compliquée. Manger à la cantine sous le regard des collègues, par exemple, représente une torture pour moi. J'ai peur d'être jugée, critiquée. Les réunions, surtout si je dois y prendre la parole, sont un vrai cauchemar. La veille, je passe une très mauvaise nuit. Une fois devant les autres, je sens les battements de mon cœur à travers les veines de mon cou. J'ai peur que tout le monde devine mon désarroi. Ensuite, je m'autocritique et me reproche de n'avoir pas su garder mon calme.

Quand j'étais lycéenne, j'occupais toujours le dernier rang de la classe, comme pour me cacher, terrifiée à l'idée d'être interrogée. Le contact avec les autres, notamment avec ceux que je rencontre pour la première fois, m'est très pénible ; appeler quelqu'un ou être obligée d'aller demander un service à un voisin, tout cela pompe mon énergie, ça m'épuise. J'ai un dégoût de moi-même, un manque de confiance terrible. Marcher dans la rue me stresse aussi. Si quelqu'un me fixe un instant des yeux dans le bus ou le métro, je descends aussitôt même si je ne suis pas arrivée à destination. Je n'ose jamais dire “non” par crainte de déplaire et d'être rejetée.

L'autre jour, j'ai dû me résigner à acheter une paire de chaussures qui ne me plaisaient pas. La vendeuse m'en avait fait essayer plus de dix, je ne voulais pas la contrarier, je me suis sentie obligée.

Au travail, je n'ose pas exprimer calmement ce que je pense. Quand j'y arrive, on me reproche d'être trop agressive. Ce genre de remarques me pousse à me taire à nouveau, par peur du jugement des autres.

Dans l'ensemble, je n'ai pas une bonne image de moi : je me sens nulle, moche, immature, surtout sur le plan affectif. Je suis complexée aussi par rapport à mon physique. Je ne m'aime pas. Je mesure un mètre quatre-vingts. J'adore les chaussures à hauts talons, mais je ne peux pas en mettre. J'ai toujours cru qu'une fille de petite taille aurait davantage de chance avec les garçons. Certains se permettent aussi des remarques sur la couleur de ma peau, trop blanche d'après eux. Ça me scie, ce genre de réflexions. Je me sens très humiliée. Je suis une écorchée vive, hypersensible. L'amour et la sexualité sont compliqués aussi.

J'ai le dégoût de moi-même et du rapport sexuel. Il y a de l'attirance et de la répulsion à la fois. J'ai du mal à m'autoriser à séduire un homme, comme si je portais quelque chose de malsain en moi. J'ai eu mes premières relations sexuelles à seize ans, en vacances au bord de la mer. Elles m'ont laissé un arrière-goût plutôt désagréable. J'avais honte d'avoir “couché”. Je me trouvais sale, coupable. Le seul garçon qui m'a fait jouir avait un côté vicieux, ambigu, pervers qui m'attirait et m'excitait très fort. Il était surtout addict à la pornographie. Il regardait au moins un film porno par jour. Les hommes normaux, gentils, sages, ne m'intéressent pas. J'ai une préférence pour les déglingués, les “bad boys”, ceux qui ont des failles. Ce garçon me rendait très jalouse avec ses films pornos, mais ça m'excitait aussi, en même temps. C'était la seule chose que je lui reprochais. Il en a eu marre. Il m'a laissée tomber pour partir avec une autre. Ça m'a fait très mal. Je m'attache difficilement, mais après, je deviens collante, accro, maladivement jalouse.

Il m'arrive donc de prendre les devants pour ne pas être abandonnée. Je ne suis pas normale, trop sensible, pas comme tout le monde. Si une copine me dit qu'elle a dîné avec une autre sans moi, ça me fait mal. Je suis trop dans la fusion, c'est ce qui lasse les garçons et les fait fuir. J'essaie de me contrôler pour ne pas trop dévoiler mes sentiments et ma dépendance. Au début de la relation, j'essaie de me montrer distante, même un peu froide. Je joue la comédie, en quelque sorte. Du coup, je n'ose plus être naturelle, spontanée, moi-même, par crainte d'être délaissée. Depuis toute petite, je porte la poisse et c'est ça qui fait que plus personne ne veut de moi ! Je me sens mauvaise, pas bien, alors je m'oblige sans cesse à être parfaite, irréprochable. »

Cette image narcissique très endommagée chez Pauline est consécutive à un phénomène paradoxal. Elle a subi doublement, dans son enfance et adolescence, aussi bien l'abandon affectif que l'idéalisation, la douche écossaise, en quelque sorte : le fameux double message, « double bind ».

« À peine huit jours après ma naissance, ma mère a attrapé un gros zona avec des douleurs épouvantables dans son dos et sur sa poitrine. Elle ne pouvait donc plus me prendre dans ses bras, ni m'allaiter, ni me toucher. Je suis restée éloignée d'elle pendant plus de deux semaines. Plus tard, je suis devenue très collante avec elle, toujours dans ses pattes, comme elle disait. Avec mon père, c'était plus compliqué. J'étais plutôt distante, surtout à partir de la puberté. Ma mère m'avait confié qu'il l'avait trompée plusieurs fois, qu'il était un obsédé sexuel. Alors je n'osais plus soutenir son regard. J'étais gênée de porter une jupe quand il était là. Elle m'a laissé entendre aussi à plusieurs reprises, qu'elle n'avait plus de rapports sexuels avec lui depuis pratiquement ma naissance. J'ignore pourquoi elle avait lié les deux événements.

J'étais hantée durant mon enfance par deux rêves, ou plutôt deux cauchemars. Dans le premier, je perdais toute ma famille, mon père, ma mère et mes deux sœurs, dans un accident de voiture. Je me réveillais tremblante, en sursaut. Je me précipitais vers la chambre de mes parents pour m'assurer qu'ils étaient bien vivants. Encore maintenant, à mon âge, j'appréhende leur mort. Dans le second, je découvrais que ma mère avait adopté cinq petits garçons. En réalité, elle avait trois filles mais pas de fils. Je ressentais une violente haine contre elle. Je lui exprimais ma colère et mon désarroi et elle s'éloignait à reculons sans rien me répondre. Je me suis imaginé aussi longtemps que mes parents n'étaient pas vraiment les miens, comme si je ne descendais de personne, venue de nulle part. Je craignais aussi qu'ils meurent inopinément si je n'étais pas obéissante et sage. Du coup, je m'efforçais d'être gentille pour prévenir ce genre de drame. D'ailleurs mes parents me poussaient dans cette voie. Ils voulaient que je sois polie, une petite fille modèle, impeccable.

Dans ces conditions, chaque fois que je pensais à un projet ou à un garçon, je me demandais immédiatement si maman serait d'accord, si ça lui plairait, en mettant mon propre désir de côté. Cette appréhension a fini par introduire chez moi comme un dédoublement de personnalité. Je me sens toujours double, divisée entre deux forces opposées : une Pauline qui est moi et une seconde qui est celle que maman voudrait que je sois, une vraie et une fausse, une qui se croit mauvaise et une autre qui cherche à plaire, à être parfaite. Le problème c'est que j'ignore comment me comporter pour la satisfaire. Quand je m'approche d'elle, elle me reproche de jouer à la petite fille. En revanche, si je ne l'appelle pas trois jours d'affilée, elle m'accuse de lui faire la gueule. »

C'est sans doute cette angoisse d'abandon, voire d'éjection de la matrice, qui a introduit la dissociation, la déchirure dans le psychisme de ma patiente, l'empêchant de se sentir unifiée. Une Pauline vraie, c'est-à-dire « mauvaise », donc cachée, censurée ou parasitée fortement par une seconde, « bonne », parfaite mais factice, correspondant à l'idéal maternel, les deux en constante bataille. C'est ce qui explique l'ambivalence et l'instabilité dans les divers domaines de son existence.

« Je voulais être danseuse, au départ, mais la crainte d'être regardée sans cesse m'en a dissuadée. Je me suis orientée alors vers une filière économique, plus raisonnable, avec davantage de débouchés, comme ma mère le souhaitait.

Je manque de stabilité au fond. Je suis très changeante dans mes opinions. Je n'ose pas être moi-même. Être vraie est pour moi synonyme de "mauvaise" et qui risque de déplaire. Tout change chez moi d'un jour à l'autre. Je peux être amoureuse aujourd'hui et plus du tout demain. Je m'approche d'un garçon et je le repousse, tiraillée entre l'attirance et le rejet, la fascination et la répulsion. Je peux avoir envie d'une chose et puis plus. Je n'arrive pas à arrêter mes choix. Je commence une tâche et l'abandonne une heure plus tard, sans comprendre trop pourquoi, peut-être parce que j'imagine quelqu'un en train de m'observer en se disant : "Mais c'est nul ce qu'elle est en train de faire !"

Il est vrai que je suis impatiente aussi. Quand j'achète un roman, je lis d'abord les deux dernières pages pour savoir tout de suite comment ça finira. Je suis incapable de procéder par étape. Je peux hésiter une heure avant de m'acheter une brosse à dents, sur sa couleur ou sa forme. Je peux changer de tenue cinq fois par jour quand je ne travaille pas, en me demandant chaque fois si ça plairait à maman. J'ai tellement peur de m'habiller vulgairement, "pute", comme elle disait.

Mon médecin m'a dit que j'étais bipolaire, cyclothymique, d'après lui un trouble biochimique tout à fait réfractaire à la psychothérapie. Je ne sais pas... »

N'ayant pas vécu pleinement la fusion avec sa mère à sa naissance, Pauline continue à entretenir, un peu avec tout le monde, des liens fusionnels fortement imprégnés d'ambivalence : attirance/rejet, fascination/dégoût. Persuadée d'être mauvaise, elle camoufle son être vrai, se cache, fuit les regards par crainte de jugement et de rejet.

Pis encore, elle se laisse complaisamment persécuter et condamner par le procureur intransigeant qu'elle abrite et nourrit en elle, dans l'espoir de se faire pardonner de la carence qu'elle a subie, mais peut-être aussi de l'arrêt des relations sexuelles entre ses parents depuis qu'elle est née. La D.I.P., avec ses deux fantasmes de culpabilité et de mauvaiseté, lui empêche l'accès à sa bonté profonde, à une image narcissique plus saine, plus valorisée, moins sévère.

DIDIER

Didier va bientôt fêter ses quarante-trois ans. Il me dit bonjour d'une voix basse et se précipite vers mon bureau, sans me regarder, ni même me tendre la main. Il répète ensuite deux fois, en prenant place : « Excusez-moi ! »

Il travaille comme directeur financier dans une grande compagnie d'assurances. Il souffre, comme Pauline, d'un manque d'estime de soi, d'une image narcissique ébréchée en raison de la présence chez lui de la D.I.P. et de la culpabilité. Son exemple touchant montre clairement que cette représentation négative ne renvoie nullement à une réalité objective et qu'elle n'est donc pas concrètement réparable. Elle proviendrait plutôt de la certitude imaginaire, celle de son enfant intérieur plus exactement, d'être mauvais.

Dès lors, non seulement Didier ne réussira pas comme il l'a cru à trouver la paix et la joie en modifiant ses conditions concrètes d'existence, mais, de plus, il risquera fort d'alourdir la liste de ses désenchantements. Cela ne signifie évidemment pas, encore une fois, qu'il faille bannir ses ambitions sociales, renoncer à tout changement, sacrifier son envie de trouver un meilleur emploi, acquérir un plus beau logement, chérir un autre homme ou une autre femme. Cela veut dire plus simplement qu'on ne peut pas confondre le dehors et le dedans, qu'une transformation même magique du premier ne modifiera pas par enchantement le second, en comblant le vide ou en restaurant l'image médiocre de soi.

« Je me trouve à l'heure actuelle dans un état d'épuisement psychologique et surtout de désespérance. Il y a vingt ans, j'imaginais pouvoir arriver un jour à guérir et à retrouver l'équilibre qui me faisait défaut quand j'étais petit. Aujourd'hui, je ne le crois plus. Je pense que je ne m'en sortirai pas.

J'ai plutôt bien réussi sur le plan professionnel. Je gagne un très bon salaire. Je suis propriétaire de mon appartement à Paris. Je souffre malgré tout d'un manque terrible de confiance en moi. Tout le monde a tendance à considérer ma vie comme un succès. Moi, j'estime avoir échoué. Dès que je rencontre une nouvelle personne, une femme ou un client, ou lorsque je dois participer à une réunion de travail, ou encore pendant un dîner entre amis, je tremble et je transpire. Je suis mal à l'aise comme un petit garçon pris en faute. Je ne sais pas quoi dire, je n'ai rien de bien intéressant à raconter, je me sens vide et pas cultivé. J'envie ceux qui réussissent à palabrer durant des heures sur tout et n'importe quoi. J'ai très peur du regard des autres. Je crains qu'on me juge. Je me sens inférieur à mes subalternes, qui ont moins de diplômes et qui travaillent sous mes ordres. Je me compare sans cesse aux uns et aux autres. J'ai honte de ne pas être comme tout le monde.

Mes parents ne s'entendaient pas et ne s'aimaient pas vraiment. Je suis né dans un climat de tension et de conflit quotidien. Je me demande pourquoi ils ont fait des enfants. Je suis entre une sœur de quatre ans de plus que moi et un frère de trois ans de moins. Ma sœur, qui avait été traitée jusqu'à mon arrivée comme une princesse, a longtemps été jalouse de moi. Elle me faisait subir son agressivité par tous les moyens, à l'insu de mes parents. Elle se moquait de mes oreilles décollées, par exemple, pour me mettre en rage. Quand je me plaignais ou que je pleurais, elle réussissait toujours à démontrer que c'était moi qui l'avais embêtée en premier. Alors je me faisais punir à sa place, surtout par mon père, un homme parfois assez violent lorsqu'il avait trop bu. Manifestement, cet homme ne débordait pas d'affection pour nous, ni pour ma mère d'ailleurs, qu'il lui arrivait de frapper.

Je tentais, quand je le pouvais, de m'interposer entre eux pour les séparer. Je suppliais mon père de se calmer, mais il n'entendait plus rien quand il était en colère. Je me sentais parfois coupable de leurs scènes de ménage, qui se produisaient "à cause de moi", comme aimait me le répéter ma sœur.

Mon père se montrait de plus très méprisant à l'égard de ma mère. Il la traitait comme une gamine, lui reprochant tout le temps d'avoir mal agi ou mal parlé. Plus il l'écrasait et moins elle réagissait. Elle cherchait à le calmer, je pense, surtout pour nous protéger.

Un peu plus de deux ans après la naissance de mon frère, mes parents se sont aperçus qu'il n'était pas normal, pas comme les autres bébés. Ils ont su plus tard qu'il était autiste. Ma mère, déjà pas très heureuse dans son ménage, a sombré dans la dépression. Elle me répétait que c'était de sa faute si son enfant était anormal, qu'elle lui avait sûrement transmis ses mauvais gènes. Moi, j'étais convaincu, par contre, que le mal provenait de mon père, mais je ne le disais pas. J'étais malheureux pour mon frère, mais surtout pour ma mère, sans disposer de moyen pour atténuer son immense chagrin. Je m'entendais bien avec elle. Elle me parlait parfois de ce qu'elle appelait son "cauchemar", le handicap de mon jeune frère. Elle refusait cependant de se séparer de lui, malgré l'insistance de mon père, partisan, lui, d'un placement en milieu spécialisé. En plus, leur situation financière plutôt modeste ne facilitait pas la recherche d'une solution adaptée.

Il m'est arrivé d'éprouver de la jalousie à l'égard de mon petit frère. Il était handicapé, certes, mais, du coup, personne ne l'embêtait. Tout le monde, y compris ma sœur, était aux petits soins avec lui. Il me volait l'attention à laquelle moi aussi j'avais droit. Ensuite, je me sentais coupable de mes mauvaises pensées et j'avais honte de ma méchanceté.

J'ai perdu ma mère à quinze ans. Elle est morte d'une hémorragie cérébrale, mais je suis persuadé que c'est la tristesse et le désespoir qui l'ont rongée. Elle était enfant unique. Je n'avais donc ni oncle ni tante de son côté. Je n'ai pas connu mes grands-parents non plus. Son père avait été déporté et tué par les Allemands pendant la Seconde Guerre. Sa mère l'avait élevée durement, toute seule, sans aucune aide. Elle s'était d'ailleurs farouchement opposée, peu avant son décès, à son mariage avec mon père. D'après ma mère, c'était parce qu'elle avait du mal à laisser partir sa fille, son unique raison de vivre.

Après la disparition de ma mère, j'étais si malheureux que j'ai eu envie de fuguer, de tout laisser tomber. Je ressentais une terrible colère contre mon père, je le détestais. Je lui en voulais pour moi et pour ma pauvre mère, pour tout le mal qu'il nous avait fait. Je n'arrivais plus à supporter sa présence, son regard, ni ses coups de gueule totalement injustifiés.

Ma sœur, qui s'était radoucie depuis la mort de notre mère, mais surtout depuis qu'elle fréquentait son fiancé, a réussi à me persuader de patienter. Elle m'a convaincu de passer mon bac avant de partir. J'ai d'abord pas mal hésité et puis finalement j'ai décidé d'attendre, de continuer ma scolarité en m'occupant aussi un peu de mon frère.

Trois ans plus tard, le bac obtenu avec mention Bien, j'ai mis mon projet à exécution : quitter ma famille et ma région pour m'installer à Paris. J'ai juste appelé ma sœur au téléphone depuis la gare pour le lui annoncer. Je n'ai rien dit à mon père. Cela fait maintenant vingt-cinq ans que je ne suis pas retourné chez moi, ni n'ai recontacté mon père. Ma colère contre lui ne s'est pas apaisée. Avec ma sœur, on s'appelle une ou deux fois par an pour échanger quelques nouvelles.

À Paris, pendant tout ce temps, je n'ai pas cessé de me battre, convaincu que, grâce à mon acharnement, j'accéderais un jour à la paix intérieure et au bonheur. J'étais persuadé que je réussirais à concrétiser mon rêve en quittant mon père et en devenant riche, pour pouvoir me payer ce dont j'avais envie.

Il y a une quinzaine d'années, ne me trouvant pas beau après avoir échoué plusieurs fois dans mes tentatives de séduire des femmes, j'ai décidé de sculpter mon visage à l'aide de la chirurgie esthétique. J'ai d'abord fait recoller mes oreilles, après avoir tant souffert des moqueries de ma sœur quand j'étais petit. J'ai modifié aussi mon nez et mon menton, opérations fondamentales pour cesser de ressembler à mon père, pour l'extraire définitivement de mon corps et de ma mémoire. Le résultat était techniquement parfait, sans nul raté, mais il ne s'est produit, du point de vue psychologique, aucun miracle.

Peu de temps après j'ai retrouvé toutes mes préoccupations indemnes, peut-être même accentuées. Curieusement, lorsque je pense à moi, je me revois comme avant l'opération, c'est-à-dire encombré de mes défauts: oreilles décollées, nez et menton du père. J'ai surtout l'étrange et la désagréable impression que personne n'est dupe en réalité, que tout le monde, même ceux qui ne me connaissaient pas avant, devine aisément ces rafistolages, et me méprise.

Quant aux filles, ce n'est guère brillant non plus. J'en ai connu quelques-unes, mais ça n'a jamais marché, soit je ne me sentais pas franchement amoureux d'elles, soit j'avais peur, en m'engageant, de devoir totalement renoncer à mon style de vie, à ma liberté en définitive. Comme si je redoutais qu'en vivant à long terme avec une femme, elle finisse par me découvrir comme je suis réellement, dans ma nudité. Je suis devenu progressivement méfiant, aussi. Je crains qu'elles me mentent en me disant qu'elles m'aiment, soit pour pouvoir s'occuper de moi comme d'un petit toutou, soit pour abuser de ma générosité. Je me laisse dominer et manipuler facilement, quand je m'attache à une fille. Il est évident aussi que, dans le domaine amoureux et sexuel, je n'ai pas une superbe image de moi. Je ne me considère pas comme un vrai homme, adulte, viril. Je suis très complexé par rapport à la taille de mon pénis, que je trouve minuscule. Les filles que j'ai interrogées m'ont contredit en soutenant qu'il était normal. Elles ont ajouté aussi que de toute façon, l'amour n'est jamais une question de taille des organes. Mais je n'arrive pas à les croire. Je pense qu'elles m'ont dit cela pour me rassurer. »

Cette image fortement délibidinalisée, dévalorisée, déprimée de Didier n'a, je l'avais déjà souligné, strictement rien à voir avec la réalité, physique ou psychologique, telle que les autres l'appréhendent depuis l'extérieur. Didier aurait tenu sans doute le même discours négatif avec un autre physique. La preuve, c'est qu'il se perçoit aujourd'hui aussi négativement qu'hier, malgré ses opérations de chirurgie esthétique. Nos yeux croient percevoir, mais ils ne voient en réalité que ce qu'ils ont projeté au dehors depuis les profondeurs de l'âme !

Cette représentation reflète chez lui un manque d'amour de soi consécutif à la culpabilité d'avoir été privé d'enveloppement matriciel, du fait d'avoir assisté également à la souffrance des parents. Le manque d'amour de soi ne s'explique pas par la présence d'une disgrâce. C'est tout à fait le contraire : c'est la mésestime de soi, la pauvreté narcissique qui incite à se trouver toutes sortes d'anomalies, d'insuffisances et de défauts.

Inversement, disposer d'une meilleure image de soi permet d'aborder ses carences, fussent-elles bien réelles, avec moins de difficultés. Rien que la prise de conscience de cette vérité, c'est-à-dire notre rapport fondamentalement imaginaire avec nous-même, avec les autres, et notamment avec ce que nous appelons la « réalité », est susceptible d'aider chacun à changer de regard en évitant l'incessante confusion entre le dehors et le dedans.

Ce brouillage entre l'intérieur et l'extérieur, le psychique et le réel, démontre l'emprise de l'enfant intérieur sur l'adulte. Le premier vit en effet, notamment durant toute la petite enfance, dans un contexte d'indistinction, de confusion et de mélange. Il se croit tout, faisant partie des objets, des plantes, des animaux, de ses parents, pas de frontière chez lui entre le Moi et le non-Moi. Toute son évolution consistera donc à se séparer, à se différencier, à s'individuer, non seulement du point de vue corporel, mais aussi quant à sa vision de soi, du monde, de ses valeurs. Au fond, devenir soi signifie se construire une intériorité propre, singulière, autre que celle de ses ascendants, et la moins encombrée possible de normativité sociale.

Au contraire, l'adulte demeuré enfant continue à vivoter dans un univers de mélanges, confondant le dehors et le dedans, mais aussi son corps avec son être vrai, son âme avec sa chair, la beauté physique apparente avec celle intérieure, non immédiatement perceptible forcément. Impossible d'observer son corps, comme s'il s'agissait d'une chose, d'un objet extérieur. Tout regard est regard de désir !

La distinction représente donc une démarche capitale dans la mesure où autrui ne nous apprécie pas en fonction de l'apparence que nous exposons. Il ne nous perçoit pas tel que nous sommes, ou croyons être plus exactement, bon ou mauvais, beau ou moche, méritant ou indigne. Il ne nous aime pas forcément parce que nous lui avons montré une belle façade, gentille, policée, parfaite. Il intercepte plus subtilement, par-delà ce que nous lui donnons à voir et à entendre, l'être profond que nous camouflons, notre enfant intérieur, avec ses vraies forces et faiblesses. Inutile, par conséquent, de s'épuiser à fuir ou à se cacher derrière nos masques et nos subterfuges.

Mieux vaut s'atteler plutôt à repérer la représentation narcissique abîmée que l'on s'est forgée au fil des ans pour la différencier de la réalité, qui n'est bien souvent qu'une construction fantasmatique. Ce qui est absolument évident et indispensable à comprendre, c'est que ce ne sont point les autres qui nous épient de l'extérieur, pour nous juger, nous critiquer et nous condamner. C'est bien le sujet lui-même qui joue simultanément les deux rôles : celui du procureur inflexible et celui du déporté, du bourreau et du martyr, sans la médiation d'un tiers. Les autres n'existent pas vraiment, c'est-à-dire qu'ils ne jouent pas ce rôle surmoïque d'accusateur que nous leur attribuons. Ils ne représentent que la partie sombre de nous-mêmes, l'enfant intérieur coupable qui se croit mauvais.

Les autres existent certes bel et bien, en chair et en os, mais ils servent souvent de support à la projection de nos envies et de nos craintes. Nous les redoutons parfois, les envions aussi, en les croyant comblés, dans les deux sens d'heureux et de pleins.

Ce n'est point soi-même que l'on contemple quand on se regarde dans le miroir, mais bien un autre, son ombre, celui qu'on n'est pas, celui qu'on n'est pas devenu, la mauvaise fille ou le mauvais garçon, décalé par rapport aux attentes et à l'idéal des parents et des normes sociales.

La culpabilité de la victime innocente à l'origine de la mauvaise image de soi n'étant pas clairement perceptible ni exprimable, elle se manifeste à travers le fantasme de mauvaiseté, la certitude imaginaire de ne rien valoir. Elle se dévoile notamment par le biais du symptôme bien connu de la persécution paranoïaque. Le « parano » se croit constamment malmené et critiqué. Il devient méfiant à l'égard des autres, même parfois de ses proches, victime de médisance « derrière son dos ». Il devient hypersensible, susceptible, il dramatise la moindre réflexion ou maladresse, le plus petit mot de travers, qu'il interprète à son encontre. Il s'agit aussi de la même persécution paranoïaque, cette fois issue de l'intérieur, lorsqu'il se croit, à l'apparition du moindre « bobo », malade, presque mourant ou, comme certains patients gravement névrosés, incurable. C'est ce qui se cache derrière l'hypocondrie, dans ses deux versants, physique et psychologique.

Les deux mécanismes de défense que Didier a utilisés jusque-là ont consisté, premièrement, à fuir sa famille et sa région, à se fuir lui-même en réalité, et deuxièmement, à devenir quelqu'un d'autre, à se métamorphoser physiquement, en modifiant certaines caractéristiques visibles à l'aide de la chirurgie esthétique. Il a beaucoup misé enfin sur la réussite sociale, le gain de pouvoir et d'argent. Cependant, toutes ces agitations ne lui ont pas procuré la quiétude escomptée. Pourquoi ? Pour deux raisons, je dirais.

D'abord parce que toute tentative de rompre avec la matrice, de se couper de son passé et de ses parents en s'éloignant, même à des milliers de kilomètres, en cherchant à les effacer, ne fera que sustenter, bien au contraire, la fusion. Elle empêchera paradoxalement toute vraie libération, toute liquidation du contentieux originaire indispensables à une vraie délivrance. La haine et la colère, même parfaitement légitimes et justifiées, lorsqu'on a subi des offenses et des injustices, entravent le travail de deuil, la cicatrisation des plaies. Elles bloquent tout avancement. La libido reste de ce fait immobilisée, en suspens, ne circule pas librement et de façon fluide dans les diverses artères du jardin de l'intériorité pour arroser les arbres de l'identité plurielle. Ce n'est pas parce que l'on cesse de parler à quelqu'un qu'on parviendra à se détacher de lui, à « s'en débarrasser ». La séparation ne peut s'effectuer que s'il existe un lien. Elle ne peut surtout advenir que dans la paix, grâce à la présence d'un minimum d'amour, de compréhension et de respect mutuel.

Voici à ce propos une petite histoire humoristique attribuée au grand mollah Nasr Eddine. Depuis quelque temps, Nasr Eddine a un esclave. Un beau matin, en se réveillant, le mollah découvre que son esclave a pris la poudre d'escampette. Le maître se met alors à sa recherche à travers les rues du village. Il répète à haute voix : « Quel pauvre imbécile tu es, pourquoi t'es-tu enfui sans m'avertir ? » Tous les passants que Nasr Eddine croise compatissent avec lui, sauf un : « Excuse-moi, Nasr Eddine, de ne pas être du même avis que toi. À mon sens, ton esclave a eu bien raison de s'enfuir. Existe-t-il de pires conditions dans la vie que l'esclavage ? – Tu ne comprends rien, lui rétorque le mollah. S'il était resté mon esclave, je l'aurais un jour libéré. Alors qu'en s'enfuyant il restera à jamais mon esclave ! ».

La rancune et la colère de Didier visent en apparence, cela se comprend, le malfaiteur, ici son père, accusé d'avoir maltraité sa femme et son fils. Cependant, lorsque ces deux émois dépassent une certaine dose et perdurent, ils se vident de leur sens et de leur raison originaires, à savoir le souhait de punir le malfaiteur. Ils reflètent désormais la détestation que le sujet éprouve et se nourrit à l'égard de lui-même, du fait d'avoir été victime, mais incapable de se protéger. Le sujet s'en veut davantage à lui-même qu'à l'autre, en se reprochant son impuissance. Du coup, la colère et la haine se transforment en une source d'automaltraitance supplémentaire, se cumulant avec celle du passé. Ce qui continue à torturer Didier aujourd'hui, c'est plutôt la culpabilité d'avoir été victime, ajoutée à l'échec de sa volonté de faire cesser la violence.

Ainsi, lorsque la colère dépasse une certaine intensité en se prolongeant indéfiniment, elle renvoie à la colère contre soi-même ainsi qu'à la difficulté de se pardonner le mal enduré naguère. Seules les retrouvailles avec son enfant intérieur et la pacification avec lui aident à se pardonner, d'abord et surtout à soi-même, les offenses subies sans avoir pu les empêcher. Il s'agit de se pardonner aussi le mal, la punition qu'on était en droit, mais dans l'incapacité d'infliger à son oppresseur, en raison de sa chétivité.

Le pardon représente justement la voie privilégiée permettant d'accéder à sa bonté profonde, pour se regarder moins sévèrement, avec gentillesse et bienveillance.

Le second mécanisme de défense que Didier a utilisé après celui de vouloir échapper à son passé a consisté à réussir socialement, à devenir beau et riche pour pouvoir effacer ses deux fantasmes de mauvaiseté et de culpabilité. Il a donc investi une grande part de son énergie vitale à se métamorphoser : sculpter son nez et son menton, recoller ses oreilles, pour ne plus ressembler à son père. Il a travaillé d'arrache-pied pour briller dans son travail, acquérir un bon poste et un gros salaire. Toute cette entreprise a eu pour conséquence de le couper de son intériorité, de l'éloigner de lui-même, d'obstruer ses sources internes indispensables pour sustenter son psychisme. L'espérance démesurée dont il avait revêtu la réalité extérieure s'est transformée en un leurre, grignotant le peu de confiance qu'il avait encore en sa bonté.

Didier a au fond du mal à s'aimer et à s'accepter. Il a cherché à devenir un autre, celui qu'il n'était pas, qui ne correspondait pas à son être profond pour échapper aux deux fantasmes toxiques de culpabilité et de mauvaiseté. C'est bien en fuyant que l'on prolonge son esclavage, comme nous le dit Nasr Eddine.

BLANDINE

L'exemple de Blandine est celui d'une personne qui va jusqu'à somatiser sa mauvaiseté. Ma patiente est convaincue qu'elle sent réellement mauvais et qu'il existe comme une putréfaction en elle.

« Cela fait plus de deux ans que je souffre de problèmes d'indigestion. Je trouve que j'ai une haleine de plus en plus forte. Au niveau de mon ventre, ça gargouille constamment. J'ai des gaz d'une odeur pestilentielle. J'ai vraiment honte de vous parler de tout ça. Je n'ai pas arrêté de consulter, des généralistes, des allergologues, des gastro-entérologues, mais aussi des homéopathes et des phytothérapeutes. J'ai avalé des quantités incroyables de médicaments et de compléments alimentaires. J'ai subi des tas d'examens, suivi pas mal de régimes, évité tel aliment ou telle épice, consommé trois fois plus de ceci et de cela. Aucun résultat ! Je suis désespérée. Je souffre également de migraines. Pour camoufler ma mauvaise odeur, j'emporte avec moi tous les jours des "pschitts" divers, des pastilles et des bonbons. La hantise de sentir mauvais a fini par paralyser ma vie sociale. Je vois de moins en moins de personnes. Je m'éloigne de tous ceux que j'apprécie. Je ne comprends plus. Le dernier médecin que j'ai consulté m'a dit que je n'étais pas malade, que je n'avais rien, que tout se passait dans ma tête ! Voilà la raison de ma visite. »

J'avoue que, tout de suite, après le départ de Blandine, j'ai commencé à avoir mal à la tête. J'ai dû ouvrir grandes toutes les fenêtres, malgré le froid glacial, pour renouveler l'air de la pièce. Ma patiente sentait en effet très mauvais ; ce n'était pas son haleine, mais tous les parfums artificiels dont elle s'était aspergée pour... ne plus sentir mauvais ! Il existe parfois des solutions qui, sans rien résoudre, ne font qu'aggraver le problème !

Blandine est une femme de quarante ans, élégante, BCBG, très propre sur elle, cela va sans dire, émotionnellement contrôlée, efficace et honnête dans son travail, stricte dans l'éducation de sa fille, à cheval sur des principes tels que l'entraide et la solidarité. Elle est polie, gentille, souriante, soucieuse des droits et intérêts d'autrui. Un psychiatre classique aurait d'emblée diagnostiqué Blandine en la qualifiant d'« obsessionnelle ». Mais, quel intérêt, après tout, puisqu'une étiquette, en assignant au patient un statut de malade, ne renseigne en rien sur le sens et l'origine de sa « maladie », sans rien indiquer non plus sur la marche à suivre.

Blandine travaille à Paris dans un grand cabinet d'avocats. Elle milite aussi à la WWF, à Amnesty International, ainsi que dans une importante organisation écologiste. Elle est également extrêmement inquiète et sensible, dit-elle, à la « souffrance des animaux ». Elle est mariée et mère d'une fille de six ans.

« Je ne suis pas très heureuse avec mon mari. Je n'ai jamais été sexuellement attirée par lui. Toutefois, je ne l'ai jamais trompé. Cela fait douze ans que nous sommes mariés. Je ne l'aime pas en tant que femme, mais comme une mère, une amie ou une sœur, je ne sais pas. Je l'ai pris, je crois, dès le départ, comme mon bébé, comme un petit chiot qui venait de naître. J'ai voulu l'aider à s'en sortir. Je me disais aussi qu'avec le temps, mes sentiments évolueraient.

Par contre, lui, ne s'occupe pas du tout de moi, c'est comme si je n'existais pas. Nous n'avons que de rares échanges intellectuels et sentimentaux. Quand nous ne travaillons pas, chacun vaque à ses occupations dans son coin. Moi, j'ai drôlement besoin de communiquer, parler, écouter. Il commence à se rendre compte que j'existe seulement la nuit, quand il a envie de faire l'amour, une fois les livres de chevet refermés et les lumières éteintes. On dirait que, pour lui, je ne suis qu'un objet sexuel. Je refuse souvent, je me braque et je me blinde. Cependant, comme je suis légalement et religieusement sa femme, je me résous à accomplir, de temps à autre, mon devoir conjugal. Je ne voudrais pas qu'il me considère comme une mauvaise femme. Je ne souhaiterais pas non plus qu'il soit trop malheureux à cause de moi.

Ce que j'aime bien, curieusement, c'est le voir souffrir dans un premier temps, pour pouvoir ensuite le soulager. Je me suis souvent d'ailleurs demandé si je n'étais pas lesbienne. Je n'éprouve certes aucune attirance sexuelle particulière vis-à-vis des femmes. Cependant, j'apprécie beaucoup leur compagnie, que je préfère nettement à celle des hommes. Seulement, j'adore celles qui ont des gros seins. Je suis très émue à la vue d'une grosse poitrine. Je prends plaisir parfois à fantasmer que je la caresse et l'embrasse. Malgré tout, je n'arrive pas à quitter mon mari. Je me dis que je risque de le rendre très malheureux. J'ai surtout peur d'être une mauvaise mère pour ma fille en l'éloignant de son père. Je pensais qu'elle pourrait ressouder nos liens, mais sa naissance n'a finalement rien fait bouger dans notre couple.

Il y a quelques années, lorsque mon mari était dépendant de moi, au niveau des conseils juridiques et des finances, pour fonder sa propre boîte, je ressentais une plus grande proximité avec lui. Depuis qu'il est devenu autonome et a réussi dans les affaires, il m'intéresse moins. Je me détache. J'ai besoin qu'on ait besoin de moi. Cela conforte d'abord mon impression d'être utile, nécessaire et efficace, tout en me procurant un sentiment d'importance et de pouvoir. Nous discutons parfois, mon mari et moi, à vrai dire surtout quand il me reproche de me refuser à lui, de repousser les préliminaires et de ne jamais prendre l'initiative. Je lui réponds certaines choses, un peu pour le rassurer, un peu pour m'excuser aussi, mais beaucoup également pour dédramatiser la situation.

Mais, dans le fond, je n'arrive pas à lui dire ce que je ressens. Je ne supporte pas le conflit. J'ai horreur qu'on se mette en colère et qu'on crie. Tant de choses sont, du coup, enfouies en moi que je n'arrive pas à les sortir. Cela fait peut-être cinq ans que je n'ai pas pleuré. Je refuse de me plaindre. Il existe tant de gens malheureux sur Terre, privés de tout, de nourriture et de toit. Je me coupe donc de mes émotions, surtout de celles qui sont négatives. Je les évite pour ne pas contaminer ma famille, ma fille notamment. Je déteste paraître vulnérable. Si je me laisse aller, je ne pourrai plus me ressaisir. Si je ne me maîtrise pas, je m'enfoncerai dans la dépression. Je ne peux pas me le permettre. J'ai des responsabilités dans mon travail, en tant que mère aussi vis-à-vis de ma fille. Elle a tant besoin de moi.»

Mais, que s'est-il passé dans l'Ailleurs et l'Avant de Blandine ? De toute évidence, ce n'est pas elle, la femme adulte de quarante ans, qui souffre dans son Ici et Maintenant et qui est en prise à des difficultés réelles, mais la petite fille en elle. C'est bien celle-ci qui s'interdit de paraître et d'exister telle qu'elle est, dans sa vérité. C'est elle qui se défend de ressentir et d'exprimer ses émotions par souci de plaire, de prouver son innocence et sa bonté en s'érigeant en thérapeute universel. Elle ne peut être en lien avec son mari que si elle parvient à l'aider dans ses affaires. Elle ne parle de sa fille que pour exprimer ses craintes d'être une mauvaise mère, son angoisse de la «contaminer». Elle a choisi d'être avocate afin de défendre devant les tribunaux les «exclus de la société», dit-elle. Elle milite au WWF contre la souffrance animale, au sein d'Amnesty International contre le mépris des droits de l'homme et dans une association écologiste pour sauver la planète.

Je n'insinue évidemment pas que devenir avocat et militer contre la maltraitance animale et la destruction de l'environnement constituent les symptômes d'une névrose grave, à soigner d'urgence. Non, je veux dire plus simplement, sans porter nul jugement critique, que l'être au monde de Blandine se trouve dominé systématiquement, dans tous les domaines, par une préoccupation soignante. Ce qui est problématique, c'est qu'en s'érigeant en enfant thérapeute, en mère de tous, des animaux et de la planète, Blandine ne se materne pas elle-même. Elle se néglige même, ne prend pas soin de sa personne telle une gentille mère avec son bébé. C'est bien là le problème sérieux de ma patiente, bonne avec les autres, mais maltraitante avec elle-même ! Être coupé de sa bonté profonde signifie justement manquer de clémence et de tendresse envers sa propre personne.

« Mes parents se sont mariés par convenance. Ma mère venait d'une famille aisée mais plutôt austère. Elle voulait des enfants. Mon père, d'une classe sociale moyenne, cherchait la sécurité. C'était un deal, en quelque sorte ! Mon père avait en effet décidé après une adolescence un peu mouvementée de se stabiliser. Ce mariage de raison lui offrait notamment la possibilité de s'introduire dans l'entreprise de sa belle-famille.

Mes parents n'étaient donc pas, dès le départ, vraiment éperdus l'un de l'autre. Ils espéraient qu'avec le temps et l'arrivée des enfants, l'amour viendrait aussi. Je m'aperçois, en ce qui me concerne, que j'ai répété exactement le même scénario. Je me suis mariée, non par amour, mais surtout pour soutenir et aider mon mari.

Je suis la troisième fille d'une fratrie de quatre. Quand j'avais huit ans, mon petit frère de six ans est décédé d'une méningite. C'était terrible pour ma mère, et pour moi aussi. J'ai fortement culpabilisé, convaincue qu'il était mort parce que je ne l'avais pas bien soigné, d'autant plus qu'à sa naissance, j'avais été très jalouse de ce fils tant désiré par ma mère après ses trois filles, dont moi, la troisième, source de déception pour elle. Après, je faisais tout pour être gentille. Je lui obéissais pour qu'elle soit contente. Depuis toute petite, j'ai appris à la ménager. Elle m'avait déjà confié que, lorsque j'avais six mois, j'ai dû être hospitalisée durant une semaine en raison d'une pneumonie, avec l'interdiction formelle de toute visite. Ensuite, à un an, elle a décidé de me confier à ses parents pendant plus de six mois, parce qu'elle n'arrivait pas à s'occuper de ses quatre enfants, disait-elle, en plus de son mari et de son travail. Quand elle m'a reprise, je ne la reconnaissais plus, paraît-il. Alors, j'avais si peur d'être rejetée que je faisais désormais l'impossible pour lui plaire. Je l'aidais à s'occuper de mon petit frère, mais aussi curieusement de mes deux sœurs aînées. Je cherchais son amour en travaillant bien à l'école pour être parmi les premiers de ma classe. J'avais progressivement réalisé qu'elle attachait beaucoup d'importance à la réussite scolaire.

Malgré tout, je ne pourrais pas affirmer que ma mère m'aimait. Je ne ressentais pas de chaleur maternelle. Elle éprouvait peut-être de l'admiration à mon égard, mais pas de l'amour.

Quand j'ai réussi mon examen du barreau, elle m'a dit qu'elle était fière de moi. Elle m'a écrit une longue lettre pleine de louanges. Elle ajoutait que j'étais sa consolatrice, que je lui offrais la joie qu'elle n'avait pas trouvée dans son couple avec mon père. Ce courrier m'avait pas mal choquée à l'époque. D'abord parce que je n'aimais pas qu'elle dénigre trop mon père. Je trouvais ensuite que ses compliments, au lieu d'être désintéressés, m'engageaient, d'une certaine façon, à continuer de m'occuper plus d'elle.

J'ai éprouvé beaucoup de culpabilité au décès de mon père, survenu à cinquante-huit ans d'un cancer des poumons. J'avais dix-sept ans à ce moment-là. J'avais la douloureuse impression de n'avoir pas tout tenté pour le sauver. Encore maintenant, je refuse ces deux morts, celle de mon père et celle mon frère. Je ne les ai toujours pas digérées ! J'aurais voulu qu'ils soient encore vivants pour mieux les soigner. Je m'imagine quelquefois retourner en arrière, remonter le temps pour pouvoir rectifier mes négligences éventuelles, refaire les choses de façon parfaite ! Je cherche peut-être en aidant mon mari à compenser ce que je n'ai pas fait avec mon père...

Ma mère ne s'est pas montrée particulièrement affligée lors de la disparition de mon père. Elle m'a fait, par contre, quelques confidences surprenantes. Elle m'a révélé, par exemple, qu'elle était sexuellement insatisfaite avec lui. Qu'il faisait l'amour à la façon des libellules, c'est-à-dire très rapidement, sans se soucier de son plaisir à elle.

Environ deux ans après la mort de mon père, j'étais étudiante en droit, elle s'est mise avec un homme, lui aussi veuf. Ils sont encore ensemble, après plus de vingt ans. Ils ne vivent pas sous le même toit, mais se voient assez souvent. Elle m'a laissé comprendre à quelques reprises qu'elle n'était pas vraiment amoureuse de lui. Ils ont d'ailleurs rompu deux ou trois fois, mais ont chaque fois renoué quelques mois plus tard. Elle juge ce type vieux jeu, pas très rigolo, maniaque, radin,... en concluant que "c'est mieux quand même que d'être toute seule".

Elle m'a avoué, il y a environ trois ans – et je me demande si mes problèmes d'indigestion et de mauvaises odeurs n'ont pas débuté à ce moment-là –, qu'elle avait entretenu une relation clandestine avec un homme bien plus jeune qu'elle, qui l'a contaminée du sida. Elle est séropositive maintenant. Cette confidence m'a véritablement bouleversée. Ma mère m'a juré que j'étais la seule personne au monde avec qui elle partage son secret. Elle n'en a même pas parlé à mes deux grandes sœurs. J'en suis, bien sûr, on ne peut plus malheureuse. Ma seule consolation est de savoir cependant qu'elle a connu l'amour avec ce jeune homme. Je ne la juge pas. C'est tellement important pour moi de savoir qu'elle a été heureuse. Mais, de l'autre côté, j'ai peur pour elle, de sa mort. Je ne cesse de ruminer cette idée. Si je la perds après mon père et mon petit frère, je n'existerai plus. Je me sens très coupable aussi, je me dis que je ne me suis pas bien occupée d'elle toutes ces dernières années, que je n'ai pas été assez proche d'elle. Je m'étais un peu éloignée d'elle, il est vrai, je construisais ma vie, mon mariage, mon métier, mon enfant. J'ai peur de la mort pour elle, moi, et ma fille. Je sais, c'est n'importe quoi, totalement irrationnel !

Du coup depuis que je la sais malade, je me suis rapprochée d'elle. Je l'appelle quasiment tous les jours. Je redeviens comme une petite fille avec elle ou je la prends pour ma fille. Je demande sans cesse de ses nouvelles. Je n'accepterais pas qu'elle s'en aille. C'est clair : si j'ai à choisir entre deux personnes, l'une solide et en bonne santé, et l'autre fragile, je prends sans nulle hésitation la seconde. J'ai besoin qu'on ait besoin de moi. Je donnerai sans compter pour être reconnue. »

Moins de six mois après le début de sa thérapie Blandine déclara qu'elle ne sentait plus mauvais. Auparavant, elle avait arrêté tous ses « traitements », cachets et poudres divers, de sa propre initiative. C'est en revanche moi qui lui ai suggéré, un peu autoritairement peut-être, d'arrêter de trop se parfumer. J'ignore si Blandine sentait mauvais, mais, en tous les cas, elle en était franchement persuadée. Elle exprimait sans doute par le biais de son corps sa D.I.P., ses deux fantasmes de mauvaiseté et de culpabilité, ainsi que toutes les émotions « négatives » qu'elle chassait, empêchant ainsi leur accès au ressenti et à la verbalisation.

C'est invariablement le refoulé qui finit par se décomposer, se putréfier, pourrir en dégageant toutes sortes d'odeurs pestilentielles. L'exigence de Blandine, inféodée à la petite fille en elle, de paraître aux yeux des autres, et en premier lieu à ceux de sa mère, pure et parfaite, c'est-à-dire innocente et bonne, la contraignait à un embellissement de façade et au rejet donc de tout ce qui grouillait dans son intériorité. Ce n'était point tel épice ou tel aliment qu'elle peinait à digérer, mais les trois abandons subis dans sa petite enfance.

Le premier eut lieu à sa naissance, en quittant la matrice. C'était encore une fille, la troisième, et non le garçon si ardemment souhaité ! Le second advint à ses six mois, quand elle fut hospitalisée pour une pneumonie, et le troisième pendant une année entière, entre un et deux ans, sa mère ayant déclaré forfait. Élever quatre enfants en plus de son travail et de son mari lui avait paru bien compliqué ! La carence matricielle consécutive à ces coupures narcissiques ont mis en place chez elle la D.I.P. et la culpabilité de la victime, à l'origine de son fantasme de mauvaiseté.

D'où, très précocement, sa certitude d'être responsable de tout ce qui dysfonctionnait dans le triangle et de tous ceux qui souffrent, humains ou animaux, sans discrimination. D'où, nécessairement, l'injonction de réparer les dommages qu'elle s'imagine avoir causés. Ainsi, ce qu'elle ne « digère » pas, c'est la disparition de son père et celle, probablement prochaine de sa mère, porteuse du VIH. Si elle croit sentir mauvais, c'est parce qu'elle sert de sépulture à tous ces cadavres non enterrés, dont l'élaboration, la métabolisation, la digestion, le deuil sont restés bloqués. Il est vrai que le ventre de la femme est symboliquement le lieu par excellence de vie et de mort. Son ventre, son estomac, ses intestins constituent l'espace psychologique où les affects qualifiés de « négatifs », c'est-à-dire non digérés, ennuis et contrariétés se réfugient et s'entassent, s'échauffent, bouillonnent et fermentent, longtemps parfois, sans qu'elle réussisse à les évacuer. Cette zone représente le baromètre de sa météo émotionnelle, tourmentée, maussade ou ensoleillée. Ce cerveau entérique est qualifié à juste titre du deuxième cerveau émotionnel.

Tous ces maux, aigreurs, ballonnements, flatulences, gonflements, irritations, brûlures, crampes, cachent, et révèlent à la fois, les aigreurs et conflits pas toujours intestinaux, pris à la lettre, mais plutôt intestins, qu'elle n'ose ni ressentir comme tels ni exprimer avec des mots, par crainte de paraître mauvaise et coupable.

Ce n'est point par hasard si ce genre de troubles fonctionnels féminins représente un marché juteux, avec un chiffre d'affaires de plusieurs milliards. Ils constituent l'un des motifs privilégiés de consultation chez le généraliste ou le gastro-entérologue. Les marchands d'illusion ont d'ailleurs déniché là un filon extrêmement rentable. Ils s'acharnent, à l'aide du marketing, à vanter et à préconiser toute une gamme de substances, des yaourts par exemple, censés purifier et guérir les corps et les âmes. Avec seulement deux pots par jour, au goût savoureux, vous réussirez non seulement, promet la publicité, à supprimer vos inconforts digestifs, du genre gaz, ballonnements et gargouillis, mais aussi à vous procurer un bien être intérieur profond, proche du bonheur !

En outre, sentir mauvais peut être interprété chez Blandine comme un mécanisme de défense contre la jouissance sexuelle, empêchant d'assumer sa féminité en tant qu'adulte. Il aide à se maintenir dans une position immature de petite fille, attachée à sa mère et fidèle. Certains animaux recourent à ce genre de stratégies. À titre d'exemple, le furet possède deux glandes anales qui stockent et secrètent une substance odorante expulsée en cas d'agression ou de stress. De même, les larmes du souriceau pré-pubère l'empêchent de se faire harceler sexuellement par les souris mâles adultes. La mouflette secrète une odeur nauséabonde pour dissuader justement l'ardeur de ses ennemis. Enfin, la coccinelle asiatique peut expulser un liquide orangé insupportable, lorsqu'elle se sent menacée, pour éloigner son prédateur.

Au contraire, les odeurs plaisantes peuvent exercer un rôle attractif, aussi bien chez les végétaux et les animaux que chez les humains. Ceux-ci ont depuis toujours et partout utilisé les odeurs, en se frottant le corps avec toutes sortes de substances d'origine végétale ou animale, à des fins de séduction. Les parfums contiennent en effet des phéromones, secrétées naturellement par des glandes exocrines. Ils agissent comme des messagers chimiques chargés de transmettre des informations. Ils ressemblent à des ruses ou des hameçons dont le rôle est d'attirer les faveurs. L'odorat est en effet très lié aux émotions, qui jouent à leur tour une influence déterminante sur l'excitation sexuelle. Ainsi, la mère nature, soucieuse prioritairement de perpétuer le genre humain et recourant à tout pour que les hommes et les femmes s'attirent et exécutent leur devoir, fait en sorte que les premiers soient attirés par les secondes pendant les périodes d'ovulation ! De même, les narines des femmes étant plus fines que celles des hommes, la sensibilité olfactive féminine est décuplée pendant l'ovulation et fortement diminuée durant la grossesse. L'industrie cosmétique, ayant déniché là un filon juteux, propose des parfums contenant des phéromones de synthèse, qui sont l'équivalent des philtres d'amour.

4

L'ENFANT THÉRAPEUTE

Résumons-nous : la carence matricielle réduit de façon draconienne la nourriture affective dont le bébé a besoin pour s'épanouir. Elle se traduit par le rachitisme, l'abattement et l'affaiblissement de certains pans de son psychisme. Ceux-ci vont servir aussitôt de repaire et de terreau privilégiés à la mise en place de la D.I.P., avec ses principaux corollaires que sont les deux fantasmes de culpabilité et de mauvaiseté. Le petit finit par être convaincu que la privation d'enveloppement et de soins qu'il subit en toute impuissance est la conséquence de son indignité et de sa mauvaiseté. C'est ce qui explique, nous venons de le voir, la représentation négative, délibidinalisée que le sujet a de lui-même à l'âge adulte, image évidemment purement imaginaire, c'est-à-dire nullement justifiable par référence à la réalité. Cette D.I.P., qui n'était au départ que l'effet de la carence matricielle, se transforme à son tour en cause, en obstacle majeur empêchant le sujet de s'aimer, d'avoir confiance en lui et en sa bonté naturelle. Ces fantasmes de culpabilité et de mauvaiseté sont comparables à un agent pathogène. Le psychisme ainsi « infecté », mais disposant d'un système de défense immunitaire semblable à celui de l'organisme contre les agressions microbiennes, ne reste pas passif. Il se mobilise pour assurer sa protection et sa survie en combattant ces deux fantasmes délétères, afin d'atténuer le plus possible leur virulence et leur nuisance. Devenir l'enfant thérapeute représente justement une tentative de réparer les dommages, tout en démontrant son innocence et sa bonté, à soi-même comme aux autres. Le petit entreprend de guérir ses parents, notamment sa mère, de restaurer le triangle, plus précisément, pour rendre ses deux géniteurs à nouveau, ou enfin, disponibles, présents pour lui dans leur fonction nourricière.

Cette conversion, ce retournement de l'état passif de receveur et de soigné à celui, actif, de donneur et de soignant, est facilité par le fait que l'enfant est naturellement soucieux de la solidité du couple de ses parents et de son développement. C'est bien sur le socle de la scène primitive, c'est-à-dire sur la certitude que ses géniteurs s'aimaient et se désiraient lorsqu'il a été conçu, qu'il fonde sa légitimité, son narcissisme primaire, comme on dirait en psychanalyse. C'est d'ailleurs sur celui-ci que le narcissisme secondaire s'étaye, autorisant le sujet à s'aimer lui-même et à avoir confiance en sa bonté naturelle.

Ainsi, toute altération au niveau des liens du couple (mésententе chronique, absence d'amour et de chaleur, relations sadomasochistes...) risquera de perturber l'approvisionnement narcissique du petit. Celui-ci sera alors soit délaissé, c'est-à-dire désinvesti, tout simplement, soit, tout à fait à l'inverse, en raison même de la désunion parentale, exagérément investi, hyperprotégé, par l'un d'eux, pour compenser la défaillance de l'autre. C'est ce qui se passe précisément au niveau des familles dites monoparentales, où l'enfant fait souvent couple avec l'un de ses deux parents, en raison de l'absence de l'autre, et se voit ainsi non seulement privé de l'amour des deux, mais pourra se croire de surcroît responsable de leur désunion. Il s'érigera de ce fait en enfant thérapeute, consolateur, le parent de son parent, pour panser ses blessures d'abandon et de solitude dans un contexte quasi incestueux.

Pour guérir ses ascendants, comment l'enfant procède-t-il ? Grâce à une double opération : en absorbant d'une part, tel un buvard, leur dépression, leur mal-être et leur souffrance, pour les en débarrasser, les guérir en résumé. En renonçant, d'autre part, à son être véritable et profond, pour plaire, se montrer conforme à leur idéal, a-conflictuel. Il joue un rôle de séducteur, au fond afin d'attirer leur amour et attention. Il conservera d'ailleurs à l'âge adulte exactement le même modèle relationnel avec les autres. Bloquant toute agressivité saine, il s'interdira d'être soi, vrai, d'exprimer, sans crainte d'être rejeté, ses pensées, ses désirs et ses choix. Il cherchera à faire plaisir à tout le monde, à les protéger, à les guérir, voire à les sauver, au détriment de soi-même afin de prouver son innocence et sa bonté pour ainsi mériter leur affection. Une quantité non négligeable de sa libido est donc investie à lutter contre les deux fantasmes de culpabilité et de mauvaiseté, dans les divers pans de son identité plurielle : amour, travail, enfants...

L'idée d'aspirer le mal d'autrui afin de l'en délivrer peut paraître *a priori* absurde, en tout cas parfaitement irrationnelle. Toutefois, le principe d'une telle transmission sur le plan physique, la crainte de contaminer les autres ou de l'être soi-même par eux, est aujourd'hui évident et scientifiquement démontrée. C'est précisément cette même angoisse qui pousse à diverses vaccinations dès le plus jeune âge, parfois de façon abusive. De même, la propagation d'un esprit à l'autre, cette fois sur le plan psychologique, du mal-être ou du bien-être, paraît un fait admis par tous. On se sent à l'aise et de bonne humeur en compagnie de certains, ou, à l'inverse, gêné ou perturbé, sans motif apparent, au contact des autres, comme si chacun pouvait dégager ou absorber à son tour des énergies positives ou négatives. D'où peut-être la tendance à soupçonner certaines fréquentations d'exercer des influences néfastes sur nos fils, et nos filles, nos compagnes ou nos compagnons, par crainte qu'elles les détournent du bon chemin.

La coutume du Kapparah, pratiquée encore dans les milieux juifs orthodoxes, témoigne également de ce thème d'interpénétration entre les esprits, de la possibilité que l'un puisse pomper les impuretés du second. Il s'agit d'un rituel ancien accompli notamment à la veille du jour du Grand Pardon, le Kippour. Le fidèle se procure une volaille blanche, un coq destiné à un homme et/ou une poule attribuée à une femme. Tenant la volaille par le cou, il doit la tourner trois fois autour de sa tête en disant : « Ceci est mon expiation. Ceci est mon rachat, ceci est ma substitution. Ce coq (ou cette poule) ira à la mort, tandis que moi, j'irai vers une vie longue et heureuse ! » La volaille fonctionne ici comme un aspirateur. Elle sera ensuite égorgée et offerte aux pauvres. Ses entrailles seront jetées aux oiseaux. Ainsi, les péchés du pénitent seront transférés symboliquement à la volaille, sauvant la personne du mauvais œil ou d'un éventuel verdict négatif le lendemain, le jour du Grand Pardon. Une femme enceinte pourra sacrifier trois volailles, une poule pour elle-même, un coq et une poule pour l'enfant qu'elle porte, ne sachant pas s'il s'agit d'une fille ou d'un garçon. Certains utilisent de préférence un poisson, car il n'a pas besoin d'être égorgé. D'autres choisissent de verser aux pauvres la somme correspondante à l'achat des volailles ou du poisson.

Je voudrais relater ici, afin de conforter mon hypothèse de l'absorption par le psychisme enfantin du mal-être de ses proches, une pratique très courante dans la Grèce antique, certes totalement superstitieuse et cruelle si on l'aborde au premier degré, mais extrêmement riche d'enseignements sur le plan symbolique, et édifiante quant au fonctionnement de l'inconscient. Les Athéniens de l'époque classique avaient mis au point une méthode de guérison par « décontamination », utilisant, eux, non pas la volaille blanche ou le poisson, mais le sacrifice humain. Ils entreposaient dans leur cave, et les entretenaient tout au long de l'année, des pauvres gens, esclaves et personnes de basse extraction. Lorsqu'une calamité se déclenchait (épidémie, sécheresse, famine, stérilité, maladie), ils menaient en procession deux esclaves des deux sexes à travers les rues de la ville. Les Athéniens crachaient alors sur ces esclaves, projetant ainsi sur eux le mal qui les rongeait à l'intérieur. Ils étaient censés endosser de cette façon les maux accablant les Athéniens. Ces victimes émissaires étaient ensuite sacrifiées ou chassés des limites de la cité. Et, comme il vaut toujours mieux prévenir (du grec « prophylaxie ») que guérir (du grec « thérapeutique »), les Athéniens ont institué ce rituel sacrificiel apotropaïque (c'est-à-dire qui détourne les maux) à une date fixe chaque année, incorporée à leur calendrier festif. Ainsi, une fois l'an, le six du mois de mai, calamité ou pas, ils procédaient à cette cérémonie purificatrice. Elle permettait de rétablir l'ordre et le cours normal et naturel de la vie d'après eux, par le sacrifice non pas du coupable, totalement inconnu, mais d'un désigné coupable, quelconque, anonyme, interchangeable, au fond totalement innocent, chargé seulement d'aspirer le mal des autres.

Savez-vous comment ces victimes émissaires étaient nommées ? « Pharmakos », mot qui signifie « homme remède », de la même famille que « pharmacie ». On les appelait aussi « katharma », c'est-à-dire « hommes purificateurs », de la même famille que « catharsis ». Ce rituel antique rappelle évidemment par certains côtés la crucifixion de Jésus-Christ, contenant une signification de salut collectif. Selon le récit biblique, « il avait été blessé pour les péchés de tous, et le châtiment qui est tombé sur lui a procuré la paix à tous les hommes, leur permettant de guérir leurs meurtrissures ».

Évidemment, et fort heureusement, ces pratiques impitoyables ont totalement disparu au sein de nos cités modernes, bâties sur le respect des droits de l'homme, l'égalité, la justice, la solidarité. Elles continuent à subsister cependant dans notre inconscient collectif, au fin fond de notre mentalité archaïque et primitive, de notre pensée magique. Peut-être même justement qu'en raison de la disparition de ces rituels du champ visible social, ils ont été intériorisés sous des formes diverses redoublant ainsi leur toxicité. Ne continuons-nous pas, en effet, à nous sacrifier complaisamment pour autrui ou à l'immoler à l'inverse sur l'autel de nos intérêts égoïstes, au nom des dogmes fallacieux, tels que l'amour du prochain ou la solidarité ?

Tous ces développements pour soutenir notamment l'idée qu'il existe en réalité deux couches de dépression chez le sujet. L'une renvoie à celle qu'il a gobée en tant qu'enfant thérapeute, pharmakos, et qui provient de ses parents. La seconde concerne à proprement parler sa D.I.P. personnelle, mise en place et développée dans son vide intérieur consécutif à la carence matricielle.

CÉLINE

Céline a trente-neuf ans. Lors de son premier rendez-vous, elle arrive avec plus d'une demi-heure d'avance. Elle demande pardon en se reprochant sa « trouille » d'être toujours en retard. Elle me semble émue, tendue, comme juste avant un examen. Elle travaille comme « chef » de bureau, « chef » entre guillemets, me dit-elle, dans une société de comptabilité. Pourquoi les guillemets, lui demandé-je sans tarder ?

« Oh, parce que je déteste ce titre qui ne me correspond pas et que je n'ai pas l'impression de mériter. J'ai surtout horreur de commander mes collègues ou de les critiquer lorsqu'ils n'ont pas bien accompli leurs tâches. Je déteste les conflits et les engueulades. Je ne me trouve vraiment pas à ma place dans ce poste. Je ne m'y sens pas légitime. Je pense que certains de mes collaborateurs sont bien plus compétents que moi. »

Céline fait un peu plus vieille que son âge, sans doute parce qu'elle ne semble pas accorder trop d'attention à son apparence : vêtements, maquillage, chevelure. Elle ne cherche pas à se mettre en valeur, bien au contraire, ni dans son travail, ni dans son look.

« En fait, mon plus gros problème c'est que je ne sais pas ce que je veux. Je ne connais pas mon désir, un peu dans tous les domaines de ma vie, notamment dans le travail et l'amour. Du coup, je ne sais plus comment agir ou réagir, rester ou partir…

Au bureau, je me tourmente sans cesse. Je suis indécise. J'ai tout le temps peur de me tromper, de ne pas prendre la bonne décision. La moindre remarque me détruit. Je me sens nulle si je n'atteins pas la barre que je me suis fixée. D'ailleurs, personne n'est aussi sévère à mon égard. Je suis consciente d'être ma propre persécutrice. Je m'entends plutôt bien avec tout le monde, sur le plan humain, disons. Je les aime bien, j'essaie de les protéger. Cependant, du point de vue professionnel, j'ai beaucoup de mal à assumer ma position d'autorité. Comme une petite fille, je n'arrive pas à commander ni à affronter les conflits. Lorsqu'une personne a manqué de vigueur et de vigilance, ou a pris du retard pour boucler un dossier, je n'ose pas exprimer mon mécontentement. Je l'aide à terminer le travail ou je le finis moi-même à sa place en minimisant la gravité de sa négligence. Par contre, si c'est moi qui ai commis une petite erreur, je m'en veux terriblement, même si je sais intellectuellement que ça n'a pas d'importance. Je connais bien ma propension à grossir et à dramatiser mes points faibles.

Pis encore, j'ai une fâcheuse tendance à dévoiler mes doutes et mes points faibles aux autres. Il m'est arrivé aussi de pleurer devant eux, de me mettre en cause et de m'excuser. Ensuite, je me reproche de n'avoir pas assumé ma position de chef et de les avoir insécurisés. Si un employé me demande un jour de congé, je le lui accorde sans chicaner. Je fais tout en réalité pour les arranger, pour qu'ils soient contents de moi, qu'ils n'aient rien à me reprocher, qu'ils m'aiment, en définitive. Je n'ose jamais dire non par peur qu'ils me trouvent méchante et qu'ils me rejettent.

Je ne suis pas fière de moi. Je me suis demandé d'ailleurs si je n'attirais pas les prédateurs sexuels. Heureusement ça n'a pas été bien loin. Un jour, un homme s'est collé à moi dans le métro et a commencé à me tripoter les fesses. J'étais comme pétrifiée, paralysée, incapable de toute réaction. Je n'ai rien pu faire d'autre que de descendre à la première station. Une autre fois, un homme s'est jeté sur moi par derrière dans la rue. Je suis tombée par terre, je me suis mise à hurler et à me débattre.

Apercevant des personnes courir en notre direction, l'agresseur a paniqué et a vite détalé. Après, c'est moi qui ai culpabilisé, je me reprochais d'avoir porté une jupe ce jour-là et non pas un pantalon comme d'habitude. Cette seconde histoire m'a traumatisée. J'avais si peur qu'il me viole ou qu'il me tue.

J'ai fréquenté trois hommes, pas plus, jusqu'ici. Je ne parle pas des quelques tordus que j'ai rencontrés sur Internet, pressés de coucher dès le premier rendez-vous comme si j'étais une prostituée. J'ai donc vécu trois histoires sérieuses, mais je n'ai jamais cohabité avec un garçon. L'amour et la sexualité m'ont toujours parus compliqués. J'ai l'impression d'être éteinte sur ces plans-là. Je ne ressens rien de tous ces émois fiévreux et violents que tant de femmes semblent éprouver dans les romans ou sur les écrans de cinéma. Je n'ai jamais connu ce qu'on appelle l'orgasme. J'ignore même si j'ai jamais réellement aimé quelqu'un, peut-être que oui intellectuellement, mais sans le ressentir franchement. Je me dis, en regardant par exemple un paysage : "C'est beau !", mais je n'éprouve pas grand-chose. Je pense aussi dans ma tête que ma mère m'aime, que mon copain est amoureux de moi, mais ça ne m'émeut pas, je ne vibre pas. Je leur fais confiance, à condition qu'ils n'en fassent pas trop, qu'ils ne surjouent pas jusqu'à la caricature des rôles d'amoureux exalté ou de mère hyper-affectueuse ! Là, curieusement, je me mets à douter de leur sincérité. Après, je me sens coupable d'être ingrate et je m'en veux de les décevoir. Je tombe donc difficilement amoureuse. Ce qui m'intéresse, au fond, c'est plutôt qu'on m'aime. Aimer n'est pas évident pour moi. Il existe pourtant deux choses susceptibles de m'émouvoir : la musique classique me fait vibrer aux larmes. Elle peut me transporter magiquement vers l'absolu, le septième ciel. Ensuite, dans le sens négatif cette fois, entendre parler d'un animal ou d'un être humain qui souffre de maltraitances me bouleverse au plus haut point. Je me mets en colère et je pleure aussi quand je vois des scènes de destruction de la forêt brésilienne à la télé. C'est l'une des raisons pour lesquelles je n'apprécie pas du tout mon poste et que je ne m'y sens pas à ma place. J'aurais tant préféré travailler dans une organisation humanitaire pour rendre la société plus belle. La richesse ne me dit rien. Mon idéal c'est de secourir les gens malheureux. Je recherche la pureté, l'humanité, la justice, la sincérité et la solidarité. Consommer, m'acheter des habits chers, ça ne m'intéresse pas.

Pour revenir à l'amour, je n'arrive pas à tomber suffisamment amoureuse pour me décider à vivre avec un homme et à fonder une famille. Patrice, mon copain actuel, m'aime, j'en suis certaine, mais moi je ne sais pas ce que je ressens pour lui. J'ai beaucoup de mal aussi avec le sexe. J'ai déjà horreur du mot "coucher". Il me perturbe, j'ignore pourquoi. Je le trouve très vulgaire. Avec Patrice nous traversons des hauts et des bas sur ce plan-là, mais plus souvent des bas. Il n'ose même plus me toucher des fois. Je me ferme sans raison, pour une bêtise, pour rien. Je lui reproche par exemple de ne m'avoir pas écoutée ou de ne m'avoir pas répondu immédiatement. Et puis, il me faudrait pas mal de conditions pour pouvoir faire l'amour, l'ambiance, la patience, la douceur, sinon je me referme sur moi-même comme une huître. Quand je regarde dans un film un couple s'entrelacer et faire l'amour dans les toilettes ou les escaliers, je suis abasourdie. C'est tellement loin de moi !

Certains soirs, je décide, plutôt par devoir, en me disant qu'il ne faudrait peut-être pas le frustrer outre mesure, de me laisser faire, de me donner. Alors, avant de me mettre au lit, je m'enferme dans la salle de bain sous prétexte de faire ma toilette, mais en réalité pour me détendre, me préparer à vivre l'épreuve qui m'attend. Je mets tellement de temps, parfois, qu'en rejoignant Patrice, je le trouve endormi.

Le fait de me laisser faire par un homme constitue l'une de mes plus grandes peurs, c'est terrible. La pénétration a un côté atroce, monstrueux pour moi, quelque chose de bestial. Je n'apprécie pas beaucoup les préliminaires non plus, hormis les étreintes et les câlins. Embrasser sur la bouche ou sur le sexe, j'ai beaucoup de mal. Une fois un copain m'a proposé de lui faire une fellation. Je me suis sauvée sans me retourner. J'ai tellement honte de mon ressenti, que je trouve exagéré, absurde, voire maladif, que je n'ose pas en parler à mes copines, même pas à ma meilleure amie. Celle-ci est très amoureuse de son mari, elle a deux enfants, et a l'air si bien dans sa peau !

Pourtant Patrice est adorable. Je n'ai rien à lui reprocher. Il est doux et patient. Il ne me bouscule pas, ne me contrarie pas trop. Je me sens en sécurité avec lui. Intellectuellement, nous nous entendons pas mal. Il est normal, surtout, il est plus joyeux que moi. Il aime jouer, par exemple, alors que je n'adore pas ça. Tout ce que je fais doit servir à quelque chose. Je ne pourrais pas le quitter non plus, parce que je me sentirais trop coupable. Je ne veux pas lui faire de peine.

D'un autre côté, si je me laisse aller, j'aurais l'impression de m'écraser. Il deviendrait supérieur à moi et serait tenté de me dominer. Pour toutes ces raisons, je suis restée vierge jusqu'à trente-deux ans. Un copain, après avoir longtemps insisté pour sortir avec moi, m'a qualifiée en riant de "forteresse imprenable" ! Cela m'avait un peu blessée sur le moment, mais je n'avais pas envie de céder à ses avances sans éprouver de désir pour lui. Quand j'ai eu mes règles, vers treize ans, je ne comprenais pas ce qui m'arrivait. J'avais peur d'être tombée malade. Ma mère ne m'avait pas prévenue. Ensuite, quand elle m'a expliqué, je me suis mise à pleurer. Pour me consoler, elle m'a offert une poupée, alors qu'elle m'avait dit juste avant que j'étais devenue une femme ! Après j'avais honte d'avoir ça tous les mois, je me sentais humiliée, sale.

À quinze ans, je me suis mise à me maquiller. Quelque chose commençait à s'éveiller en moi. J'avais envie d'être jolie et de plaire aux garçons. Je m'intéressais à mes formes que j'admirais dans le miroir. Je me caressais parfois dans mon lit, le soir, avant de m'endormir. Un jour, une copine m'a parlé de l'épilation comme quelque chose de normal et de courant pour s'occuper de son corps de femme. J'ai voulu en discuter avec ma mère. Elle est devenue livide et m'a mitraillée du regard.

Sa réaction sous-entendait que je cherchais à séduire les garçons, que ce n'était pas bien et que j'étais sur une mauvaise pente, sous l'influence négative des filles de ma classe. Elle a ajouté aussi, en présence de mon père, qu'il ne faudrait pas que je sois une fille trop facile, trop légère, que je devais faire attention et me méfier des garçons risquant de me filer des maladies et de me faire tomber enceinte. Mon père en a profité pour me sermonner et me rappeler encore une fois que l'essentiel, à mon âge, c'était de m'occuper de mes études pour pouvoir passer mon bac avec mention. Je me suis sentie très humiliée par cette scène. Depuis, je n'ai plus jamais dévoilé ma vie sentimentale, il est vrai assez pauvre, à mes parents, par crainte toujours de passer pour une mauvaise fille et de leur faire de la peine. Aimer un homme signifiait ne plus les aimer, les abandonner, surtout ma mère.

Je ne fréquente Patrice qu'en cachette pour ce motif. Je ne veux pas le présenter à mes parents de peur qu'il ne leur déplaise, qu'ils le trouvent pas assez ceci ou cela. Par contre, ils sont très fiers de ma réussite professionnelle. J'y consacre depuis mon adolescence la quasi-totalité de mon énergie et de mon temps. Mais, contrairement à eux, je pense avoir raté ma vie. Je gagne de l'argent, certes, mais ce que je fais ne me plaît guère. J'ai surtout échoué dans ma vie de femme et de mère puisque mon horloge biologique va bientôt s'arrêter.

Le soir, quand je rentre à la maison, je ressens comme un vide en moi, en plus de la fatigue et du stress de la journée. Personne ne m'attend, ni enfant, ni compagnon, rien que mon chat, peut-être ! Alors, pour me consoler, je me mets à avaler n'importe quelle cochonnerie, des sucreries de préférence, chocolat, crèmes glacées et bonbons, au lieu de me faire correctement à manger. La boulimie, c'est mon défouloir. Mon ventre me dit stop, mais ma tête réclame davantage. Les soirs d'été, j'arrive à sortir un peu, à dîner dehors avec une amie ou un copain. Quand je suis avec Patrice, je mange normalement. Je ne ressens pas le besoin de me remplir. En hiver, la plupart du temps, je reste chez moi après le boulot, sous la couette, avec un bouquin et mon chat sur moi.»

Comment pouvons-nous comprendre les motifs de la souffrance de Céline, sa difficulté à ouvrir son cœur et son corps à un homme, celle d'accepter d'être aimée par lui, se donner et le recevoir dans la réciprocité ? Pourquoi se dit-elle éteinte sur le plan émotionnel ? Pourquoi s'est-elle transformée en «forteresse imprenable» ? Pourquoi, au printemps de sa vie, où les fleurs de sa féminité commençaient à s'épanouir, a-t-elle sombré brutalement dans la nuit sombre et froide de l'hiver, sautant ainsi l'été, sa jeunesse ? Quels seraient le sens et la fonction de tous ces symptômes, leur utilité, si l'on peut dire, même si cette idée pourrait paraître *a priori* saugrenue. Chacun est convaincu, en effet, qu'un blocage ou une difficulté psychologique, par définition négatifs, ne contiennent aucun bénéfice et qu'on devrait donc se presser de les éradiquer, comme on le ferait avec les mauvaises herbes. En réalité, tout symptôme, aussi pénible et invalidant soit-il, a été mis en place inconsciemment pour remplir une fonction à un moment donné, nécessaire, voire positive, dans l'économie psychique. D'où l'intérêt de chercher à comprendre son origine et sa signification cachées, au lieu de s'épuiser à s'en débarrasser. À l'exemple de ce qui se passe sur le plan somatique, une inflammation ou une névralgie servent, entre autres, à protéger l'organisme en signalant une anomalie (une tumeur, une fracture) ou un danger imminent (relever son pied que l'on vient de poser par inadvertance sur un clou ; lâcher immédiatement le manche brûlant d'une casserole). D'où le danger de la consommation abusive de médicaments psychiatriques. Ceux-ci, en faisant taire la souffrance, ne guérissent pas le sujet pour autant. Ils l'amputent, en lui procurant un apaisement artificiel passager, de la possibilité de s'ouvrir à son intériorité.

Dire simplement de Céline qu'elle est frigide, c'est une évidence, certes, mais qui ne veut précisément rien dire, plus près d'une dépréciation que d'un diagnostic. D'autant plus que nulle femme n'est vraiment frigide par nature. Elle l'est devenue dans un contexte bien précis, pour se protéger contre une menace psychique, pour assurer sa survie. Ce symptôme ne traduit point une crainte ou un désintérêt pour le sexe, mais plus précisément un blocage, une interdiction inconsciente de se reconnaître comme une femme adulte, de prendre possession de son corps et de son désir, de s'émanciper de la tutelle de ses parents, notamment de celle de sa mère. La frigidité lui sert à demeurer petite fille, à ne pas grandir pour se prémunir contre ce risque.

Seule la compréhension de l'histoire personnelle et transgénérationnelle est susceptible de restituer au sujet sa liberté intérieure en le délivrant de son passé, en le rendant présent à son Ici et Maintenant. Cécile s'interdit de se séparer de la matrice. C'est le motif principal de son extinction émotionnelle. Elle continue à demeurer sous l'emprise de la petite fille en elle, coupable et thérapeute. Ne rien ressentir dans son corps et son cœur de femme lui sert à maintenir la fusion avec sa mère, écartant ainsi tout risque de séparation.

Écoutons son histoire :

« Mes parents ont eu quatre enfants, mais ils ont perdu un garçon juste avant moi, à l'âge de quatre semaines, sans avoir réussi à en trouver la cause. J'ai un grand frère de quarante-cinq ans et une sœur de trente-six ans. Lorsque ma mère était enceinte de son deuxième bébé, mon frère disparu, elle a perdu sa mère, à laquelle elle était très attachée, d'un AVC. Cette disparition l'a beaucoup perturbée. Elles habitaient dans le même quartier et se rendaient visite tous les jours. Du coup, jusqu'à son accouchement, au lieu de se réjouir du bébé qui poussait dans son ventre, elle n'a fait que pleurer la perte de sa mère.

Jusqu'à mon adolescence, j'ai toujours été très malheureuse d'entendre ces deux histoires. Je me mettais à pleurer avec elle, non pas du fait d'avoir perdu ma grand-mère ni mon frère que je n'avais pas connus, mais plutôt parce que touchée par le chagrin de ma mère. C'est pour elle que je pleurais, en fait. Je me substituais à elle pour qu'elle cesse de se lamenter.

Depuis toujours, j'ai senti ma mère triste, plaintive, négative. Elle se mettait facilement en colère, devenait agressive dans ses paroles dès que quelqu'un la contrariait. Elle était assez irritable, elle explosait pour une futilité. Elle était d'humeur changeante, imprévisible. Quand elle me prenait sur ses genoux, j'étais crispée. Elle pouvait me lâcher à tout instant pour aller hurler contre ma petite sœur. Mon frère jouissait, par contre, d'une sorte d'impunité. Il n'était pratiquement jamais réprimandé.

Mon père, de quinze ans plus vieux qu'elle, la craignait. Il fuyait les conflits, évitant les sujets sensibles. Il était en revanche plus proche de nous, plus communicatif, plus gentil, je dirais plus "maternel". Il était issu d'un milieu ouvrier alors que ma mère descendait de la petite bourgeoisie. C'était elle la propriétaire de l'appartement dans lequel nous habitions. Elle n'hésitait d'ailleurs pas à le rappeler malicieusement quand mon père lui faisait remarquer timidement qu'elle était un peu trop dépensière. Je lisais alors l'humiliation dans les yeux de mon père.

Encore aujourd'hui il reste soumis à ma mère et exécute ses quatre volontés. Parfois, quand il voyait ma mère frustrée, parce qu'elle ne pouvait dépenser autant qu'elle l'aurait souhaité, il lui proposait de le quitter pour se trouver un mari fortuné. J'avais si peur qu'ils se séparent. Une fois, j'ai supplié mon père : "Non papa, ne t'en va pas. Je te promets de gagner plein de sous pour toi quand je serai grande !"

Dans l'ensemble, ma mère est une femme dominatrice. Elle aime commander et exige qu'on lui obéisse sans protester. Avec moi, elle était omniprésente, bien plus qu'avec mon frère et ma petite sœur. Elle m'a dit une fois que, lorsqu'elle m'attendait et après, quand j'étais petite, elle a toujours eu peur de me perdre, marquée par la disparition de mon frère. Du coup, elle était collante avec moi, étouffante, fusionnelle, cherchant constamment à savoir où j'étais, avec qui et ce que je faisais. Elle m'interrogeait aussi sur mes émotions et pensées. Avant de lui répondre, je cherchais une formule pour ne pas trop lui déplaire. Elle a insisté, par exemple, pour me laver sous la douche jusqu'à mes douze ans, partout, méticuleusement. Elle avait décrété que je ne savais pas me "débarbouiller" toute seule. Je protestais, mais je lui obéissais pour lui faire plaisir. Elle tenait aussi à compléter mes coloriages et à peindre mes figurines, soutenant par exemple que je n'avais pas bien fait, ou que j'avais été maladroite. Elle me devançait aussi, sans me prévenir, pour emballer les cadeaux que je voulais offrir à Noël. Si je boudais, elle me culpabilisait en me reprochant mon ingratitude, mon principal défaut, d'après elle.

Une fois, j'avais environ quatre ans, j'ai fait tomber par inadvertance, en le portant à ma bouche, un gobelet de jus de pomme qu'elle m'avait servi pour mon goûter. Elle a hurlé comme si j'avais commis un crime. J'ai eu très peur de sa colère, mais, en même temps, j'étais malheureuse pour elle. Je me sentais coupable d'avoir rejeté l'amour qu'elle avait mis dans ma boisson préférée. Une autre fois, quand j'avais six ans, elle m'a accusée un jour d'avoir bouché les toilettes en lavant ma dînette. Je lui ai juré que ce n'était pas moi et que je n'avais pas touché à mon jouet. Elle m'a rétorqué que je mentais, qu'elle allait appeler les gendarmes pour qu'ils viennent m'embarquer. J'étais terrorisée, convaincue qu'elle allait me rejeter. Encore une autre fois, à dix ans, elle a trouvé une bouteille de vinaigre cassée dans le placard. C'est tout de suite moi qu'elle a accusée, alors qu'elle savait parfaitement que la bouteille était déjà fêlée. Elle s'est mise à hurler en disant que si elle pouvait, elle m'écraserait la tête : "On va te faire mettre à l'hospice. On va te faire interner, enfermer là dedans. Ils te feront des électrochocs..."

Je me suis persuadée alors qu'elle cherchait à me supprimer. J'avais peur qu'elle vienne me tuer dans mon sommeil. Alors, la nuit, je plaçais certains objets entre la porte de ma chambre et mon lit pour qu'elle se prenne les pieds dedans et se renverse si elle tentait de rentrer.

Je me rendais compte depuis toute petite que, si ma mère se mettait en colère, c'est parce qu'elle était malheureuse, insatisfaite de ce qu'elle était devenue. Alors, je me suis fixé la mission de lui venir en aide, de la rendre heureuse. Je me sentais atrocement coupable, surtout, puisqu'elle désigne ma petite sœur et moi comme les causes de sa désolation. Elle répétait sans cesse qu'elle s'était sacrifiée pour nous, sans jamais faire d'allusion à mon frère, parfait à ses yeux. C'est depuis ma naissance qu'elle a cessé de travailler, pour “bien s'occuper de moi”, certainement parce que le décès de mon frère l'a traumatisée. C'est, enfin, depuis qu'elle avait été enceinte de moi qu'elle avait beaucoup grossi sans plus pouvoir mincir malgré tous ses régimes. C'était donc moi la coupable, celle qui l'avait empêché de travailler, celle qui l'avait fait grossir !

Je me souviens qu'entre mes dix et douze ans, au catéchisme et les dimanches à l'église, je priais avec ferveur la Vierge Marie pour que maman retrouve du travail et qu'elle maigrisse. Son poids la faisait beaucoup souffrir, la pauvre. Elle s'en plaignait souvent. Moi, je ne la trouvais pas grosse du tout. C'était ma mère. Je l'aimais comme elle était. Je la trouvais belle. Mes prières s'avérant aussi inefficaces que ses régimes, j'étais non seulement triste de la voir malheureuse, mais je me sentais coupable de ne pouvoir trouver de solution. Dans ce contexte, je faisais tout mon possible pour lui faire plaisir, être sage, ne pas me disputer avec ma petite sœur, malgré les vacheries qu'elle me faisait, travailler bien à l'école...

J'ai accepté, par exemple, en CM1, de renoncer de partir en classe de neige avec mes copines. J'ai même prétendu que je n'en avais pas envie du tout, simplement parce que j'avais deviné que ma mère ne le souhaitait pas. Elle craignait sans doute qu'il m'arrive quelque chose à la montagne, loin d'elle. Elle faisait allusion, aussi, sans l'exprimer ouvertement, à la maigreur de ses moyens. D'ailleurs, d'une façon générale, elle n'était pas souvent enthousiaste à l'idée que j'aille jouer chez mes copines. Nous vivions un peu en vase clos. Mes parents ne menaient pas une vie sociale très riche. Ils recevaient peu et étaient rarement invités chez des amis ou la famille, hormis quelques enterrements et de rares mariages.

Ce que j'ai toujours trouvé perturbant chez elle, c'est qu'en cherchant la fusion avec moi, ce n'était pas pour me donner de l'amour et me dorloter, mais surtout pour me critiquer. Je suis d'autant plus troublée qu'elle était concrètement tout à fait irréprochable, parfaite. Elle s'est toujours bien occupée de nous. Elle faisait attention pour qu'on soit propres et bien habillés, qu'on ait terminé nos devoirs avant de nous coucher.

J'étais une petite fille on ne pourrait plus facile, sage, obéissante, devançant les désirs de ma mère avant même qu'elle ait besoin de les formuler. Elle avait, par contre, pas mal de frictions avec ma sœur. Elle pensait plus à s'amuser qu'à travailler, à apprendre et à mémoriser par exemple, ses tables de multiplication. Ma mère hurlait comme une folle. Ma sœur pleurait, criait qu'elle n'y arriverait jamais. Moi, je me plaçais à côté d'elles, en m'imaginant que j'étais ma sœur. Je me glissais dans sa peau, en quelque sorte. Je répétais alors les tables de multiplication dans ma tête, persuadée que ça l'aiderait à les mémoriser. J'apprenais à sa place, pour elle, dans l'unique but d'apaiser ma mère.

Un jour, en CM2, quand je lui ai ramené mon carnet de notes, elle m'a dit froidement : "c'est bien". Ensuite, elle m'a fait la gueule toute la semaine. Elle était mécontente en fait parce que j'étais la troisième de ma classe et non pas la première. J'ai décidé alors d'être désormais la meilleure. Je suis devenue perfectionniste, brillante, en mathématiques surtout, alors qu'elles ne m'avaient jamais vraiment intéressée.

À quinze ans, j'ai décidé de l'aider vraiment à maigrir. J'ai procédé comme avec ma sœur quand elle peinait à mémoriser ses tables de multiplication. Je m'imaginais alors que j'étais ma mère, grosse, avec beaucoup de poids à perdre. Je suis devenue elle dans ma tête. Je mangeais de moins en moins, en faisant parallèlement plein d'activités. Je tenais à lui montrer que c'était possible, voire facile, en définitive, à lui dire : "Tu vois, je fais ce que tu aurais voulu." J'ai perdu pas mal de poids rapidement. Je n'avais plus faim. La nourriture me dégoûtait, par moments. Lorsque j'avais l'impression d'avoir trop mangé, je me faisais vomir en cachette. Au début, je maîtrisais parfaitement la situation, mais peu à peu les choses m'ont échappé. Je ne pouvais plus faire marche arrière. Au départ, elle ne réagissait pas trop. Un peu plus tard, elle s'est mise à crier, en me menaçant de me mettre dehors si je refusais de me nourrir. Je ne comprenais pas trop les motifs de sa colère. Moi, c'était par amour pour elle que je maigrissais. Je m'interdisais d'être heureuse si elle ne l'était pas.

À cette période, elle avait l'air de me haïr. Je lisais la haine dans ses yeux. Lorsque j'ai atteint la barre de trente-cinq kilos, mes parents sont venus me parler tous les deux dans ma chambre. J'ai lu la détresse dans leurs yeux, la panique de me perdre. C'est là seulement que j'ai accepté de me faire hospitaliser, pas vraiment pour moi, mais pour les rassurer. Je ne me souviens pas trop de ce qu'ils m'ont dit à ce moment-là, ce que je retiens c'est qu'ils m'ont parlé avec douceur. J'étais surtout très émue de les voir ensemble, unis, proches, solidaires.

Au bout de trois mois d'hospitalisation, je suis retournée chez moi avec la ferme intention de bien travailler à l'école, pour réussir l'année après mon bac et entrer à l'université. Le projet de m'éloigner de mes parents et de devenir indépendante me traversait l'esprit, certes, mais je pense que je n'osais pas l'assumer. Mon objectif majeur était de rendre ma mère heureuse. Les premiers temps de mon retour de la clinique, elle s'est montrée plutôt affectueuse. J'étais contente. J'avais l'impression que mon anorexie n'avait pas été inutile, qu'elle nous avait aidées, ma mère et moi, à nous rapprocher. Il est vrai qu'en plus mon hospitalisation lui avait "coupé l'appétit". Elle avait réussi à perdre quelques bons kilos.

Cependant, peu à peu, le climat de la maison redevint comme par le passé. Ma mère grognait sans arrêt, pour tout et rien. Elle me reprochait de ne pas assez manger, d'être trop maigre, comme ma grand-mère paternelle, qu'elle disait détester. Elle me préparait aussi moult plats dont je m'empiffrais pour lui faire plaisir, prenant son effervescence culinaire pour une preuve d'amour et de tendresse. Finalement, mon anorexie lui permettait de me materner. Moi, de mon côté, j'ingurgitais tout ce qu'elle me présentait pour lui prouver que je l'aimais. Être conforme à ses vœux la maintenait en vie. Sa survie dépendait de ma fidélité. Je lui obéissais.

Au cours de l'année précédant le bac, que j'ai passé ensuite avec la mention Bien, s'est posée la question de mon orientation. Ma mère avait décidé que je ferais médecine. Moi, être médecin ne me passionnait pas. Je n'avais cependant aucun autre projet. J'ignorais complètement quel métier je serais capable d'exercer, ni les études que j'aurais envie d'entamer. Je manquais de confiance en moi. L'essentiel consistant à satisfaire ma mère, j'ai accepté de m'inscrire en médecine sans problème. C'est mon père qui s'est occupé des démarches administratives. C'est lui qui m'a accompagnée, a rempli tous les papiers, posé toutes les questions à la secrétaire. Moi, je me tenais sagement comme une petite fille à ses côtés. Lorsqu'il l'a interrogée sur l'emplacement de l'amphithéâtre, elle a répondu, passablement énervée : “Mais laissez parler un peu votre fille, monsieur !” Je me suis sentie si infantilisée, si humiliée !

La faculté se trouvant à deux heures de chez nous, mes parents m'ont loué une chambre dans l'appartement d'un cousin éloigné. Ils m'ont dit que ça les inquiéterait trop de me voir lâchée toute seule dans la grande ville.

Malgré tous mes efforts, j'ai raté l'examen de passage de la première année et j'ai abandonné la médecine. Mon père est venu me chercher et m'a ramenée à la maison. Il fallait réfléchir à une nouvelle orientation. Il a remarqué dans ma chambre, au dessus de mon lit, le portrait d'un chanteur que j'aimais beaucoup à l'époque. Il a arraché l'affiche avec violence, l'a déchirée et jetée à la poubelle, tout en me reprochant ma désinvolture.

Une fois rentrée à la maison, il a raconté ce qui s'était passé à ma mère. Ils se sont mis alors tous les deux à me poser plein de questions, si j'avais un petit ami, si j'avais déjà couché avec un garçon... Ils m'ont demandé aussi, j'ignore pourquoi, si je n'étais pas embrigadée dans une secte et surtout si je ne m'étais pas droguée. Je leur ai répondu clairement non, bien sûr, mais ma mère a tenu à vérifier mes bras pour être certaine qu'ils n'y avait pas de trace de piqûre.

Ces comportements ne m'ont surprise qu'à moitié. Depuis toute petite, ils ont censuré chez moi toutes les représentations liées au sexe. Ma mère, par exemple, a toujours refusé de m'acheter des poupées Barbie, alors que toutes mes copines en avaient. Elle n'était pas d'accord, disait-elle, pour que je joue avec des poupées avec une poitrine. Elle avait décrété que c'était indécent pour une petite fille de mon âge.

Même bien après ma puberté, quand nous regardions un film en famille à la télé, dès qu'il y avait une séquence de baisers, elle déclamait: “Rid... eau!” ce qui signifiait que nous devions fermer nos paupières, et baisser nos têtes pour ne pas regarder ces scènes.

Au cours de l'été suivant mon échec en médecine, j'ai eu pendant mes règles une sérieuse hémorragie. J'ai dû être hospitalisée. Encore une fois, mes parents ont eu peur de me perdre. Ma mère m'a demandé, dans ma chambre d'hôpital, si cela ne faisait pas suite à une relation sexuelle. J'ai été obligée de la rassurer au lieu de l'engueuler, au lieu de lui interdire de se mêler de mon intimité.

La sentant toujours malheureuse, j'ai continué à me laisser manipuler par elle, j'avais en réalité peur de me l'avouer. Je suis restée petite pour lui plaire.

Elle, elle a fait sa vie malgré tout, elle a eu un mari et des enfants. Moi, par contre, j'ai complètement raté la mienne. Encore maintenant, à l'aube de mes quarante ans, elle m'appelle “la petite”. La semaine dernière, par exemple, en regardant l'album de famille, elle me montrait les photos de son mariage. Elle m'a dit en mettant le doigt sur mon père : "Tu aurais bien voulu en trouver un comme lui", comme si j'étais une petite fille dont elle cherchait à exciter la jalousie.

Elle me téléphone souvent pour que j'aille passer le week-end "avec elle", me dit-elle, comme si mon père était déjà mort ou qu'il ne comptait plus. Elle me demande de rester deux ou trois jours, sans se dire que je pourrais avoir une vie personnelle. Le pire, c'est que, chez elle, je dois me soumettre à sa volonté, me plier à son rythme. Je tente de me révolter, parfois, mais elle insiste et me manipule avec son arme favorite, la culpabilité : "Viens passer le dimanche au moins, j'ai prévu un bon poulet fermier. Si tu ne viens pas on ne pourra pas le finir, je serai obligée de le jeter à la poubelle." Une autre fois, elle m'avait envoyé une lettre pour me reprocher de ne pas communiquer suffisamment avec elle. Elle avait placé une enveloppe timbrée à l'intérieur pour la réponse.

Mon problème, c'est que je n'arrive pas à dire non calmement. Je passe souvent d'un extrême à l'autre. Soit je suis douce, arrangeante, gentille. Soit je deviens agressive et j'explose, j'aboie littéralement. Tout dialogue devient alors impossible, je claque la porte et je m'en vais. J'ai beaucoup de mal à me situer dans le juste milieu. Après, j'ai honte de moi et je me sens coupable. Je me confonds en excuses et je me mets à pleurer devant tout le monde, même mes collègues de travail. Je me reproche surtout de crier comme ma mère, alors que je fais tout pour ne pas lui ressembler.

À la rentrée du mois de septembre de mes vingt ans, mes parents m'ont proposé de rentrer dans une école de commerce. J'ai accepté, ne sachant pas quoi faire d'autre. J'ai été encouragée aussi par le fantasme de trouver un bon emploi à la sortie, et bien rémunéré. Ensuite, je me suis spécialisée dans la comptabilité des grosses sociétés. C'est ce qui m'a permis d'occuper mon poste actuel que je déteste en réalité.

Lorsque j'ai quitté mes parents, à vingt-cinq ans, j'ai loué un appartement avec mes propres deniers. Ma mère a sévèrement déprimé pendant deux ans, au point de nécessiter un traitement. Je me suis sentie si coupable. C'est là que j'ai débuté une psychothérapie que j'ai décidé d'interrompre peu après. Je ne me sentais pas comprise, ni vraiment écoutée par cette thérapeute. Elle me paraissait froide et autoritaire, exactement comme ma mère ! Elle m'a appelée pour me conseiller de ne pas laisser ma thérapie inachevée. Je n'ai pas osé lui dire non, mais ensuite, je ne l'ai plus rappelée. J'ai appris deux mois plus tard qu'elle était décédée. Je me suis sentie coupable comme si elle était morte par ma faute, parce que je l'avais quittée, abandonnée plus exactement, comme je l'avais fait avec ma mère.»

Céline incarne de façon troublante l'enfant thérapeute, le pharmakos de l'Antiquité grecque, aspirant, épongeant les maux d'autrui, de sa mère en particulier, de sa sœur et de ses collègues pour les en délivrer. Elle épuise son énergie psychique, sacrifie son identité et ses désirs pour guérir les autres. Cette opération est motivée par la D.I.P. consécutive à la carence matricielle. Elle a pour but de contrecarrer la culpabilité et donc la certitude imaginaire de la mauvaiseté. Céline tend à démontrer à elle-même et aux autres son innocence, sa bonté et sa légitimité, dans le but d'attirer, mais de mériter surtout, l'amour qui lui a fait défaut dans le passé, pour combler son déficit narcissique.

Elle s'est mise au service prioritaire de l'assouvissement du besoin fusionnel de sa mère, dominée, elle, par la petite fille en elle redoutant la séparation. Le processus de l'autonomisation psychique de Céline s'est trouvé ainsi grandement perturbé. Elle a été prise dans un lacis d'inséparation, empêchée de couper le cordon par lequel sa mère la tenait. Celle-ci semble, d'après le récit de sa fille, éprouver depuis toujours de sérieuses difficultés à la laisser s'émanciper, devenir une femme adulte qui puisse désirer un homme et être désirée par lui.

Pour quelles raisons la mère de ma patiente empêchait-elle, certes inconsciemment, l'autonomisation de sa fille ? Par méchanceté ? Par manque d'amour ? Je ne le crois pas. J'ai toujours été fermement opposé à la culpabilisation des pères ou des mères, rétif à les accabler de jugements dépréciatifs. Certains ont certes abîmé leur progéniture, allant jusqu'à les assassiner. D'autres les ont écrasés psychologiquement sous le poids d'une éducation militaro-carcérale, au nom d'idéaux de réussite et de brillance démesurés. Cependant, la très grande majorité ne nuit pas par méchanceté, ou de façon perverse. C'est qu'ils ont subi eux-mêmes des enfances compliquées.

D'ailleurs, si la mère de Céline a commis une « faute », celle-ci ne renvoie pas à une absence d'amour, mais à sa démesure. La possessivité de cette mère peut être éclairée par deux séries de raisons, l'une existentielle et la seconde transgénérationnelle. Son hyperprotection provient, en premier lieu, de la peur excessive de perdre sa fille, suite à deux autres pertes antérieures dramatiques : celle de sa propre mère quand elle était enceinte de son deuxième bébé et celle de cet enfant, véritablement cauchemardesque, quatre semaines seulement après lui avoir donné la vie. Ces deux traumatismes, notamment le second, sont bouleversants. Ils sont néanmoins susceptibles de cicatriser avec le temps, lentement, péniblement, peut-être quelquefois jamais totalement lorsqu'il s'agit de la disparition de son enfant. Ce qui entrave le travail de deuil est relatif à la résurgence d'une culpabilité massive, celle de la victime innocente, liée à des fantasmes d'impuissance et de mauvaiseté : « Je n'ai pas été capable de les sauver. Je ne me suis pas bien occupée d'eux comme il le fallait, si j'avais agi autrement, ces drames ne se seraient pas produits... Pis encore, c'est indirectement moi qui les ai tués. Donc, tout est de ma faute, je suis nulle, mauvaise, nocive. Toute autre femme s'en serait mieux sortie. »

Tout se passe donc comme si, à la naissance de Céline, cette mère avait tenté de se racheter, si l'on peut dire, en démontrant à elle-même et aux autres qu'elle n'était pas mauvaise, incapable de conserver la vie de son bébé. Elle s'est efforcée de réparer à travers son hyperprotection ses méfaits imaginaires. C'est le seul moyen qu'elle a trouvé pour lutter contre les angoisses et la culpabilité que la venue au monde de Céline a suscitées en elle.

Cependant, ces deux épreuves, aussi douloureuses soient-elles, n'ont pu résister au travail de deuil que dans la mesure où elles ont été reconnectées à d'autres événements dans un Ailleurs et Avant, de même nature et dans une continuité de sens. Les deux blessures subies par cette femme renvoient à une thématique transgénérationnelle d'abandon non résorbée, non archivée.

L'arrière grand-mère maternelle de Céline a perdu son mari de maladie quand elle n'avait que vingt-neuf ans, restant seule avec trois enfants à charge, dont celle qui deviendra plus tard la grand-mère de ma patiente, qui avait à l'époque cinq ans. À l'âge de vingt ans, celle-ci a été contrainte par sa mère de se marier à un homme qu'elle n'affectionnait point, réputé déjà comme étant volage et qui l'a par la suite trompée de nombreuses fois. Lorsqu'elle s'est trouvée enceinte de sa fille (la mère de Céline), elle a sombré brutalement dans la dépression en apprenant l'existence d'une sœur adultérine plus âgée, qui avait été sa camarade de classe pendant plusieurs années. La mère de Céline a été placée très jeune en pensionnat chez les sœurs. Ses deux frères aînés ont été faits prisonniers de guerre entre 1940 et 1945, et ont été déportés en Allemagne. Cet épisode a été dramatiquement vécu par la mère de ma patiente aussi qui, arrachée à ses deux frères, s'est trouvée impuissante face à l'aggravation de la dépression maternelle. « Ma mère m'a confié, raconte Céline, qu'elle éprouvait beaucoup de peine pour ses frères qu'elle adorait, mais qu'elle était encore plus accablée, peut-être, par la détresse de sa mère ! »

Voici pourquoi, au bout du compte, Céline s'interdit, la petite fille en elle plus précisément, de grandir, de devenir adulte, d'assumer l'amour et la maternité. Elle se doit inconsciemment de rester attachée à sa mère, non pas parce qu'elle est immature, mais pour ne pas enfoncer le couteau dans les blessures d'abandon anciennes de sa mère.

C'est bien là que se situe le sens ultime du trouble anorexique de la jeune fille : effacer ses formes féminines, ne pas devenir femme, ne se lier à aucun homme dans le but de rester fidèle à sa mère, sa gardienne, et la soigner. Toute séparation est devenue dans son esprit synonyme de rupture et donc de trahison à l'égard de la matrice, culpabilisante et, par conséquent, censurée. Il n'est ainsi guère étonnant que Céline se soit forgée une si mauvaise image d'elle-même. La dépression se compose invariablement de deux couches. La première renvoie à la D.I.P. personnelle, conséquence de la privation matricielle et de la culpabilité de la victime innocente. La seconde représente la dépression maternelle, celle de la petite fille en elle que l'enfant thérapeute Céline, la pharmakos, a absorbée.

Ainsi ma patiente se voit-elle tiraillée entre deux voies/voix en elle : continuer à jouer le rôle d'enfant thérapeute pour consoler ses ancêtres femmes, au sein d'une inversion générationnelle. Une autre force la pousse cependant à écouter son désir, à voler de ses propres ailes, à s'extraire du cachot matriciel, pour emprunter le chemin de sa propre vie. Ces deux puissances se trouvent en conflit, le passé refoulé empêchant le présent et l'avenir d'advenir, la rivière libidinale de s'écouler de façon libre et fluide. Retrouver la petite fille, découvrir ses besoins et ses peurs propres sans les combattre ni les juger, constitue la voie permettant au désir adulte de surgir, avec confiance dans sa bonté et sa légitimité.

Autrement dit, si ma patiente n'a pas réussi à se réaliser jusqu'ici, c'est sans doute parce qu'elle n'a pas été considérée pour ce qu'elle était vraiment, mais prise pour une autre, mise dans une place fantasmatique qui n'était pas la sienne. Sa mère non plus n'a pas tissé de lien maternel avec la sienne. Envahie par les deux fantasmes de culpabilité et de mauvaiseté, elle s'est épuisée, la petite fille en elle plus exactement, à guérir sa mère et sa grand-mère par procuration, à travers Céline. Celle-ci n'a donc pas été aimée dans la gratuité du désir, comme cadeau de la vie et de l'amour, à cause de cette double méprise touchant les identités et les générations. Ainsi, bien qu'hyperprotégée, Céline a souffert de carence matricielle, sa mère s'acharnant à démontrer par ses sollicitudes exagérées qu'elle était bonne et innocente, ni coupable, ni mauvaise. Ce n'est donc pas Céline que sa mère percevait et soignait, mais ses deux ancêtres femmes, qu'elle n'avait pas, elle non plus, réussi à quitter. L'altruisme est semblable à l'égoïsme et même parfois pire !

C'est très probablement pour ces mêmes raisons que beaucoup de personnes, à l'instar de Céline, souffrent de ne pas être à leur place ou de ne pas la trouver, tout simplement, que ce soit dans leur couple, en famille ou au travail. Elles ont été sans doute victimes des mêmes méprises identitaires au sein du triangle de leur enfance. Elles n'ont pas été regardées pour ce qu'elles étaient, mais prises fantasmatiquement pour d'autres, une mère, un père, un enfant disparu. Elles sont devenues du coup, soit objet de maltraitances, soit à l'inverse, mais cela revient exactement au même, exagérément idolâtrées.

CLAUDE

Claude est une femme de bientôt cinquante-huit ans. Elle me salue, me sourit, s'assoit et prend la parole avec rapidité et aisance, une force que l'on qualifierait volontiers de tranquille, sûre d'elle, en résumé. Elle ne semble *a priori* ni particulièrement émue, ni surtout tourmentée. Je me demande avec curiosité ce qui a bien pu la pousser à me consulter.

« Voilà, cette fois, je le jure, j'ai décidé de m'occuper de moi. Il m'est désormais impossible de continuer comme ça. Ce n'est pas la première fois que je prends cette décision. J'avais déjà commencé, il y a longtemps, une psychothérapie, que j'ai interrompue peu après. J'étais il est vrai exigeante et très impatiente à cette époque. J'en attendais sans doute un miracle. J'aurais voulu que tout s'arrange en quelques mois.

J'avais entrepris cette thérapie, incitée, à vrai dire un peu menacée, par ma meilleure amie. Un jour, me rendant visite à l'improviste, elle m'a surprise en train de pleurer, assise par terre, dans la cuisine, les yeux gonflés, le visage et les bras lacérés. Elle a cru tout de suite, que je venais d'être frappée par mon mari. Je lui ai avoué que je m'étais éraflée moi-même, pour me punir d'avoir frappé mon fils de quatre ans parce qu'il avait désobéi. Ce n'était bien sûr pas la première fois que ça se produisait. J'en avais pris malheureusement un peu l'habitude.

Cette amie m'a obligée alors à consulter d'urgence sous peine de me dénoncer aux services sociaux. J'ai obtempéré et entamé tout de suite une psychothérapie, que j'ai interrompue deux ou trois mois plus tard. Ma démarche n'a pas été inutile pour autant. Elle n'a peut-être pas apporté les résultats que j'escomptais, mais il est vrai que je n'ai plus jamais levé la main sur aucun de mes enfants.»

Claude enchaîne alors, sans transition, sur son histoire d'enfance, cherchant peut-être à trouver un sens au présent en le reliant à son passé.

«Je suis la troisième, née après deux filles, d'une fratrie de cinq, non de six plus exactement. La quatrième, celle qui est née tout de suite après moi, est décédée de la mort subite du nourrisson à l'âge de six mois. Je n'ai gardé d'elle aucun souvenir. Elle est peut-être partie parce qu'elle a senti qu'elle n'était ni attendue ni désirée dans cette famille, par ma mère surtout, qui espérait depuis sa première grossesse un garçon. Elle a fini par avoir deux fils après.

Je dirais que mon calvaire a débuté très tôt, dès les premiers jours. Mon oncle, un homme pourtant instruit et respecté de tous, est venu rendre visite au bébé que j'étais à la clinique, après avoir pris quelques verres au bistrot du coin, selon le récit de ma mère. Cherchant alors à amuser la galerie, il s'est approché de mon berceau, s'est penché sur moi et a simulé, en ricanant, de m'étrangler. Il a formulé ensuite solennellement l'espérance que la prochaine naissance serait enfin celle d'un petit garçon tant désiré. Moi, j'étais dans mon coin, paraît-il, "honteuse" disait ma mère.

Voilà comment je fus accueillie à mon arrivée. Ils m'ont appelée Claude, ni fille ni garçon, fille mais garçon peut-être. Ma mère m'a dit un jour en me montrant une photo de moi bébé, joufflue, en robe: "Tu vois, quand tu es née, ça allait encore, mais c'est peu à peu que tu es devenue moche!"

J'ai ainsi grandi dans la haine, en me croyant, je ne saurais comment le dire, de trop, illégitime, dérangeante, mais aussi laide. Je me suis ainsi développée avec le dégoût de moi-même, tricoté maille après maille par ma génitrice. Elle me comparait à toutes sortes d'animaux : cigogne, girafe, macaque, l'ogresse qui fait peur aux bergers, etc. Elle me traitait de folle, aussi, à l'image d'une vieille voisine qui avait un gros nez, plein de poils au menton et qui était couverte de boutons. Elle portait toujours un gros foulard pour camoufler sa laideur. Elle me criait, pour me faire mal, que j'étais "la cigon-gon-gogne". Mes deux petits frères lui emboîtaient souvent le pas. Elle m'insultait dès qu'elle était en colère. Je passe sur les coups que je recevais. Pour qu'elle s'apaise, il fallait que le sang coule, morsures, coups de poings sur la tête, les épaules ou la poitrine, évidemment souvent sans vraie raison. Je n'ai jamais compris pourquoi elle me détestait si fort. Je me dis avec le recul qu'au fond elle a agi avec moi comme sa propre mère à son égard. Elle s'est donc vengée. Ma grand-mère disait sans honte que si l'ange de la mort lui réclamait sa fille, elle la lui offrirait sans hésitation.

À ma naissance, j'étais entourée de ma mère et de l'une de mes sœurs aînées. Celle-ci était mieux acceptée, on la considérait comme belle, ce qui ne la mettait cependant pas à l'abri de certaines raclées mémorables. Elle est morte la semaine après avoir fêté ses dix-huit ans, renversée par un chauffard en état d'ébriété et sans permis de conduire. Ma mère l'a beaucoup pleurée, mais je me demande si elle avait vraiment du chagrin ou si elle voulait se faire plaindre. Elle répétait à l'envi que la mort choisit toujours injustement "les meilleurs" et laisse "les autres", sous-entendu moi.

Ma mère m'utilisait régulièrement comme sa bonne, plus que mes deux autres sœurs. Je devais m'occuper du ménage et de la vaisselle. Je m'exécutais sans protester évidemment. Je n'avais pas le choix. J'ai appris surtout à devancer ses désirs. Je prenais donc des initiatives dans l'espoir de recevoir un compliment, un câlin, qui ne venait jamais. J'avais tant besoin de son amour !

Aujourd'hui, j'ai cinquante-huit ans, je suis mariée et mère de deux enfants, et je n'ai aucun souvenir d'un geste de tendresse maternelle. C'est ma sœur aînée qui a joué plutôt un rôle de substitut, me réconfortant dans des moments difficiles avant sa disparition. Je pense souvent à elle encore aujourd'hui.

Je me demande si ma mère ne souffrait pas à l'époque d'une sorte de dédoublement de la personnalité. Elle était si différente avec nous et à l'extérieur ; un visage agressif et sombre à la maison et un autre plutôt bienveillant, peut-être mondain, avec les autres !

Mon père, quant à lui, je n'avais pas à m'en plaindre. Il n'était pas souvent là, absorbé par son travail. Quand il se trouvait à la maison, il n'existait pas vraiment non plus, sa parole n'avait pas beaucoup de poids. C'est ma mère qui portait la culotte. Cependant, mes parents ne se disputaient pas souvent. Ils vivaient sous le même toit, mais côte à côte, sans trop de liens, visibles en tout cas. Ils ne se regardaient pas, ne se parlaient que rarement, quand c'était vraiment nécessaire, pour régler des questions matérielles.

Le moyen que j'avais trouvé à l'époque pour exister aux yeux de ma famille, de ma mère surtout, c'était de briller à l'école. Je n'aimais pas particulièrement les études, mais elles sont devenues une bouée de sauvetage, m'empêchant de couler, m'aidant à survivre. Cependant, la fierté de ma mère ne durait que le jour de l'annonce des résultats scolaires. Dès le lendemain, elle redevenait à nouveau méchante, sarcastique, désagréable. Mon bac en poche, j'ai choisi une branche qui n'avait aucun rapport avec mes aspirations mais me permettait de quitter ma famille et de m'éloigner le plus loin possible d'elle, à 500 kilomètres.

Une fois à distance de ma mère et de son autorité, j'ai vite bifurqué dans une autre filière à mon goût. J'ai réussi à subvenir à mes besoins grâce à une bourse et à des jobs d'étudiants. Je suis devenue assistante sociale. Non seulement mes parents ne participaient à aucun de mes frais, mais, pour comble, je leur envoyais dès que je le pouvais des cadeaux ou de l'argent, comme pour me faire pardonner de les avoir quittés. J'ai passé ma vie entière à me soucier des autres, à m'occuper d'eux dans l'oubli de moi-même.

D'ailleurs, une fois mes études terminées, je suis devenue “l'homme” de la maison, les revenus de mon père s'avérant tout à fait insuffisants pour subvenir aux besoins de sa nombreuse maisonnée. C'est moi qui habillais les uns et les autres, achetais un meuble, aidais à faire repeindre la maison, ou encore à donner des coups de pouce pour installer un frère ou une sœur. Mes finances me permettant rarement de faire face à toutes ces dépenses, malgré les sacrifices que je m'imposais, je n'hésitais pas à faire des emprunts auprès des banques ou certains de mes amis.

J'ai souffert de longues années, sans oser rien révéler à personne, sous le poids de ces dettes, augmentées des intérêts. Je n'y attachais cependant pas trop d'importance. Je me sentais heureuse de pouvoir rendre mes proches heureux. J'achetais en fait l'affection de ma mère. Cela me donnait ainsi l'impression d'exister, d'avoir une place, de me sentir utile et reconnue. Je n'hésitais pas à leur offrir mon temps, mon énergie, mon argent. Je ne disais jamais non, mais toujours oui, par crainte de me sentir coupable et de déplaire.

Le jour de mes trente ans, j'ai décidé de me marier et de fonder ma propre famille. Je voyais le temps s'écouler à une vitesse extraordinaire. Je commençais à me préoccuper de mon horloge biologique. J'ai dit “oui” à la demande en mariage d'un copain qui me confia qu'il était depuis longtemps épris de moi, sans avoir jamais osé me le déclarer. Il m'a écrit alors plusieurs lettres enflammées où il se déclarait émerveillé par ma beauté. Ses louanges me faisaient très plaisir certes, mais je me demandais s'il ne mentait pas ou s'il ne vivait pas une rêverie adolescente. J'avais si peu confiance en moi ! Mais j'étais contente quand je pensais à ma mère, qui avait été bien injuste de me traiter pendant des années de macaque ou de girafe ! Toutefois, la seule idée de la contredire m'était pénible. Je me sentais coupable. Je n'étais pas du tout amoureuse de cet homme, aucune attirance physique en particulier. J'ai accepté de me marier néanmoins en me disant d'abord que ce serait pareil avec un autre et qu'ensuite les sentiments viendraient sûrement avec le temps et l'arrivée de nos enfants.

Mon mari est un enfant unique, il a été élevé par une mère qui l'a hyper gâté et protégé. Son père avait très tôt quitté sa femme et son fils. C'est un homme gentil mais complètement immature, dans la lune, rêveur, en dehors de la réalité, par certains côtés un peu poète. C'est un aspect qui ne me déplaisait pas chez lui avant, mais qui m'insécurise aujourd'hui. J'ai décidé de l'épouser malgré tout, notamment touchée par sa passion. Je cherchais à me persuader sans doute qu'il mûrirait progressivement et que je finirais par l'aimer avec le temps. Il m'était d'ailleurs tout à fait inconcevable de le rejeter. Cela m'aurait fait beaucoup de peine de le blesser, de le décevoir, de le rendre malheureux en repoussant ses avances et ses déclarations. Il m'a fallu vite déchanter malheureusement. Mon mari demeure un adolescent immature encore aujourd'hui, incapable de se projeter dans l'avenir, de prendre des décisions claires ou de s'engager. Vivant au jour le jour, il continue à se cabrer et à jouer à l'enfant gâté dès qu'il doit rendre ne serait-ce qu'un menu service : changer un meuble de place, débarrasser la table ou même descendre la poubelle. C'est un petit garçon dans le corps d'un adulte.

J'ai dû beaucoup le pousser pour qu'il obtienne des diplômes lui permettant d'accéder à un meilleur poste avec un salaire plus intéressant. Il a mis trois fois plus de temps qu'il aurait été nécessaire pour les obtenir. Je l'ai encouragé et accompagné comme s'il s'agissait de mon fils. C'est moi aussi qui ai financé l'appartement où nous habitons maintenant. Bref, j'ai fait le maximum pour prouver à ma belle-mère que j'étais une fille bien, ou plutôt une vraie bonne mère pour son fils. J'agis de même avec tous d'ailleurs, cousins, amis, et même mes voisins.

Tout le monde a pris l'habitude de se tourner vers moi dès qu'il a besoin d'un coup de main. Je suis devenue peu à peu corvéable à merci, incapable de dire non. Je ressemble à une pâte à modeler. Les rares fois où je me force à dire “non”, ma langue fourche et c’est l’inverse, le “oui”, qui sort de ma bouche. Quand une copine me raconte par exemple qu’elle a du mal à trouver quelqu’un pour garder sa fille un après-midi ou un soir, je me propose sans réfléchir. Si ma cousine me parle de l’anniversaire de sa fille, je me mets à sa disposition aussi pour organiser le goûter, avec mes sous parfois, sans rien lui réclamer. Résultat des courses, je n’ai ensuite plus suffisamment d’argent pour m’occuper de mes dents ou m’acheter de nouvelles lunettes.

Je fais toujours passer les autres avant moi. Je fais des miracles pour qu’on dise du bien de moi, dans mon travail d’assistante sociale comme dans ma vie privée. Du coup, j’ai une garde-robe très limitée. Je remets les habits d’il y a quinze ans que je réajuste parfois. J’en achète aussi, à des prix dérisoires, dans les vide-greniers. Je ne sais pas m’occuper de moi. Je ne pars pratiquement jamais en vacances. Le pire c’est que je finis par ne plus en éprouver le besoin. D’ailleurs dès que j’exprime le moindre souhait, sortir au restaurant avec mes copines entre femmes par exemple, mon mari me fait la gueule. Je sais que ça ne lui plaît pas. Il craint de me perdre si je me mets à goûter à certains plaisirs. Il est jaloux et possessif.

De toute façon, je n’éprouve plus aucun désir particulier. J’ignore de quoi j’aurais vraiment envie, si je devenais un jour entièrement libre. Je me sens indigne du bonheur. Lorsqu’on m’offre un cadeau ou si on me fait un compliment, je suis très gênée, comme si je ne le méritais pas. Personne n’a réussi jusqu’ici à trouver la date de mon anniversaire. J’agis au fond avec tout le monde en assistante sociale. Je ne me sens plus une femme.

Sur le plan sexuel, je n’éprouve aucun désir ni plaisir. Je me considère bizarrement comme une vierge quelquefois, toute expérience sexuelle s’étant effacée de ma mémoire.

Toutefois, j’ai deux enfants que j’aime par-dessus tout, ma fille et mon fils, de vingt-sept et vingt-cinq ans, mes deux sources de joie et de lumière. Je leur envoie de nombreux textos tous les jours, pour leur dire que je les adore et que je les embrasse. Je me reproche de les avoir frappés quand ils étaient petits, un peu plus mon fils que ma fille. Je m'en veux aussi d'avoir été trop exigeante avec eux pendant leurs études. Je me suis sacrifiée en jouant simultanément les deux rôles de père et de mère, mon mari s'étant toujours comporté comme mon troisième enfant, se déchargeant de ses responsabilitéssur moi.

Dans mes rêves, je me retrouve régulièrement face à un enfant de sexe indéterminé qui pleure en se plaignant d'avoir été battu. Il est couvert d'hématomes, habillé en haillons, délaissé dans le froid. Je me réveille en sursaut, et je reste hantée toute la journée par son regard m'implorant de lui venir en aide. Je sais qu'il s'agit de moi, Claude, de sexe indéterminé depuis ma naissance, ni homme, ni femme.

Je pense que je suis aujourd'hui prête à m'occuper de cette pauvre petite fille, c'est-à-dire à me soucier enfin de moi-même. Je crois qu'il est temps de réagir, de m'émanciper du regard sévère de ma mère. Il y a urgence. Je ressens si fortement l'envie d'exister, de commencer à vivre enfin !

Le bilan de ma vie n'est cependant pas si négatif. Je ne suis pas devenue folle, ni criminelle, ni une prostituée. J'ai beaucoup d'amis et un travail que j'adore. Je n'ai pas divorcé non plus, même si j'y ai souvent pensé. Mes enfants ont aussi bien réussi dans la vie. Il est vrai que j'ai une tendance marquée à faire des bilans, en rangeant les points négatifs dans une colonne et les positifs dans une autre, les acquis et les pertes, comme sur une balance imaginaire. Dans ma comptabilité je triche toujours un peu, je l'avoue, me débrouillant pour que les gains soient un minimum supérieurs, sinon je me sentirais totalement perdue, noyée dans une mare de tristesse. »

Claude nous offre un bel exemple de « pharmakos », d'enfant thérapeute. La petite fille en elle affectée par la D.I.P., suite à une carence matricielle massive, cherche désespérément une source d'approvisionnement narcissique afin de pouvoir se nourrir et se désaltérer. Ainsi, ses liens ne s'inscrivent pas dans la gratuité du désir, mais sont dictés par l'impérieux besoin de lutter contre les deux fantasmes toxiques de mauvaiseté et de culpabilité. Elle s'épuise à prouver son innocence et sa bonté, dans l'espoir de mériter enfin la reconnaissance et la légitimité. L'histoire de cette femme paraît par certains côtés poignante, pathétique. Elle a été véritablement bannie en tant que petite fille, insultée et battue par sa mère. Elle a perdu deux sœurs, l'une quand elle était toute petite et la seconde, l'aînée, son substitut maternel, dans un malheureux accident de la circulation. Ces deux pertes ont sans doute ajouté une couche supplémentaire à sa culpabilité d'avoir été victime de carence matricielle. Je fais allusion ici à la culpabilité du survivant, comme si ces deux décès étaient de son fait et de sa faute !

Claude a grandi, comme elle le dit, « dans la haine maternelle », ce qui lui a insufflé la hainc d'elle-même, en définitive. Pour lutter contre ce désert affectif, elle n'a eu d'autre choix que de renoncer à devenir elle-même, femme adulte, intérieurement émancipée, propriétaire de son désir. Sa comptabilité fictive aboutissant à un solde globalement positif ne lui sert que de bouée de sauvetage mais ne lui procure pas l'apaisement durable escompté. Claude ne fait en réalité que de se mentir à elle-même.

En outre, son altruisme, son dévouement et sa générosité, certes consciemment sincères, ne représentent, dans ces conditions, nullement des choix libres. Ils sont soumis aux injonctions intérieures que Claude ne parvient pas à repousser : *« J'ai envie de dire* "non" parfois, mais ma langue fourche et c'est le "oui" qui s'échappe ! ». Ma patiente est donc bien plus agie et parlée qu'elle n'agit et ne parle en réalité.

Il est vrai que certains concepts, tels que l'altruisme, le don et le sacrifice de soi, se trouvent depuis toujours encensés par la morale et la religion. On les oppose sans nuance à l'égoïsme, l'individualisme et le narcissisme, à l'inverse fortement dénigrés. Cependant, sur le plan de la santé psychique, aucun de ces excès ne saurait servir à lui seul d'indicateur d'un bon fonctionnement ni contribuer à produire du bonheur.

L'altruisme n'est d'ailleurs nullement preuve de l'amour de l'autre, puisqu'il est mis en place précisément dans le but obsédant de quémander la reconnaissance et l'admiration. L'égoïsme ne démontre pas non plus l'excès de l'amour de soi, bien au contraire. Si l'égoïste s'aime trop en apparence, c'est parce qu'il ne s'aime pas du tout au fond, exhibant sans cesse ce qui lui fait profondément défaut. L'attitude la plus saine à l'égard de soi-même et de son entourage, mais notamment la plus apte à créer la joie, découle d'une meilleure répartition de la libido. Elle consiste à pouvoir respecter, ici comme ailleurs, la dialectique féconde des contraires en incluant les deux notions, pour éviter de coincer la libido dans l'un des deux excès. « Tu aimeras ton prochain comme toi-même », enseigne la Bible. Ce qui signifie que l'amour de soi et celui de son prochain ne sont nullement antinomiques, qu'ils ne constituent pas une alternative, l'un *ou* l'autre, mais, au contraire, une réciprocité insécable. Il n'est en effet possible d'aimer vraiment, de donner en acceptant de recevoir que si l'on s'aime du fait d'avoir été accueilli, nourri et enveloppé dans sa petite enfance par sa mère.

Tous les enfants thérapeutes ne se ressemblent pas, évidemment. À force de vouloir trop bien faire, ils finissent par devenir intrusifs, envahissants. Toujours au nom de l'amitié ou de l'amour, sous le prétexte d'aider, de faire plaisir, de rendre service, ils sortent de leur fonction, se mêlent de ce qui ne les regarde pas, insistent pour s'occuper de tout, quand bien même personne ne leur a rien demandé. Si vous tentez de les remettre à leur place, même avec diplomatie, ils prennent la mouche, vous culpabilisent en vous accusant d'être ingrat. Voilà pourquoi ils se sentent rejetés et agressés quelquefois, au lieu d'être récompensés, « sans avoir rien fait de mal » !

L'excès de tendresse est source de violence.

5

BOURREAU DE SOI

La lutte contre les deux fantasmes de culpabilité et de mauvaiseté menée dans le but, illusoire, de recouvrer son innocence et sa bonté, pousse le sujet dans deux voies parallèles, l'une comme l'autre des impasses. Il a fortement tendance à s'ériger, d'un côté, en enfant thérapeute, afin de réparer ses fautes imaginaires. Il fuit, d'un autre côté, la paix et le bonheur, inconsciemment bien sûr, en recherchant sans cesse et de façon masochiste des bâtons pour se faire frapper, en se mettant répétitivement dans des situations pénibles d'échec et de maladie. Il se laisse abuser par toutes sortes de manipulateurs et de pervers qui lui promettent certes la félicité, mais qui ne visent qu'à satisfaire leur propre intérêt.

La D.I.P. entraîne le sujet, quelle que soit son intelligence, vers l'expiation. Telle une puissance démoniaque obscure, elle le contraint à se maltraiter, à se sacrifier, à se mortifier, pire encore, à s'ériger en bouc émissaire. Elle le pousse parfois même à se donner la mort afin d'obtenir le pardon et l'absolution.

L'expiation lui fait ainsi perdre totalement son autonomie psychique et sa liberté intérieure de désirer et de choisir en adulte. Celui-ci lutte constamment contre un mode de vie autodestructeur et dégradant qu'il réprouve totalement, dont il s'épuise à se défaire, mais qu'il réitère, incapable d'agir autrement.

La guerre civile est déclarée !

NINA

Nina est une jeune femme de quarante-quatre ans. Elle me sourit tout de suite, comme pour manifester sa joie de me rencontrer enfin, après deux rendez-vous manqués. Elle jure s'être trouvée dans l'impossibilité de les honorer et de les décommander à temps, malgré son envie pressante de me voir. Elle s'excuse pour ces deux contretemps en scrutant avec anxiété mon visage avant de s'autoriser à prendre place, commencer à se présenter et à relater son histoire.

La première entrevue, je l'ai fréquemment remarqué, baigne dans un bain à une forte coloration émotionnelle. Certains tentent de camoufler leurs émois, s'interdisant de les exprimer. D'autres parviennent à les verbaliser, avec parfois une certaine timidité ou de la maladresse. En tout cas, ils semblent tous très sensibles à l'accueil du thérapeute lors de tous ces premiers instants de la rencontre, aux mots échangés sans doute, formules de politesse ou autres banalités, mais surtout au croisement des regards, au sourire et à la qualité de la poignée de main, perçue comme chaleureuse ou froide. Tout se passe comme s'ils cherchaient à vérifier, quelque part, qu'ils étaient bel et bien attendus, positivement et joyeusement reçus. Ils veulent s'assurer qu'ils ne dérangent pas, qu'ils ne risquent pas d'être rejetés, qu'ils sont bien admis, au contraire, acceptés, voire aimés. Je pense qu'il se rejoue pour le patient, en l'espace de ces quelques secondes extrêmement fugaces, depuis l'instant de son entrée dans les lieux jusqu'à ce qu'il s'assoie, la thématique de sa naissance, les questions du désir, de l'attente et de l'accueil de ses parents, avec tout ce que cela peut comporter d'angoisse de rejet ou de désamour, lors de sa venue au monde puis durant sa petite enfance.

« Voilà, me dit Nina, je viens vous voir parce que je ne sais plus quoi faire de moi et de ma vie. Je sors depuis environ dix ans avec un homme marié, donc indisponible. C'est une façon de parler, bien sûr, puisque nous nous voyons toujours en cachette, chez moi ou dans un hôtel, sans jamais nous afficher ensemble dehors. Oui, je sors depuis dix ans avec cet homme, sans que personne ne soit au courant de notre liaison, sauf ma meilleure amie. J'ignore complètement ce qui m'a attirée au début vers lui, je ne pourrais pas dire que c'était de l'amour. J'ai ressenti d'emblée un attachement fort, profond, irrésistible, comme si j'étais possédée ou droguée ou qu'on m'avait jeté un sort. Non, ce n'était pas de l'amour !

D'ailleurs, je me débats depuis notre première rencontre, pour me défaire de cette relation, sans y parvenir. Je me suis cependant séparée de nombreuses fois, mais je reviens toujours ; c'est plus fort que moi. La souffrance que je pourrais susciter chez lui, si je le quittais, m'est insupportable. Je me sentirais trop coupable. Je savais dès le départ qu'il ne me convenait pas. Pourtant il s'agit d'un homme adorable à tous points de vue. Il est beau, gentil, généreux et respectueux. Il n'a vraiment rien à voir avec un misogyne qui mépriserait les femmes. Il me répète d'ailleurs souvent que je suis totalement libre de le quitter ou de fréquenter d'autres hommes, si j'en ressens l'envie. Il me laisse sortir, ou même vivre avec qui je souhaite, à condition que je le lui dise sans rien lui cacher.

Mais, malgré tout, il ne m'est pas possible de le quitter. Pourtant, je ne peux rien attendre de lui, je le sais. Il ne voudra jamais quitter sa femme pour s'engager avec moi. D'ailleurs, je ne suis même pas certaine du tout de l'aimer suffisamment pour vouloir former un couple et une famille avec lui. Je suis certes toujours contente de le voir, de passer un moment avec lui, mais je ne suis pas vraiment amoureuse. Me voici donc complètement coincée, bloquée dans cette nasse aux parois invisibles.

Je comprends d'autant moins ce qui m'arrive que j'ai toujours eu une personnalité forte, combative, dynamique, indépendante, volontariste, que mes copines m'enviaient. J'ai toujours été très mûre pour mon âge.

En fait, avec mon amant, nos relations sont basées quasi uniquement sur le sexe. Je suis sa maîtresse, et rien d'autre. Nous nous voyons une ou deux fois par semaine, une heure ou deux à chaque fois, c'est tout. Il m'emmène aussi quelquefois avec lui lorsqu'il se rend à l'étranger pour son travail. Quand nous nous retrouvons, nous parlons un peu de choses et d'autres, mais nous faisons surtout l'amour. Il adore me serrer dans ses bras, se fondre en moi comme il dit. Ses paroles m'émeuvent beaucoup !

Ce que j'aime moins chez lui, par contre, c'est qu'il est accro à la sodomie. Moi, je n'aime pas du tout ça. Ça me fait plutôt mal et surtout ça rentre en opposition avec mes valeurs féministes. Malgré tout, je ne peux pas refuser, je ne sais pas lui donner des limites. Je me laisse faire, alors que je trouve ça sale, dégoûtant même, humiliant. Le plus terrible, c'est que je le lui propose parfois moi-même. J'en souffre certes, mais je prends plaisir à le voir jouir, à le sentir heureux. Si je refusais, j'aurais si peur qu'il m'en veuille et qu'il me laisse tomber. Je suis donc soumise et gentille alors que je milite par ailleurs pour l'égalité entre les sexes et les droits de la femme. En compensation, il m'entretient. Il m'aide financièrement en subvenant à tous mes besoins, comme si j'étais sa femme.

Je me suis trouvée enceinte de lui il y a huit ans. Il m'a laissée tout à fait libre de mon choix : continuer ma grossesse ou me faire avorter. J'ai décidé de garder le bébé. Nous avons donc une petite fille de sept ans ensemble qu'il a reconnue et à laquelle il a donné son nom. Il s'agit, en vérité, d'un polygame.

En même temps que moi, il y avait à l'époque deux autres femmes enceintes de lui, qui ont toutes les deux décidé de se faire avorter. Son épouse officielle, avec qui il vit très sagement, n'ignore rien des pratiques de son mari. Elle sait tout, mais voudrait ne rien savoir. Elle ferme les yeux et accepte tout pour ne pas le perdre.

Voilà, j'ai vraiment honte de vous raconter tout cela. J'ai honte de moi, de ma vie, de ce que je fais et suis devenue. Je tente de sortir avec d'autres hommes, juste pour tenter de me détacher de lui, mais ça ne sert à rien. D'un côté, cette relation m'est insupportable, mais de l'autre, je m'en sens totalement prisonnière. Je cherche à m'évader parfois, mais c'est comme si j'étais retenue par des chaînes !

Je dois être complètement folle, vraiment masochiste ! Juste avant de tomber enceinte de ma fille, j'ai fait par désespoir une tentative de suicide. Je me suis coupé les veines et j'ai avalé une boîte de somnifères. Manque de pot, ou par chance, je ne sais pas, il est venu me rendre visite tout à fait à l'improviste. Je pensais profiter précisément de son absence à l'étranger pour me supprimer tranquillement mais il avait raté son avion. De toute façon, il a les clés de l'appartement. C'est d'ailleurs lui qui en assume les frais. Il peut passer à tout moment, de jour comme de nuit. Je suis sa chose, son objet, je lui appartiens.

Justement, après la naissance de ma fille, il m'a suggéré, mais sans rien m'imposer, de cesser de travailler, pour me consacrer à l'éducation de notre fille, pour que je sois à son entière disposition, en réalité. J'ai accepté sans hésiter pour lui faire plaisir. Il ne m'a pas du tout forcée. Je le regrette à présent d'autant plus que j'avais un poste intéressant de chargée de clientèle, secteur professionnel, dans une banque d'affaires, bien rémunéré et avec de belles perspectives d'avenir.

Mon travail m'imposait surtout un cadre et des horaires à respecter. Il me permettait de sortir de chez moi, de voir du monde, mais aussi de ne pas me sentir uniquement cantonnée dans les rôles de mère et de maîtresse. Ma dépendance, jusque-là seulement affective, s'est transformée ainsi en un assujettissement complet. J'étouffe. J'ai si honte de la vie que je mène. Je me dis que je suis franchement folle à lier. Je n'ai même plus le courage de m'occuper de mes filles. J'ai surtout envie de disparaître de la surface de la terre. Ma vie est un échec. J'accepte de me faire sodomiser depuis dix ans par un homme qui vit officiellement avec une autre femme et couche avec deux ou trois autres au moins, sans aucun état d'âme !

Ce qui accentue ma honte c'est qu'au fond, je ne peux m'en vouloir qu'à moi-même. Ç'aurait été bien plus facile de le quitter s'il était méchant avec moi. Là, il me laisse entièrement libre d'aller vivre avec un autre homme si je le souhaite, ou de retravailler pour gagner à nouveau ma vie et retrouver entièrement mon indépendance, comme avant. Sa seule condition, il m'a déjà prévenue, se résume en cette phrase : "Pas de sexe, pas d'argent !" En même temps, si je veux être franche, je n'ai pas envie de changer ma vie pour une autre, tranquille, fadasse, "métro, boulot, dodo". Je m'ennuierais à mort.

Mon ex-mari, avec qui j'ai eu Lucille, qui a aujourd'hui seize ans, était un homme adorable, bon époux et bon père de famille, gentil, respectueux de mes désirs et de mes valeurs. Je ne trouvais strictement rien à lui reprocher. Pourtant je m'ennuyais énormément avec lui. Je ne le désirais pas, j'étais éteinte au lit. Je détestais ma petite vie de femme mariée et de mère que pourtant toutes mes copines enviaient.

Les premiers temps, c'était merveilleux. Nous nous retrouvions en cachette, personne n'était au courant. Ensuite, dès que c'est devenu officiel, le charme s'est rompu. Tout devenait ordinaire, banal, sans surprise. Moi, j'ai besoin de vivre dans la passion, de prendre des risques, de transgresser. Dès que je me trouve en pyjama à côté d'un mari, toute envie me quitte. Je ne pense plus qu'à me tailler. Je reste et je me laisse faire, bien sûr, mais mon esprit est ailleurs. Je demandais souvent à mon ex-mari, lorsque nous faisions l'amour, de m'agresser verbalement pour me faire jouir, au lieu de me rabâcher ses sempiternels “je t’adore, chérie” ! Il s’exécutait quelquefois, mais à contrecœur, mollement. Je me devais alors me dédoubler et m’imaginer dans les bras d’un autre qui accueillait tous mes fantasmes sans tabou.

Je suis une passionnée, j’aime les sensations fortes. Je ne peux vivre qu’en maîtresse, finalement. Je veux m’éclater. Les hommes qui m’aiment, ça me fait chier. S’il n’y a pas de risque, je m’emmerde. Je parle fort. J’achète plein de fringues, très chères, que je sais d’avance que je ne mettrai jamais, mais ça m’excite, ça me fait vibrer. C’est une vraie compulsion chez moi. J’ai atrocement peur du vide et du silence. Le calme m’angoisse. Quand j’étais enceinte de Lucille, j’ai trompé mon mari pendant toute ma grossesse. C’est d’ailleurs mon amant actuel qui m’a initiée au sexe, qui a réveillé ma féminité. J’avais le dégoût de n’être qu’une mère-épouse, bien au chaud dans ses pantoufles, au milieu des couches et des casseroles. J’ai eu, à la même époque, quelques aventures avec des femmes mariées. Je ne me sentais pas lesbienne du tout. J’étais surtout intriguée, curieuse. Je voulais expérimenter, goûter au fruit défendu, réaliser un vieux fantasme d’ado, c’est tout. Ensuite, ça ne m’intéressait plus. C’était du connu, terminé. Je ne suis pas devenue accro !

Après la naissance de Lucille, j’ai eu d’autres aventures. Sans vraiment le faire exprès, je tombais systématiquement sur des hommes mariés, ou aussi parfois des détraqués. Une fois, quelqu’un m’a abordée à la sortie du métro pour me demander du feu. Il venait tout juste de sortir de prison. J’ai fait l’amour avec lui dans l’après-midi pour lui procurer du bonheur. Je lui ai payé l’hôtel et un très bon restaurant après. Je m’étais dit qu’il avait été frustré pendant si longtemps. Il avait été condamné pour des actes de terrorisme. C’était vraiment bizarre comme situation. J’étais d’un côté horrifiée de me donner si facilement et si vite à un criminel, mais, d’un autre côté, cette histoire me faisait vibrer, le mot “criminel” m’excitait. Je ressentais un mélange de peur et de désir.

C'est souvent comme ça, chez moi. Et puis, depuis toujours, la satisfaction de venir en aide aux gens qui sont dans la détresse m'est nécessaire. Soigner les autres me fait du bien. L'idée de me croire consolante et généreuse m'apaise, booste l'estime que j'ai de moi-même. Au cours de ces relations impulsives, je n'ai jamais pensé à me protéger. Une force noire me poussait à prendre des risques, à me mettre en danger. Ça m'angoissait terriblement, bien sûr, mais ça m'excitait aussi beaucoup. Après, j'avais la hantise d'avoir attrapé le sida. Je passais alors des nuits blanches. Je tremblais de peur littéralement. Je me reprochais mes folies, je me giflais en me traitant de tous les noms, pétasse, salope, minable !

Plus que coupable, je me sentais dangereuse pour mes proches et surtout pour ma fille ! Je me précipitais ensuite au labo pour les examens. J'attendais le résultat avec effroi, l'enfer quoi ! Je priais Dieu et tous ses saints de m'épargner cette fois, cette dernière fois, grâce à son immense miséricorde. Je lui promettais en pleurant de ne plus jamais récidiver, de fréquenter l'église, de devenir une sainte. Seulement, une semaine plus tard, comme si rien ne s'était passé, je rechutais, telle une droguée ou une alcoolique qui ne peut s'arrêter de boire.

Depuis que je connais Lucien, je suis devenue bien plus sage. Je prends davantage de précautions que par le passé, surtout pour ne pas lui nuire. Je ne voudrais pas qu'il attrape le sida par ma faute. Ma propre vie, je n'y attache pas beaucoup d'importance. Par moments, je n'ai pas trop envie d'exister. J'ai honte de l'existence que je mène. Une femme ne peut pas, ne devrait pas, se donner à plusieurs hommes, c'est impossible. Je n'ai jamais entendu parler d'une femme enceinte tromper le père du bébé qu'elle porte de lui. Je dois être une perverse, une vicieuse, gravement folle. Folie que je réussis à cacher à tous. C'est pour ça que je n'ai pas honoré mes deux rendez-vous avec vous, par crainte que vous ne la deviniez immédiatement, comme si c'était écrit sur mon front. J'ai envie de me faire mal, de me faire souffrir, de me mutiler, par exemple. Je m'imagine victime des pires catastrophes, des accidents horribles, des supplices. J'aimerais bien pleurer sur moi mais, à de rares exceptions près, je n'y arrive pas.»

Le récit de Nina se passe quasiment de commentaire, tellement il expose d'emblée et de façon caricaturale la problématique d'expiation chez ma patiente, celle de son enfant intérieur plus exactement. Nina ne cesse de s'auto-persécuter, de se punir elle-même, de se châtier, de se tyranniser notamment par le biais de sa vie affective, amoureuse et sexuelle. Il s'agit là véritablement d'un lent mais masqué processus suicidaire mis en place depuis de longues années.

Il existe certes chez tout humain, naturellement et de façon latente, une dimension masochiste (une autre sadique aussi peut-être), très discrète, mais qui peut se trouver, en cas de D.I.P. exacerbée, comme chez Nina.

Son récit rappelle clairement la fameuse pratique de l'ordalie, si fréquente dans l'Antiquité. L'ordalie signifie le jugement de Dieu. Lorsqu'on avait affaire à un suspect dont l'innocence (ou la culpabilité) paraissait incertaine, on décidait alors de le soumettre à une épreuve physique dont l'issue heureuse ou malheureuse prouvait seule son innocence (ou sa culpabilité). Le destin était ainsi appelé à arbitrer, l'accusé prouvant ou non, sous l'égide de la divinité, sa pureté. On pouvait jeter le nourrisson handicapé dans la rivière. S'il était innocent et s'il méritait de vivre, la divinité transcendante le ramenait sain et sauf sur la berge, sinon il périssait. Autre épreuve, on faisait empoigner par le suspect une barre de fer rougie au feu. Si, au bout de trois jours, la brûlure avait cicatrisé, l'inculpé était considéré comme innocent. En revanche, si la plaie demeurait vilaine, cela prouvait sa culpabilité. D'où sans doute, l'expression courante «j'en mettrais ma main au feu».

Cette institution barbare n'existe heureusement plus de nos jours. Elle n'a cependant pas totalement disparu. Retirée du champ de la visibilité consciente, elle est devenue imperceptible, invisible en réalité, psychologique. Peut-être même que du fait de cet exil dans les catacombes de l'inconscient, elle a redoublé de sa nocivité.

Beaucoup de personnes continuent sans le savoir à s'exposer de façon masochiste à certains périls, en ayant des conduites à risque, d'un point de vue rationnel parfaitement inutiles. Pratiquer le ski hors piste, conduire sous l'emprise de l'alcool ou de la drogue à des vitesses inconsidérées, s'adonner à des sports dangereux, mener une vie sexuelle débridée sans protection, nager sous une couche de glace en hiver, surfer sur des vagues violentes pendant une tempête, parier des sommes importantes dans les jeux de hasard ou à la bourse, fumer deux paquets de cigarettes dans la journée, tous ces comportements représentent un échantillon des formes modernes de l'ordalie. Il s'agit de s'exposer à la mort dans le but inconscient d'apaiser sa culpabilité, roulette russe : mourir ou ressusciter, en fonction du jugement de Dieu, en qui nul n'est d'ailleurs forcé de croire.

Mettre sa vie en jeu, risquer de la perdre pour la mériter en quelque sorte, la légitimer, se sentir pardonné. Double objectif par conséquent, s'auto-punir pour avoir l'absolution, mourir et renaître. Il s'agit en fait de lutter contre les deux fantasmes de culpabilité et de mauvaiseté.

Ces aventures peuvent être ressenties comme des jeux, des flirts avec la mort. Elles procurent une sensation d'ivresse et d'euphorie par le biais de la libération des endorphines depuis l'hypothalamus et l'hypophyse. Elles excitent les fantasmes d'invulnérabilité et de toute-puissance, voire d'immortalité du sujet, lui procurant l'illusion de pouvoir sortir victorieux de son combat contre la mort. C'est sans doute pour cette raison que, chez ma patiente, la crainte s'accompagne d'une forte excitation sexuelle.

Cependant, motivé principalement par le besoin inconscient masochiste de s'auto-punir, d'expier, afin d'apaiser sa culpabilité de victime innocente, le sujet ne cesse de se replacer itérativement dans des circonstances périlleuses, comme s'il en était devenu accro. Il en réchappe de justesse, parfois protégé par le hasard ou la chance. La tentation de recommencer ne le quitte jamais, cependant, et peut le pousser à la ruine physique, financière et psychologique.

Pourquoi ? Tout simplement parce que la lutte engagée contre la culpabilité par le biais de l'auto-maltraitance, bien qu'apaisante dans l'immédiat, ne fait que l'embraser, la galvaniser à long terme. Aucune faute n'est plus grave en réalité pour l'inconscient que celle consistant à se malmener, en retournant l'agressivité, destinée à l'origine aux autres, à l'encontre de soi-même. D'où l'inutilité foncière des campagnes de lutte, d'éducation, d'information et de mise en garde contre le sida, l'abus des antidépresseurs, le ski hors piste, l'excès de vitesse, la consommation de tabac, d'alcool et de drogue. L'adulte connaît parfaitement toutes ces nuisances. Inféodé cependant au petit garçon ou à la petite fille en lui, il se trouve dans l'incapacité d'exercer la moindre autorité sur son besoin d'expiation suicidaire.

Comment comprendre Nina ? Quel sens donner à son existence quasi entièrement ordalique ? Pourquoi se laisse-t-elle séquestrer, par un homme qu'elle n'aime pas vraiment, de surcroît, et qui l'entretient comme s'il s'agissait d'une vulgaire prostituée, moyennant finances ? Pourquoi abdique-t-elle passivement devant ces humiliations, acceptant de sacrifier sa situation professionnelle, son désir d'indépendance et ses valeurs féministes ? D'où provient cette vive culpabilité la contraignant à jouer sans cesse auprès de son amant le rôle de pharmakos, sans jamais oser lui dire non, par crainte de désamour et d'abandon ? Quel sens attribuer à son ambivalence, à son déchirement, plus exactement ? Elle ne cesse en effet de rechercher avec avidité l'amour et la reconnaissance, mais, dès qu'elle est accueillie et chérie, elle se sabote, s'éteint et s'enfuit. Pourquoi, en outre, Nina rejette-t-elle avec aversion la vie de femme et de mère, qu'elle qualifie avec mépris d'ordinaire, de fade et de banale, auprès d'un homme qui la chérirait ? Que recherche-t-elle à travers ses multiples aventures sexuelles sans lendemain, et notamment ses prises de risque insensées qui l'excitent à l'extrême ? Pourquoi enfin ne peut-elle se sentir vivante que dans la passion, en abordant tout de façon démesurée ?

Seules la connaissance et la compréhension de son histoire, aussi bien personnelle que transgénérationnelle, nous aidera à éclairer le sens caché servant de moteur à ses agissements.

Le récit de la vie de Nina nous montre avec clarté que, chez elle, les parents intérieurs semblent singulièrement affaiblis et inopérants, voire quasi inexistants. Ma patiente ne réussit à se comporter vis-à-vis d'elle-même ni comme une gentille mère à l'égard de son bébé ni comme un père protecteur et bienveillant qui la protègerait des périls de la désinhibition pulsionnelle. D'où l'importance du phénomène de l'expiation chez elle et des actes autodestructeurs qui en découlent.

Le danger et l'excitation se confondent. Elle ne trouve l'ivresse, le ravissement, c'est-à-dire le sentiment de plénitude, celui d'exister et d'être vivante, désirée et reconnue dans le cœur de l'autre qu'à travers les sensations fortes ; les passions, dit-elle, la sodomie, dont elle a pourtant horreur, les aventures sexuelles avec des inconnus sans nulle précaution. Le calme et la paix renforcent au contraire son inquiétude profonde d'inexister, de ne pas compter.

Je préfère pour ma part parler de « peur d'inexister » plutôt que de celle d'être mort ou de mourir. Ces derniers termes, malgré leur puissante charge émotionnelle, ne nous évoquent rien de précis. Ils sont incompréhensibles sur le plan du vécu existentiel. Aussi longtemps que nous sommes vivants, il nous est totalement impossible de nous représenter la mort faute d'une expérience intime et personnelle. Lorsque nous nous trouverons de l'autre côté de la barrière, nous serons privés cette fois de partager cette expérience. Je préfère donc utiliser les mots d'« inexistence » et d'« inexister ». Ceux-ci renvoient plutôt au sentiment psychologique déstabilisant de ne pas être légitime, présent, en connexion avec autrui, d'être transparent, de passer inaperçu, de manquer enfin de consistance et de légitimité comme si l'on usurpait la place de quelqu'un d'autre.

Justement, écoutons à nouveau Nina à ce propos :

« À ma naissance, mes parents ont perdu une petite fille de huit mois. Elle s'appelait Nina, comme moi. Ils m'ont donné son prénom pour se consoler de sa disparition, remplir son vide. Je n'aime pas du tout qu'ils m'aient donné le prénom d'une morte. J'étais la dernière, avec deux sœurs de six et quatre ans de plus que moi. Ma mère ne s'occupait pas beaucoup de moi, j'ignore pourquoi. Elle ne me touchait pas, ne me prenait pas souvent dans ses bras, prétextant la fatigue ou le manque de temps, sauf quand j'étais malade. Alors, moi, ayant découvert là une astuce, je me rendais souvent malade pour l'inciter à s'occuper de moi. Je souffrais d'asthme ou d'eczéma. Ce n'était certes pas drôle mais, en cas de crise, ma mère ne me quittait plus. En dehors de ces périodes, elle ne faisait pas trop attention à moi. Lorsque je l'accompagnais pour faire des courses, il lui est arrivé plus d'une fois de me perdre. Elle tournait sans me prévenir, par exemple, dans une rue surpeuplée, à gauche ou à droite, sans me prendre par la main. Un jour, elle est descendue du bus sans me le dire. J'ai pleuré de toutes mes larmes.

Nous étions régulièrement gardées par mes grands-parents paternels, quelquefois pendant la semaine, mais surtout les week-ends et pendant les vacances. Ma mère se plaignait souvent d'être "épuisée", "débordée" par tout ce qu'elle avait à faire, son travail, les courses, le ménage, la cuisine, etc. Elle devait souffrir d'un vieux fond de dépression, je pense. Elle était toujours fatiguée, même quand elle ne faisait rien. Elle éclatait en sanglots à la moindre mauvaise nouvelle ou quand elle rencontrait un imprévu qui perturbait son emploi du temps. Elle pleurait en répétant : "J'en ai marre, j'en peux plus", sans qu'on puisse en saisir la raison. Elle détestait être contrariée. Mon père était très gentil avec elle. Il cherchait à l'aider au maximum, dans les courses et la cuisine, le soir, en rentrant de son travail. Pourtant, ma mère ne se montrait jamais vraiment satisfaite. Il y avait toujours un détail qui clochait, elle ne voyait pas ce qui allait bien. Mon père le lui reprochait timidement. Ces remarques l'agaçaient beaucoup et la mettaient en colère. C'est en fait mes grands-parents paternels que je considérais comme mes vrais parents, ils étaient affectueux et sécurisants. Eux, ils s'apercevaient que j'existais ! Je n'ai pas connu les parents de ma mère. Ils sont décédés dans un accident de la route quand maman avait huit ans. Ils n'ont eu qu'elle comme enfant. Ma mère m'a raconté que ma grand-mère portait en fait des jumelles lorsqu'elle était enceinte d'elle, mais que l'autre était décédée, étouffée par le cordon ombilical, à l'accouchement. Elle a donc souffert pas mal dans sa jeunesse.

Moi aussi, j'ai failli mourir, paraît-il, à ma naissance. Mes parents ont eu peur de me perdre, comme Nina. J'ai dû être hospitalisée une petite semaine quelques jours après l'accouchement, aux urgences pédiatriques. Je refusais de me laisser nourrir autrement que par le sein. Or ma mère, ayant accouché par césarienne, se trouvait dans l'impossibilité de m'allaiter. Toute mon enfance, j'ai été inquiète pour elle, pour sa fatigue constante et sa tristesse, sa dépression, je dirais aujourd'hui. D'une part, je faisais très attention à ne pas la contrarier en lui désobéissant, en chipotant avec mes sœurs ou en ramenant des mauvaises notes de l'école. D'un autre côté, je faisais souvent le clown pour la dérider, lui arracher un sourire, pour attirer son attention sans doute. Je ne lui racontais jamais mes peurs ou mes chagrins de petite fille pour ne pas la perturber davantage. Lorsque mes grandes sœurs m'embêtaient, j'avais envie de pleurer ou de crier, bien sûr, mais je me taisais. Au fond, j'encaissais tout pour l'encourager à m'aimer. Quand je m'approchais d'elle pour lui demander un câlin, elle ne me rejetait pas, mais je sentais bien son manque de présence et de chaleur, comme si elle exécutait un geste appris, par devoir. Elle raccourcissait l'étreinte, comme lorsque mon père l'embrassait pour lui dire bonsoir. J'ai vraiment beaucoup souffert de sa froideur, que je trouvais bien plus manifeste envers moi qu'à l'égard de mes sœurs, mais je ne disais rien !

Avec mes sœurs, je m'entendais plutôt bien. L'aînée ne communiquait pas trop. Nous ne partagions pas les mêmes centres d'intérêt, ni la même bande de copines, forcément. J'étais plus proche de la seconde, mais elle était maladivement jalouse et envieuse. Je faisais tout pour apaiser sa jalousie. Je me sentais coupable qu'elle soit malheureuse à cause de moi. Lorsque ma grand-mère disait, par exemple, que j'étais la plus jolie et la plus intelligente, au lieu de m'en réjouir, je me sentais mal par rapport à elle. J'essayais alors de passer inaperçue, de m'éteindre. Je cherchais à m'enlaidir. J'arrivais par exemple à table non coiffée et vêtue n'importe comment. Je disais des bêtises ou posais les questions les plus idiotes.

Dans l'ensemble, mes parents s'entendaient bien, en tout cas en apparence. Je veux dire qu'ils ne se disputaient pas, sauf lorsque mon père reprochait à ma mère de trop se plaindre, ce qui l'enrageait encore davantage. Leurs relations n'avaient cependant rien de passionnel. Mon père lui faisait gentiment un bisou en rentrant le soir, ce qui avait plutôt l'air de l'importuner. En fait, je n'ai jamais vu ma mère avoir un geste de tendresse envers mon père. Elle nous disait tout de même, parfois, que nous avions de la chance d'avoir un si gentil papa, ce dont nous étions parfaitement conscientes, bien sûr !

Je pense que mon père aimait sincèrement ma mère, mais pas l'inverse. J'ai cru comprendre plus tard qu'elle l'avait épousé en sortant d'une déception sentimentale, après avoir été abandonnée par un homme qu'elle aimait passionnément. Elle avait donc décidé d'épouser mon père comme pour tourner la page, pour cicatriser une plaie, oublier son amant, en profitant de la sécurité qu'il lui offrait, concernant le couple, la famille et l'argent. Mon père, de sept ans plus vieux qu'elle, était un homme gentil, sérieux, droit, cultivé. Contrairement à ma mère, issue d'un milieu modeste, il provenait d'une famille catholique bourgeoise ayant fait fortune dans le négoce du textile. Attiré par sa beauté, il avait décidé de passer outre l'opposition de ses parents et de l'épouser pour fonder sa famille.

J'ai appris qu'il s'était passé la même chose d'ailleurs du côté de mes grands-parents paternels. La mère de mon père a accepté de se marier, pas tant par amour que pour “se caser”, craignant déjà, à vingt-cinq ans, de finir vieille fille, mais aussi parce qu'elle était attirée par la fortune de mon grand-père.

J'ai perdu mon père quand j'avais huit ans. Il est mort assez brutalement d'une rupture d'anévrisme à l'âge de cinquante ans. Je ne sais pas ce que j'ai ressenti à ce moment-là, de la peine pour lui, que j'aimais, ou du chagrin pour ma mère, que je ne supportais pas de voir malheureuse. À force de ne pas exprimer mes émotions, je ne savais plus ce que j'éprouvais vraiment, surtout lorsqu'il s'agissait de sentiments négatifs, peur, colère, ennui, déception...

Ma mère s'est catégoriquement opposée à la présence de ses trois filles à l'enterrement. Elle ne nous en a pas expliqué la raison. Nous avons donc passé la journée à traîner à la maison en attendant anxieusement son retour du cimetière. Je me suis rendu compte seulement plus tard, avec beaucoup de regrets, que je n'avais pas vraiment connu mon père. Il est certes mort jeune, mais j'étais tellement prise par maman, que j'ai l'impression de n'avoir pas profité de sa présence. Je suis passée à côté !

Contre toute attente, ma mère a eu l'air de mieux se porter après le décès de notre père ; elle était bien moins déprimée qu'auparavant. Elle s'est mise peu après à sortir avec ses copines, ou même toute seule, parfois. Elle semblait moins fatiguée, moins triste, moins plaintive. Elle ne s'éternisait plus au lit. Cependant, elle ne se montrait pas plus présente avec nous pour autant. Moi, je ne supportais pas ses absences, physiques cette fois, de plus en plus fréquentes. Mes sœurs s'en fichaient un peu. J'avais remarqué aussi qu'elle parlait très peu de notre père, évoquait rarement des souvenirs, ne disait jamais qu'il lui manquait.

À peine quelques mois plus tard, elle a ramené un homme à la maison, manifestement plus jeune qu'elle, en le présentant comme "un ami". J'ai vraiment compris à cet instant-là que mon père était définitivement enterré. J'ai beaucoup pleuré cette nuit-là. Elle a eu d'autres "amis" plus tard. Je ne les ai pas tous connus. Elle nous demandait souvent, quand elle recevait, d'aller passer la nuit ou le week-end chez nos grands-parents, prétextant son besoin de ranger la maison ou de se reposer.

À douze ans, j'ai subi des attouchements de la part de l'un de ses amants. Il pénétrait certaines nuits dans ma chambre, profitant du sommeil lourd de ma mère, qui prenait des somnifères. Je me laissais faire sans réagir, j'ignore pourquoi, peut-être pour ne pas perturber le sommeil de maman. Ces visites ont duré assez longtemps. Là non plus, je ne savais pas ce que je ressentais exactement, un curieux mélange de peur, de honte, mais aussi de plaisir, oui, c'était la peur et le plaisir. Je n'ai jamais rien osé dire à ma mère. Elle semblait heureuse avec cet homme, c'est tout ce je souhaitais. J'étais surtout terrorisée à l'idée qu'elle me bannisse, persuadée que ce que je subissais était de ma faute.

À quatorze ans, je me suis retrouvée à vivre seule avec elle à la maison ; mes sœurs, devenues étudiantes, vivaient déjà toutes les deux en couple. Une fois, j'ai osé demander à ma mère pourquoi elle n'avait pas refait sa vie officiellement après le décès de mon père. Elle m'a répondu sans hésiter : "Aucun homme n'aurait accepté de vivre avec une vieille femme et ses trois enfants." Elle a avoué aussi que les hommes avec qui elle aurait souhaité vivre n'ont pas su se rendre disponibles, qu'ils l'ont finalement leurrée et déçue. Elle a conclu en pleurant : "Je préfère rester seule et me sentir libre, tout compte fait." C'était la première fois qu'elle me faisait une confidence et exprimant une émotion. J'étais contente de me sentir proche d'elle, mais triste aussi de la voir malheureuse.

Dans l'ensemble, elle me laissait entièrement libre. Elle ne me posait aucun interdit explicite. Je n'étais pas encadrée du tout, contrairement à mes copines. Je faisais ce que je voulais en somme. Elle m'interrogeait quelquefois sur ma scolarité ou mes fréquentations sans exiger de détails. Je me sentais déçue par le manque d'intérêt de ma mère pour ma vie. C'est bien comme ça que j'interprétais la liberté illimitée qu'elle m'accordait. J'ai beaucoup souffert de solitude pendant mon adolescence. Je sautais sur toutes les occasions de sortie qui se présentaient. J'ai eu beaucoup de chance en définitive. J'ai réussi à me dégager de certaines situations et fréquentations dangereuses. J'ai failli me faire violer à plusieurs reprises, devenir addict aux drogues dures. Je n'en ai jamais parlé à mes sœurs, ni à ma mère. Je ne tenais pas à les perturber avec mes histoires. Je voulais m'en dépêtrer toute seule. J'ai peut-être aussi un ange gardien qui, depuis là-haut, veille sur moi. Tout compte fait, la solitude de mon adolescence n'a pas été totalement négative. J'ai appris, contrairement à certaines de mes copines élevées dans du coton, à me débrouiller, à gérer des situations concrètes, à me dégager de certains pièges. Mais je l'avoue, sur le plan affectif, je suis restée très dépendante et immature, trop mûre du côté pratique et trop gamine du côté émotionnel.

J'ai réussi mon bac tout juste. Je pense que je n'avais pas assez travaillé en terminale, je préférais sortir le soir. Ensuite, je me suis inscrite à la fac. J'ai réussi à obtenir tant bien que mal une licence de droit. Je ne crois pas que j'étais bête. Je ne travaillais pas trop mal non plus, mais j'étais terrorisée au moment des examens. Pareil pour mon permis de conduire, que j'ai dû repasser trois fois. J'ai galéré après pendant plus d'un an pour trouver mon premier emploi. J'ai fini par être embauchée dans une banque d'affaires grâce à mon amant de l'époque, directeur d'agence.

Sur le plan amoureux, j'ai connu beaucoup d'hommes, tous indisponibles, maltraitants ou pervers. Je ne tombe amoureuse que de ceux qui vont mal, qui ne me conviennent pas, qui ont plutôt besoin de mes soins ou de mon argent, parce qu'ils ont été cabossés eux aussi par la vie. Je m'occupe d'eux en leur offrant ma personne. Curieusement, au lieu d'être reconnaissants et de me remercier, ils me maltraitent, sans le faire exprès, probablement.

Toute ma vie, j'ai protégé ma mère en me faisant du souci pour elle. En revanche, elle n'a jamais rien fait pour moi, ne m'a rien donné, rien transmis. Pourtant, au lieu de s'excuser, elle ne cesse de me harceler en ce moment, en me reprochant de ne pas m'intéresser suffisamment à sa vie, de ne pas l'appeler, de ne pas lui rendre visite plus souvent. C'est le monde à l'envers. Elle sait facilement me manipuler en faisant vibrer la corde sensible de la culpabilité. Je laisse alors tout tomber et je cours passer la journée avec elle !

J'ai fréquenté un homme entre mes vingt et vingt-deux ans. Nous ne vivions pas ensemble mais on se voyait assez souvent. Dès que je lui ai annoncé que j'étais enceinte, il m'a plaquée du jour au lendemain. J'ai dû me faire avorter toute seule. Je n'ai rien dit à personne. J'avais honte de moi. Je me sentais atrocement coupable et surtout en colère de m'être fait avoir ! J'ai tellement peur que l'on me juge mal.

J'ai vécu aussi avant mon mariage avec un homme alcoolique. Je m'étais mis en tête de le soigner, de le guérir en lui offrant mon amour et mon attention. Il m'a laissée tomber pour une autre femme. Au lieu de prendre ça pour une chance, comme me l'a clairement dit une copine, j'ai pris ça pour un échec et un abandon. Je me suis dit que l'autre femme était certainement mieux que moi, et qu'elle réussira sans doute à le rendre heureux, alors que moi, j'en avais été incapable. J'appelais cet homme tous les jours sur son portable. Je pleurais en le suppliant de revenir. Je lui promettais de faire tout ce qu'il voudrait, que je serais celle qu'il souhaitait que je sois. À peine remise de ma rupture, je me suis amourachée d'un autre alcoolique. Celui-ci m'a littéralement ruinée. Je me suis même endettée auprès des banques après lui avoir cédé toutes mes économies. C'est lui qui m'a laissée tomber après m'avoir complètement dépouillée. Je me comporte toujours comme une poire de toute façon. Je me fais pigeonner à chaque fois !

Plus tard, entre vingt-cinq et vingt-sept ans, j'ai vagabondé. Ayant pris la décision de ne plus m'attacher à personne par crainte de souffrir, j'ai préféré avoir des aventures passagères avec certains hommes, mais aussi des femmes mariés.

Mais, vers vingt-sept ans, j'ai ressenti la nécessité de me caser comme on dit, me marier et de faire des enfants. Il ne s'agissait pas de passion, cette fois, mais d'un choix raisonnable. Mon mari était parfait à tous points de vue. Je suis tombée assez rapidement enceinte de Lucille. J'étais heureuse de devenir maman et d'avoir une petite fille de qui m'occuper. Pourtant, quelques semaines après l'accouchement, j'ai gravement déprimé. Je me sentais totalement incapable d'élever ma fille, incompétente. Je me sentais surtout coupable des idées négatives parasites qui surgissaient dans mon esprit quand je pensais à elle. J'imaginais de la laisser seule et de m'en aller, de la placer dans un orphelinat ou dans une famille d'accueil. Une fois, j'ai voulu me suicider en me jetant avec elle sous une rame de métro. Je l'ai confiée plusieurs fois à ma mère mais je la reprenais aussitôt, dévastée par la culpabilité, par l'obsession d'être une mauvaise mère, d'être indigne du précieux bijou que je tenais. C'était horrible, vraiment. Chaque fois qu'une idée noire apparaissait dans ma tête, Lucille me souriait en gazouillant, comme pour m'inviter à me calmer. Je me sentais à deux doigts de sombrer dans la folie.

Plus tard, quand elle a grandi, je n'ai plus eu aucune autorité sur elle. Elle ne m'écoutait pas, ne m'obéissait pas, comme si elle avait réalisé que j'étais nulle. Chaque fois qu'on se disputait, je la ramenais chez son père. Son père agit d'ailleurs de même avec elle, il me la ramène dès qu'il la trouve insupportable.

À seize ans, elle a décidé de nous quitter pour partir en pension avec sa meilleure amie, en attendant de rentrer à la fac. Sur le moment, je n'ai pas apprécié cette séparation. C'était la preuve tout de même qu'elle ne m'aimait pas et que j'avais échoué dans son éducation. Elle continue d'ailleurs à ne pas m'écouter. Elle veut vivre comme une adulte et se croit tout permis. Elle est trop mûre d'un côté, avec les garçons par exemple, mais totalement infantile de l'autre, concernant la réalité, l'argent, le travail, les études...»

Nina souffre à l'évidence d'une importante carence matricielle. D'abord elle n'a pas été désirée vraiment pour elle-même, mais pour boucher un trou, dans le but de remplacer une sœur disparue avant, nommée comme elle Nina.Elle a ensuite été privée de la chance de grandir à l'intérieur d'un triangle sain dans l'entre-deux des parents qui s'aimaient. Enfin, elle n'a pas été suffisamment nourrie de l'amour de sa mère, nutriment psychique essentiel, personne décrite comme froide, absente et déprimée. Toutes ces pénuries libidinales ont mis en place chez ma patiente une D.I.P. accompagnée d'une intense culpabilité et d'un fantasme de mauvaiseté, comme si c'était de sa faute si sa sœur avait disparu, si ses parents ne se chérissaient pas et si enfin elle avait été psychologiquement délaissée. C'est bien cette culpabilité de la victime innocente qui se trouve à l'origine de sa certitude de mauvaiseté et donc de son narcissisme éclopé, bref, d'une représentation narcissique très dépréciée, et donc d'un manque de confiance dans ses capacités et surtout en sa bonté.

L'inquiétude récurrente d'être ou de devenir folle, hospitalisée de force en psychiatrie, en l'absence de tout fondement clinique, renvoie précisément à cette certitude de mauvaiseté foncière. Par conséquent, le besoin impérieux de confier sans cesse sa fille à sa mère et à son ex-mari n'est pas nécessairement révélateur chez elle d'un manque d'amour maternel. Il prouve, à l'inverse, le désir de protéger son enfant en l'éloignant d'elle pour le mettre à l'abri de sa mauvaiseté imaginaire. Ce n'est toujours pas forcément faute d'amour qu'on s'éloigne de quelqu'un, ni, au contraire, par amour qu'on s'approche de lui. Cette crainte d'être folle, loin de la protéger pousse paradoxalement Nina à agir de manière insensée, « comme une folle » justement, dévorée par ses pulsions incontrôlées. L'être profond de ma patiente s'est trouvé refoulé par peur de ne pas correspondre à l'idéal maternel.

Autrement dit, Nina s'est épuisée, dans une quête infantile d'impeccabilité et de pureté, à lutter contre les deux fantasmes de culpabilité et de mauvaiseté, pour se montrer bonne et digne, espérant ainsi attirer le regard aimant maternel. Elle s'est vue, peu à peu, coupée de sa bonté profonde. La peur de la folie représente les appels, les cris restés encore inaudibles de l'être profond, subjectif, « pas comme les autres » !

C'est également cette culpabilité, totalement irrationnelle bien sûr et imaginaire, qui a poussé dès le début Nina dans les deux voies parallèles, pareillement sans issue, de l'expiation masochiste et du pharmakos, de l'enfant thérapeute : se faire torturer pour recouvrer l'absolution, se sacrifier pour réparer les dégâts qu'elle croit avoir causés, dans le but de prouver son innocence et sa bonté.

De plus, chez Nina, la culpabilité a considérablement augmenté suite aux attouchements sexuels qu'elle a subis par l'amant de sa mère pendant deux ans. Culpabilité de n'avoir pas pu se défendre, pas pu faire autrement, mais aussi celle d'avoir pris plaisir à l'excitation de ses zones érogènes. C'est sans doute depuis cette période que les émotions douloureuses, au lieu de déclencher chez elle les mécanismes d'évitement et d'autoprotection, l'attirent à l'inverse, en provoquant une forte excitation sexuelle. C'est en éprouvant des sensations intenses et en prenant des risques que Nina éprouve l'ineffable et précieux sentiment d'être vivante et importante. Le calme, la paix, le confort et la sécurité l'angoissent, dans la mesure où ils la renvoient à des parties de son psychisme inanimées, délibidinalisées, dénutries, en raison de la présence de la D.I.P.

Lorsqu'on a été sadisé dans son Ailleurs et Avant, on devient sadique à l'égard de soi-même ou l'on agresse autrui, mais cela revient au même, puisqu'il s'agit de chercher là aussi à se faire sanctionner.

J'ai la nette impression, en cherchant à relier la vie présente de Nina à son histoire personnelle et transgénérationnelle, que ma patiente est coincée dans une problématique de vie/mort où elle se débat de toutes ses forces. Il y a trop de morts, bien trop de morts, dans son récit : la disparition *in utero* de la jumelle de sa mère, celle de ses deux grands-parents maternels lorsque sa mère n'avait que huit ans, le décès de sa sœur Nina dont elle porte le prénom, la perte de son père, enfin, à huit ans également. Cette énumération macabre n'a rien d'anodin, elle porte au moins trois conséquences défavorables. Il n'est, en premier lieu, pas évident du tout pour Nina de se croire le fruit de la vie et de l'amour entre ses parents. Elle sait qu'elle a été conçue pour satisfaire le besoin parental de boucher un trou. Ainsi, dès sa conception, ma patiente a été inscrite dans une méprise identitaire, à l'instar d'une doublure. Non désirée ni aimée pour elle-même, elle a été prise pour une autre, utilisée afin de dénier sa perte.

Tous ceux que j'ai connus, appelés à représenter, à remplacer un disparu, *a fortiori* quand ils portaient le même prénom, souffraient de la même incertitude/ambiguïté/méprise identitaire (qui suis-je ? moi-même ou l'autre ?). Pis encore, ils avaient d'horribles angoisses de mort, d'inexistence plus exactement. Ces appréhensions peuvent se manifester de multiples façons, sous la forme de l'hypocondrie notamment. Le moindre dysfonctionnement est dramatisé, pris pour le présage d'une mort imminente. Ils ne vivent pas vraiment, ils survivent tant bien que mal, plutôt mal, en sursis, en attente, en suspens.

Nina s'est sans doute crue, en second lieu, coupable de la mort de sa sœur, comme si c'était elle qui l'avait évincée, lui avait volé sa place dans le triangle et avait usurpé son identité. Cette croyance, certes fausse, ne l'a pas aidée à s'enraciner, à s'approprier sa place en s'y sentant légitime et digne.

C'est probablement pour cela que, dans sa vie amoureuse, elle n'a pas réussi jusqu'à présent à occuper clairement une place attitrée, un vrai fauteuil, se contentant toujours des strapontins, plus exactement des sièges éjectables. Elle s'est laissée attirer à répétition par des hommes indisponibles qui n'ont pas hésité à la jeter après usage. Ceux qui l'aiment vraiment en tant que personne, pour ce qu'elle est, elle n'en veut point, elle ne s'en donne plus exactement pas le droit, comme si elle ne les méritait pas.

C'est bien lorsqu'on est indisponible soi-même que l'on recherche ceux qui ne le sont pas. On choisit toujours inconsciemment un partenaire qui en est au même point d'évolution ou de régression que soi. Les moineaux s'envolent avec les moineaux et les colombes avec les colombes !

Certains hommes, pas tous bien sûr, mais tout de même de plus en plus, semblent considérer les femmes non pas comme des personnes mais comme de simples objets sexuels, les fameux « sex toys » ! Ce n'est nullement par mépris pour elles ni par misogynie. Ils ne les jugent pas comme des êtres inférieurs, ni moins intelligentes qu'eux. Ils recherchent plus basiquement, par faiblesse psychique, frisant parfois la lâcheté, à assouvir égoïstement leurs pulsions sexuelles mâles, faudrait-il le reconnaître, de nature foncièrement polygame.

Peut-être même qu'en raison de l'un de ses effets non désirés, pervers, l'émancipation féminine a tourné au bénéfice des hommes. Ceux d'entre eux qui se comportent comme des prédateurs trouvent désormais bien plus aisément que par le passé des proies « libérées », susceptibles de satisfaire leurs besoins sexuels. Ainsi, la libération des femmes a contribué indirectement à encourager et à développer la polygamie masculine.

En troisième et dernier lieu, Nina ne réussit pas à mener son existence par et pour elle-même. Elle est comme contrainte de vivre intensément, dans la « passion », dit-elle, d'une part pour se prouver qu'elle est vivante, contrebalançant ainsi ses parties inanimées, d'autre part comme pour redonner vie à sa sœur, la ressusciter. Nina vit enfin pour la jumelle de sa mère et ses grands-parents maternels, par procuration, à travers une sexualité foisonnante, quasi incontrôlée.

Oui, l'ombre de la mort plane fantômatiquement sur l'intériorité de ma patiente dont l'agitation sert de bouclier contre son angoisse d'inexister.

Cependant, me direz-vous, en quoi tous ces drames survenus bien avant la naissance de Nina seraient-ils susceptibles d'avoir un quelconque impact sur le psychisme de ma patiente ? Soutenir l'idée de leur influence occulte ne serait-il pas une simple vue de l'esprit ? Cela ne relèverait-il pas de la divagation ?

Je l'avoue très modestement, il ne s'agit là que d'une hypothèse, une intuition, une interprétation. Je ne prétends pas détenir la vérité, et puis, en l'absence de toute preuve dite « scientifique », je ne cherche pas à prouver quelque chose ni à convaincre personne. Dans mon esprit, l'enfant entretient de nombreux liens conscients avec sa mère et son père. Ceux-ci lui transmettent certains principes et valeurs par le biais de l'éducation, à travers leurs actes et leurs paroles. Cependant, la relation principale entre le petit et ses géniteurs se tisse selon moi au niveau infra-verbal inconscient, entre les enfants intérieurs des trois membres du triangle. Le petit humain est ainsi connecté, même et surtout lorsqu'il n'en a nulle conscience, au passé de ses parents, à leurs Ailleurs et Avant, à la petite fille et au petit garçon, heureux ou malheureux, qu'ils furent et qu'ils abritent toujours en eux. L'enfant est connecté à la D.I.P. de ses parents quand elle est restée non résolue, inconsciente. Il ne sait rien, mais connaît toute leur histoire.

Un parent qui a eu la chance de vivre son enfance dans la légèreté et l'insouciance, nourri, aimé et protégé correctement au sein du triangle (ce qui ne signifie pas qu'il a été élevé dans du coton, sans avoir éprouvé aucune souffrance), n'agira pas avec sa progéniture de la même manière qu'un autre. Je pense à celui ou à celle qui n'a pas pu être enfant en son lieu et temps, qui a vécu une enfance blanche.

D'une certaine façon, c'est à la mère inanimée, morte, c'est-à-dire déprimée, servant de sépulture à sa jumelle et à ses propres géniteurs, que Nina reste connectée inconsciemment, à la petite fille malheureuse en elle. C'est bien tous ces disparus que ma patiente, pharmakos, s'épuise à ranimer, à guérir, à sauver en se donnant généreusement, en se sacrifiant ordaliquement à tous ces hommes, porteurs eux aussi de petits garçons malheureux, en manque d'enveloppement matriciel.

Nina, à quarante-quatre ans, n'a jusque-là jamais été amoureuse de personne. Avec un manque si cruel d'amour de soi, comment lui serait-il concevable d'aimer quiconque ? Le besoin n'a rien à voir avec le désir ! La passion n'est pas preuve d'excès d'amour, mais de sa pénurie, bien au contraire. C'est en fin de compte l'amour qu'elle aime et non pas vraiment une personne précise. Nous touchons ici à la dimension fondamentalement narcissique et égoïste de l'amour-passion.

Dans un tel contexte, la liberté d'action dont elle a usé et abusé, comme tant d'autres personnes à l'heure actuelle, en raison de la licence des mœurs, l'a totalement desservie. Elle a constitué pour elle un sérieux empêchement (je dis cela en dehors de toute volonté moralisatrice) à devenir soi et à accéder à l'autonomie psychique. Pourquoi ? Parce que ce n'est point, malgré les apparences, l'adulte autonome psychiquement et porté par le désir qui bénéficie de cette permissivité, mais, à travers lui, son enfant intérieur, asservi par le mécanisme régressif de l'expiation, rêvant se débarrasser de ses deux fardeaux de culpabilité et de mauvaiseté. Autonomie et indépendance ne constituent pas des synonymes. L'interdit ne réprime pas le plaisir. Il empêche la pulsion de sombrer dans ces deux excès également nocifs : la dépression et la perversion.

Devenir adulte nécessite donc de se libérer de cette liberté factice extérieure, au fond bien plus au service de l'enfant intérieur cherchant à se mortifier que de l'adulte. Privilégier l'autonomie psychique à la liberté de « dire oui à ses envies », comme nous y invite ce slogan publicitaire, signifie s'autoriser à jouir de ce qu'offre la vie en étant porté par un désir adulte, sans addiction, c'est-à-dire sans le besoin impérieux de consommer, les personnes ou les choses. Cela implique la nécessité de se protéger, de se fixer certaines limites, de dire « non », à soi-même et aux autres si nécessaire, de tolérer certaines frustrations, d'accepter un minimum de solitude.

L'autonomisation implique aussi la possibilité de se pardonner d'avoir été victime du désamour de sa mère, mais aussi d'avoir échoué à la guérir. Se pardonner à soi m'a paru toujours bien plus salutaire que le pardon accordé aux autres. C'est bien cette pacification avec l'enfant intérieur qui permet d'atténuer la virulence des deux fantasmes de culpabilité et de mauvaiseté, afin d'accéder enfin à sa bonté intérieure.

Cela permet en outre de choisir ses relations. L'obsession de mauvaiseté du sujet le rendant aveugle, elle l'empêche trop souvent de percevoir celle des autres, l'agressivité, la méchanceté, voire la perversité de certains qu'il subit sans protester, convaincu à chaque fois que c'est de sa faute.

La souffrance de l'adulte ne renvoie pas, contrairement à ses fausses croyances, à des difficultés extérieures réelles, concrètement réparables. Elle provient de la défaite de la volonté thérapeutique de son enfant intérieur, qui, déconnecté de sa bonté profonde, lui instille la certitude imaginaire d'être nul, fautif et mauvais.

Pour toutes ces raisons, il me paraît de la plus haute importance de se familiariser avec son histoire aussi bien personnelle que transgénérationnelle. Connaître son passé et celui de ses géniteurs aide le sujet à éclaircir les nébulosités de son identité, en apportant de précieux éléments de réponse à la question centrale de toute existence : « Qui suis-je ? Qui parle, qui pleure, qui souffre, qui craint, qui lutte, qui fuit, qui agit, qui freine..., en moi : le petit garçon, la petite fille ou l'adulte ? Où suis-je surtout, dans l'Ici et Maintenant, ou suis-je séquestré dans l'Ailleurs et Avant ? Qu'est-ce que je recherche vraiment, quelle est la quête qui mobilise mon énergie ? Remplir mon vide, ou me réaliser en tant qu'homme ou femme adulte ? »

Connaître son histoire permet de repérer les erreurs et les méprises identitaires, lorsqu'on est pris pour l'autre, établi dans une place ou une fonction aliénée de doublure. Mobiliser l'essentiel de son énergie psychique à lutter contre les fantasmes de culpabilité et de mauvaiseté en expiant et en jouant au pharmakos, dans l'illusion de recouvrer l'innocence et la bonté, loin d'apaiser le sujet, détériore encore plus sa représentation narcissique déjà endommagée, tout en accentuant sa culpabilité.

La page qu'on est en train de lire en ce moment (notre présent) n'a d'intérêt, de sens et de cohérence que si elle est située dans l'intégralité du texte (la durée d'une vie), c'est-à-dire les pages déjà lues (notre passé) et toutes celles qui nous attendent (notre avenir) !

FLORE

Flore est une femme de bientôt cinquante ans. Elle est habillée de façon disparate, avec des couleurs qui contrastent. Elle donne l'impression d'attacher peu d'importance à son apparence. Elle met « ce qui lui tombe sous la main », m'a-t-elle dit plus tard ; des habits déjà portés, quoique parfois pratiquement neufs, que ses copines lui « filent » au lieu de les donner à Emmaüs. Il lui arrive aussi, vu qu'elle ne dispose pour le moment d'aucun autre revenu que le RSA, de s'en acheter elle-même quelquefois, à des prix ridicules, en se promenant dans les vide-greniers du quartier.

Flore s'assoit, se concentre un assez long moment, puis lève la tête pour m'adresser un grand sourire, chaleureux et bienveillant. Je remarque qu'elle n'est pas maquillée et qu'elle ne porte aucun bijou, hormis une petite montre au poignet. Elle se met à parler ensuite de façon animée, en agitant ses bras dans tous les sens, comme si elle exécutait les mouvements d'une danse. Sa pétulance soudaine contraste avec son impassibilité précédente :

« J'ai décidé de rentrer définitivement en France il y a quelques mois, après avoir vécu une quinzaine d'années en Amérique du Sud.

Récemment, je m'enfonçais, jour après jour, paniquée et impuissante, dans une dépression douloureuse. Mes amis, inquiets de la dégradation de mon état, ont décidé de se cotiser pour m'offrir les frais du voyage. Une force étrange me poussait à revenir en France, à retrouver ma famille, que j'avais délaissée il y a très longtemps. J'avais le sentiment d'avoir fui quelque chose, il y a quinze ans, en m'expatriant. Je devais le retrouver et le régler maintenant. Une fois que j'ai pris la décision de rentrer, je me suis sentie déjà moins tourmentée. L'idée de retrouver les miens me réconfortait. Cependant, dès les premiers jours à Paris, j'ai été saisie par une horrible sensation de panique à l'idée de redémarrer à zéro toute seule, sans économies. J'avais du mal à respirer ; les muscles de mon dos étaient crispés et endoloris, ma cage thoracique comme comprimée. J'avais l'impression de porter une lourde armure métallique dont je n'arrivais pas à me défaire.

Avant mon expatriation en Amérique latine, je travaillais à Paris, où je suis née d'ailleurs, dans le milieu de la mode et de la haute couture. J'avais trente-cinq ans. J'étais une styliste reconnue. J'occupais un bon poste avec un excellent salaire. Tout me semblait facile à cette époque. Je fréquentais les célébrités, les bons restaurants et les hôtels de luxe. Je n'étais pas habillée comme aujourd'hui, je le reconnais, comme une SDF. Je portais de superbes habits, dessinés souvent par moi-même. Je menais une vie de princesse, en somme, que mes copines m'enviaient, mais qui ne me comblait pas pour autant. Je la trouvais vide, fausse, insignifiante. J'avais parfois la sensation de jouer un rôle, comme au cinéma, à l'instar de ceux qui m'entouraient, d'ailleurs, obsédés par leur apparence. Je m'interrogeais sur le sens et l'intérêt de ce spectacle, sur ce dont j'avais envie, moi, vraiment, mais je ne trouvais aucune réponse satisfaisante. Je me sentais comme dédoublée, déchirée à l'intérieur entre une fausse Flore, dont je cherchais à me débarrasser, et une autre, authentique, à laquelle je n'avais pas accès.

Bref, j'éprouvais un intense besoin de sens et de profondeur. Certains matins, je me réveillais la boule au ventre, avec un sentiment de vide et d'inutilité effrayant. Je pleurais parfois plus d'une demi-heure avant de pouvoir me lever. Je ne pensais à rien de particulier. J'étais pourtant au faîte de ma carrière. Tout ou presque se déroulait normalement, sauf que je n'étais pas bien dans ma peau, sans savoir pourquoi. J'étais convaincue de devoir changer des choses dans ma vie, partir par exemple, pour trouver je ne sais quoi.

Une amie m'a proposé de l'accompagner à Saint-Jacques-de-Compostelle. Elle venait de se faire plaquer par son petit copain. Elle cherchait dans ce pèlerinage un baume cicatrisant qui l'aiderait à tourner la page. Je me suis mis à lire des livres là-dessus. J'ai découvert la mystique et la spiritualité. J'en avais vraiment besoin à l'époque. C'était important pour moi. Ça contrastait tellement avec le milieu dans lequel je travaillais, totalement tourné vers l'extérieur, les apparences, la consommation et l'argent. Ça détonnait aussi avec la mentalité de ma famille athée, hostile à la religion, allergique aux célébrations et aux rituels. Le pèlerinage m'a fait beaucoup de bien. J'étais aussi impressionnée par les paysages, émue par certaines rencontres. Cependant, le dernier jour, allongée sur mon lit d'invitée, en plein milieu de la journée, je me suis mise à pleurer, j'étais inondée par l'angoisse. J'en ai parlé à mon amie. Elle m'a écoutée pendant une heure sans me juger ni me donner de conseil. Elle m'a rassurée, en me disant simplement qu'elle me comprenait.

J'ai depuis toute petite la hantise d'être folle, ou qu'on pense cela de moi. Je crois que tout ce que j'ai pu entreprendre ou repousser dans ma vie a été subordonné à l'impératif de démontrer que je ne suis pas anormale ni malade. Ce qui m'a surtout fait du bien avec cette amie, c'est qu'elle m'a écoutée sans avoir peur de ce que je lui livrais. C'est son accueil et son calme qui m'ont rassurée.

Une semaine plus tard, j'ai décidé de tout plaquer et de m'envoler vers l'Amérique du Sud pour me fondre dans une petite tribu d'indigènes dans l'immense forêt péruvienne, dont j'avais entendu parler et qui me fascinait. J'étais animée par une forte conviction. Je savais que je devais le faire. Ma décision a été d'autant plus facile à prendre que je venais de me faire jeter par mon petit ami que j'avais surpris dans la rue en compagnie d'une autre fille. Il a évidemment tenté de la faire passer pour une collègue de bureau, comme ça lui était déjà arrivé.

Ça a toujours été la "cata" pour moi sur le plan amoureux. J'étais constamment attirée par des personnes qui ne me convenaient pas, qui étaient malhonnêtes, immatures ou qui me manquaient de respect. J'ai vécu pendant plus de dix ans avec un pervers qui profitait honteusement de moi, me volait. Il abusait sans vergogne de mon incapacité à lui fixer des limites. J'avais si peur de le rendre malheureux ou qu'il m'abandonne. J'ai joué pendant cette longue période un rôle de mère et de thérapeute. D'un côté, je l'entretenais, comme s'il s'agissait d'un petit garçon mais, d'un autre côté, je lui obéissais comme une petite fille.

Quand je suis tombée enceinte de lui, à vingt-huit ans, la seule fois de ma vie, j'ai décidé de me faire avorter. Comme je ne lui avais pas annoncé la nouvelle de ma grossesse, je ne lui ai pas parlé non plus de mon avortement. J'ai passé une journée dans une clinique spécialisée, et c'était terminé ! J'avais un mal fou à m'imaginer mère et encore plus à le croire capable d'être père. J'étais terrorisée à l'idée que mon bébé naisse anormal ou handicapé ou qu'il finisse par devenir fou, un jour, avec ces parents déglingués !

Il me fallait donc partir, fuir la routine, respirer un autre air, revivre ! Arrivée quinze jours plus tard dans ma petite tribu d'Indiens, je fus instantanément accueillie sans méfiance. J'étais enchantée ! Je me suis sentie rapidement transformée ; plus d'angoisse ni de dépression, ni même d'interrogation sur le sens de ma vie ou de mon utilité sur terre. J'étais bien, c'est tout ! J'avais pénétré dans une autre dimension, j'étais initiée à un autre monde. J'ai découvert le ciel et la terre, le vent, les rivières, la lune et les étoiles. Pour la première fois, j'étais connectée à la nature. J'ai trouvé le sens du sacré, la révérence aux éléments, la beauté, l'importance de toute chose, petite ou grande, des célébrations, des rituels: tout ce dont j'avais jusque-là été privée.

Là-bas, j'ai appris à vivre avec rien, ou très peu de choses. Je pouvais marcher pendant des heures, qu'il pleuve ou qu'il vente, dormir à la belle étoile sans redouter personne. J'ai bien plus peur d'être seule à certaines heures dans le métro qu'au milieu de la forêt péruvienne. Je me sentais protégée par les puissances primordiales, pénétrée par une vitalité, sans crainte et sans contrainte. C'est la ville qui me paraît la vraie jungle !

Les indigènes de cette tribu étaient des gens très simples, mais joyeux, sensibles, authentiques. Tout me semblait étonnant, époustouflant, sublime ! Je ne parlais évidemment pas leur langue, ni eux la mienne, mais on se comprenait, on s'entendait sur l'essentiel. D'ailleurs, le fait de ne pas partager le même langage comportait l'avantage de nous faire économiser toutes ces paroles vaines et déplaisantes qu'on a l'habitude de s'échanger à longueur de journée. Je dirais même que communiquer dans une langue étrangère m'a aidée à me concentrer, à me connecter à mon intériorité, pour mieux ressentir et exprimer mes émotions.

Je méditais souvent, passant pas mal de temps avec les chamans, tournée vers la spiritualité au détriment des préoccupations matérielles. Ce qui m'a le plus touchée pendant ces années, c'est leur accueil, chaleureux et inconditionnel. J'avais l'impression d'être aimée vraiment pour moi-même, sans aucun jugement et en dehors des normes habituelles, richesse, pouvoir, beauté. Le matin, par exemple, quand je sortais de ma tente et les rejoignais pour les prières et le petit déjeuner, ils me regardaient arriver en me souriant. Ils remuaient les bras, comme s'il se produisait là un événement exceptionnel, fantastique, auquel ils avaient la chance d'assister. Je m'y trouvais hors monde en quelque sorte, hors réalité, mais chez moi, en sécurité. J'étais pourtant à des milliers de kilomètres des lieux de mon enfance, en compagnie de personnes avec qui je ne partageais aucun lien de sang. Elles m'ont généreusement nourrie, enrichie et apporté la plénitude par le biais de leur affection.

Au bout de cinq ans, j'ai eu envie de les quitter, non pas parce que l'existence que je menais ne me plaisait plus, mais tout simplement pour continuer mon chemin, rencontrer d'autres personnes, connaître d'autres lieux, errer, plus exactement. La précarité apparaît de plus en plus chez moi comme une constante. J'adore ce mot, et sa sonorité d'ailleurs, qui semble effrayer et rebuter tant de personnes.

Ce qui m'a émue quand je leur ai annoncé mon intention de les quitter, c'était, encore une fois, leur acceptation. Ils trouvaient normal que je veuille m'en aller. Ils s'en réjouissaient même pour moi. Ils n'ont pas cherché du tout à me culpabiliser ou à me retenir comme si je leur appartenais, contrairement à ma famille de sang. D'ailleurs, durant mon séjour, nul n'a tenté de me dominer ni de m'influencer. Ça m'a beaucoup aidée à me faire confiance.

Après mon départ, j'ai passé une dizaine d'années à voyager. J'ai fait des rencontres passionnantes, vécu des moments d'une richesse et d'une profondeur inouïes. Je me sentais vraiment comblée. J'ai organisé de nombreuses expositions de photos, celles que j'avais ramenées de la tribu d'indigènes, mais plein d'autres encore, prises partout ailleurs. Mon travail a rencontré beaucoup de succès. Je vivais en vendant mes photos. Mes besoins n'étaient pas démesurés comme quand je vivais à Paris. J'avais appris la frugalité, je m'étais guérie de mon addiction à consommer. J'avais d'ailleurs arrêté, dès mon départ de Paris, de boire et de fumer.

L'an dernier, lors d'un vernissage, j'ai fait la connaissance d'un journaliste de la télévision. Il est devenu assez rapidement mon amant. Trois mois plus tard, il me proposait de l'épouser et de m'engager comme reporter. J'ai accepté tout de suite sa seconde proposition et j'ai demandé un délai de réflexion pour répondre à la première. J'étais heureuse, bien sûr, mais partagée. Quelque chose en moi avait peur de s'engager, de s'installer, de se fixer. J'étais émue par l'amour de cet homme, bien sous tous rapports, gentil, intelligent, respectueux, contrairement aux précédents. Sexuellement, ça marchait bien aussi, grâce à sa patience et à sa douceur, son immense délicatesse. J'avoue que la sexualité n'est pas une chose évidente pour moi. L'envie ne me manque pas. Je ne suis pas frigide, mais j'ai parfois du mal à me laisser aller, à me lâcher, comme si j'avais honte de jouir, comme si on me regardait en train de jouir. J'ai peur que mon partenaire s'imagine que je suis une perverse, une vicieuse ou une hystérique. Malgré tout, je ne me sentais pas, j'ignore pourquoi, vraiment amoureuse de lui. Il me manquait la passion, la fameuse flamme ! Quelques mois plus tard, il m'a à nouveau proposé le mariage, insistant pour obtenir une réponse claire cette fois. Je lui ai dit non, mais je n'ai pas pu lui expliquer pourquoi.

Après, nos liens se sont délités. Nous avons décidé d'un commun accord de nous séparer. Il m'a répété plusieurs fois que c'était un gâchis, qu'il avait du mal à comprendre ma décision. J'en étais malheureuse aussi, mais c'était plus fort que moi ! Cette rupture m'a beaucoup perturbée. Je m'en voulais. Je me sentais coupable de l'avoir déçu, de l'avoir blessé par mon refus. Je me trouvais méchante, idiote, d'autant plus que je n'avais rien de sérieux à lui reprocher. Deux à trois semaines ont suffi pour me plonger dans la dépression. Je ne sortais plus, n'avais plus goût à rien et surtout, je ressassais des idées noires.

Et puis, un beau jour, j'ai eu soudainement l'idée de retourner à Paris. En fait, je n'ai rien décidé du tout, une étrange voix me dictait de revenir à mes origines, après quinze années d'exil. C'était peut-être mon ange gardien qui m'empêchait à ce moment-là de commettre l'irréparable.

Cela fait maintenant plus de six mois que je suis rentrée. Très curieusement, c'est ici, dans mon pays, que je me sens étrangère, alors que dans la tribu péruvienne, j'étais parfaitement intégrée, à ma place, chez moi ! Depuis mon retour, je n'ai rien réussi à construire. Ici, pour être, il est indispensable d'avoir : un travail, une maison, de l'argent, un mari, des enfants. Moi, je n'ai rien, donc je ne suis rien, je n'existe pas. Le regard des autres me pèse. Je me sens jugée, surtout coupable, avec le sentiment de me trouver là où je n'ai pas le droit d'être. Je me sens humiliée d'avoir besoin des autres, de leur demander des services : m'héberger, me prêter de l'argent, m'offrir leurs habits usagés. J'ai d'autant plus honte qu'il y a quinze ans, je portais des robes magnifiques que j'offrais à mes amies après les avoir portées deux ou trois fois. Là, je navigue à vue, totalement privée de perspective. Avant, je n'avais jamais eu à me bagarrer pour gagner ma croûte. Je ne dépendais de personne. C'était toujours les autres qui venaient me chercher. J'avais mon travail, mon salaire, mon appartement, et des hommes qui me tournaient autour. Là, c'est le dénuement total, et les mecs, je n'en veux pas, ma libido est en panne, zéro au point de vue hormonal. Je m'arrange aussi pour qu'ils ne puissent pas me désirer. Je les éloigne.

Je me reproche parfois d'avoir, sur un coup de tête, quitté le Pérou, mon pays d'adoption, où je disposais de tous les ingrédients nécessaires au bonheur. Je me dis que je me suis, encore une fois, sabotée. Je suis décidément une vraie conne ! Je suis si en colère contre moi-même ! Je ne prends jamais les bonnes décisions, mais celles qui me mettent en danger. Je suis le bourreau de moi-même et, en même temps, sa victime complaisante. Certaines de mes amies m'admirent d'être libre, pas de mari, pas d'enfants, pas de maison à entretenir, le ménage, la cuisine, les impôts, la fuite des robinets. Et puis, à quoi ont servi finalement toutes ces années passées dans la tribu, ces méditations et ces initiations, cette spiritualité que j'imaginais salutaires ? Je croyais que je m'étais reconstruite, que j'avais définitivement trouvé la paix intérieure. Ici, je n'ai pas du tout envie de retourner dans le monde superficiel de la mode, avec ses mannequins obsédés par leur poids et la bouffe. D'ailleurs plus personne ne voudrait me reprendre. Je suis devenue totalement ringarde, ça va tellement vite dans ce milieu !

En ce moment, je me fais humilier à chaque visite à Pôle Emploi par des employés deux fois plus jeunes que moi. Ils ne sont pas méchants, mais ils me prennent pour une débile qu'ils s'efforcent de rééduquer. Ils me font comprendre que je m'y prends mal pour chercher un emploi, qu'il faudrait plutôt agir comme ceci ou pas comme cela. Tout ça, c'est du bidon, évidemment. La vérité, c'est qu'il n'y a de travail pour personne, mais ils ne vous le disent pas. C'est impossible d'apprendre à pêcher du poisson dans une rivière où il n'y en a pas! La bonne volonté ne suffit pas.

Ma réintégration ici est donc bien plus compliquée que je ne l'imaginais, en raison de la crise économique qui n'en finit pas, le chômage, le coût de la vie, le prix exorbitant des loyers à Paris. Ce qui ne m'aide pas non plus, c'est que la société française est glaciale, rigide et superficielle. Moi, j'ai besoin de tout le contraire : la chaleur, la douceur, la profondeur. Ici, je me sens étrangère, une extraterrestre ! Les gens ont tout mais ils sont angoissés. Tout le monde râle sans arrêt.

Du coup, je capte, comme une éponge, leur négativité et leur insatisfaction et je me sens encore plus mal. Je ne peux rien leur dire. Je dois fermer ma gueule, puisque, en m'hébergeant gratuitement, ils me rendent service, mais je deviens dépendante d'eux. Je dois me montrer souriante, de bonne humeur, sociable, leur proposer de les aider dans les tâches ménagères, rester bavarder ou regarder les programmes débiles à la télé avec eux après le dîner, alors que je meurs d'envie d'aller me coucher. Souvent, j'ai peur de devenir folle, de péter un plomb, d'exploser, mais je dois me taire. Je n'arrive pas à rentrer dans leur moule.

Comme je suis, je l'avoue, un peu superstitieuse, je me dis que je ne réussirai jamais à récupérer la place que j'occupais avant mon départ. C'est le destin troublant de mon arbre que je prends pour un présage. Oui, lorsque j'avais un an, mes tantes et ma mère ont planté un petit sapin bleu pour moi, dans la maison de ma grand-mère. C'était mon sapin. Il grandissait avec moi. Je lui rendais visite régulièrement, comme à un être cher, jusqu'à mes trente-cinq ans. Je l'aimais beaucoup, mon arbre. Je le caressais, lui parlais. Je me réfugiais sous ses branches, j'allais dire dans ses bras. En novembre dernier, peu après mon retour, j'ai appris qu'il avait été abattu, coupé et tronçonné. Mes tantes, craignant qu'il ne tombe sur la maison lors d'une tempête, ont pris cette décision sans me consulter. Cette nouvelle m'a beaucoup attristée. J'en ai pleuré, c'était mon meilleur ami. Cet arbre, c'était moi, en réalité ! J'ai donc perdu ma place sur cette terre et dans ma famille. Celle-ci, au lieu de s'agrandir, s'est rétrécie. J'ai perdu mon père d'un cancer de l'intestin détecté trop tardivement et, je pense, très mal soigné. Mes deux tantes maternelles ont vieilli, et toutes deux souffrent de solitude et de maladie. »

Il est clair que Flore souffre de la D.I.P. C'est bien celle-ci qui constitue le noyau de sa dépression actuelle, ainsi que l'origine des ennuis qui l'empêchent de devenir actrice de sa vie. Étant ainsi piégée dans l'invisible toile d'araignée de la culpabilité et de la mauvaiseté, elle ne cesse de s'auto-punir inconsciemment, de s'autodétruire, de se maltraiter, d'expier en un mot dans le but fantasmatique illusoire d'accéder à l'absolution, afin d'effacer ses péchés imaginaires.

La présence pernicieuse de cette force d'auto-fustigation est la raison pour laquelle Flore a échoué (ne s'est pas autorisée à réussir, plus exactement) dans les divers pans de son existence, malgré d'innombrables atouts et capacités, jeunesse, beauté, intelligence. J'ai toujours pensé que, hormis une poignée de personnes naturellement belles, talentueuses ou débrouillardes, ou disgracieuses, idiotes et incapables, la très grande majorité des humains vogue entre ces deux pôles extrêmes. Ils peuvent être beaux et intelligents ou, à l'inverse, bêtes et vilains, en fonction de l'importance de leur capital narcissique, de leur amour de soi. Autrement dit, le sujet se reconnaîtra certaines qualités seulement s'il s'en croit digne et s'il s'en donne le droit. Tout à fait à l'inverse, s'il a une mauvaise image de lui-même, délibidinalisée, s'il est dominé par son enfant intérieur qui se croit mauvais et coupable, il se percevra comme laid, bête et minable et restera sourd aux compliments de son entourage. Tout dépend de l'autorisation que le sujet s'octroie, se pensant digne et méritant ou pas. C'est alors l'accès à sa bonté profonde qui booste l'énergie libidinale offrant à la personne une image correcte d'elle-même, ni dénutrie, ni inflationnée. C'est bien la D.I.P. qui empêche l'accès à cette bienveillance intérieure, rendant ainsi le sujet dépendant des autres, de leurs critiques et compliments, les premiers redoutés, les seconds recherchés.

Chez Flore, l'expiation, censée la délivrer des deux fantasmes de culpabilité et de mauvaiseté, a empêché l'épanouissement des deux pans de son identité plurielle féminine, l'amour et l'enfantement. Elle a compromis, de même, son insertion dans la réalité, c'est-à-dire l'exercice d'un travail pour prendre soin de sa corporéité, se loger, s'habiller, se nourrir, se divertir... Ma patiente vit aujourd'hui, elle vivote plutôt, telle une SDF, dépendante, secourue par la société.

À trente-cinq ans, au sommet de sa carrière, reconnue et respectée, elle a tout plaqué brusquement dans l'espoir de se métamorphoser, comme s'il lui était possible de devenir magiquement une autre. C'est ce qui éclaire sans doute le sens de certains virages et conversions passionnés, fanatiques (je dirais délirants) à des idéologies politiques ou religieuses (je dirais des sectes) exhibées comme des vérités capables de révolutionner la vie. Si Flore menait une existence jusque-là diluée dans l'extériorité mondaine et superficielle, elle a brutalement déserté cet espace pour chavirer dans son intériorité, à travers ce qu'elle appelle la mystique ou la spiritualité. Elle est passée d'un extrême à l'autre et n'a pas su expérimenter la dialectique féconde des contraires qui est seule susceptible de pacifier l'âme et le corps, l'extérieur et l'intérieur, nullement antinomiques d'ailleurs. Flore a toujours mené une existence bancale, dissociée, n'utilisant qu'une seule de ses jambes pour se déplacer.

Quant aux hommes, elle s'est surtout laissée attirer par les personnes qui la trompaient et abusaient de sa crédulité. Le seul qui semblait l'aimer sainement, qui lui a procuré un emploi et lui a proposé de l'épouser, elle l'a refusé. Sombrant peu après dans la dépression, elle a décidé de réintégrer la terre de ses origines où elle peine aujourd'hui à se réimplanter : « J'ai beaucoup de mal à construire, en travail comme en amour. Je redoute de m'engager à long terme. J'aime le changement. Je déteste la monotonie et la routine. Je me sabote, finalement, en ne prenant pas les bonnes décisions mais celles qui me mettent en danger. Je suis à la fois la victime complaisante et le bourreau de moi-même », reconnaît-elle.

La D.I.P., je l'ai déjà souligné, se trame et se niche dans le creux de la carence matricielle, le vide de l'amour maternel. Elle s'accompagne de la culpabilité de la victime innocente, l'enfant étant persuadé d'être fautif du manque subi, en raison, croit-il, de sa mauvaiseté. C'est précisément cette culpabilité imaginaire qui pousse Flore, femme adulte n'ayant rien à se reprocher consciemment, à se maltraiter, en se laissant abuser par les hommes et en se sabotant dans le domaine professionnel. Bien qu'en apparence libre, ma patiente ne jouit en réalité d'aucune autonomie psychique, dominée par la petite en détresse en elle, persuadée d'être mauvaise, nocive, folle, timbrée, détraquée. Le thème d'être anormal, fou, pas comme les autres, névrosé, avec mille et un autre synonymes, renvoie invariablement à une image très négative de soi, à la conviction de l'enfant intérieur d'être mauvais. Ce qui le force, par voie de conséquence, à la tentation permanente de s'auto-mortifier ainsi qu'à l'obsession de s'ériger en pharmakos, afin de démontrer son innocence et sa bonté.

Nous pourrions nous interroger ici encore une fois à partir du récit de Flore, dans une optique clinique, en dehors de toute considération idéologique, sur l'impact d'une liberté totale d'action chez certains individus. Ceux-ci, alors qu'ils sont privés d'une certaine autonomie psychique, puisqu'ils sont sous l'emprise de l'enfant intérieur affecté par la D.I.P., se servent de la licence qui leur est accordée, non pas pour s'épanouir, mais plus tristement pour la retourner contre eux, pour s'autopunir et expier. Rien n'est jamais purement bon ou mauvais en soi. Tout peut être salutaire s'il est mesuré, limité, sinon il se transforme en poison. Un peu d'eau désaltère, une petite flamme réchauffe mais, au-delà d'une certaine quantité et d'une certaine intensité, l'un comme l'autre détruisent. Il en va ainsi de l'amour, de l'autorité, de la religion, de l'argent, du sexe...

Regardons maintenant d'un peu plus près à quoi renvoie la culpabilité de ma patiente, sa crainte d'être ou de devenir folle.

« Ma mère est morte quand j'avais quatre ans. Je n'ai conservé aucun souvenir d'elle. Nulle image ne subsiste dans ma mémoire, le blanc total. J'ignorais jusqu'il y a peu les circonstances exactes de sa disparition. La belle-mère a pénétré dans notre vie, je dirais par effraction, alors même que le lit conjugal était encore tiède, comme s'il ne s'était rien passé, et que ma mère n'avait jamais existé. Mon père m'a toujours soutenu qu'elle était tombée d'un escabeau à la cave en voulant changer une ampoule. Je n'ai jamais vraiment cru à cette version, que je prenais intuitivement pour un mensonge. Ce soupçon n'a fait qu'intensifier ma douleur d'être privée d'elle. Que lui était-il donc arrivé ? Mystère ! Mais j'ai dû faire profil bas et ne plus poser de question. J'ai fermé ma gueule.

Avant de rencontrer maman, mon père avait été marié une première fois à une autre femme, bien plus âgée que lui, paraît-il. Il avait eu un garçon et une fille de ce premier lit. Ensuite, il a divorcé pour s'unir à ma mère. La famille maternelle s'y est fortement opposée, en raison de la mauvaise réputation de coureur de jupons de mon père. Ma mère, sourde aux avertissements, l'a épousé. Elle a par la suite énormément souffert de ses infidélités. Il a toujours eu, jusqu'à ses quatre-vingts ans, une femme officielle et une ou deux maîtresses.

À côté de la thèse de l'accident, il existe aussi la version du suicide de ma mère. Elle est défendue par l'une de mes deux tantes maternelles. En fait, jusqu'à mon expatriation, je n'avais entrepris aucune enquête sérieuse pour découvrir la vérité. Une chape de plomb pesait lourdement sur ce drame, décourageant toute initiative. Ma grand-mère était une taiseuse. Elle évitait d'aborder ce sujet, donnant l'impression qu'elle préférait ne rien savoir. Elle exprimait rarement ce qu'elle ressentait, tellement sa peine était grande. Et puis, lorsque mes tantes voulaient me montrer des photos de ma mère, mon père le leur interdisait. Je n'ai jamais eu une mentalité guerrière ni celle d'une détective. Le fait de poser des questions et de chercher des réponses me perturbait. J'avais peur, en forçant les portes et en m'aventurant dans des zones interdites, de déverrouiller la boîte de Pandore. Je craignais de perturber mes proches, de leur faire du mal en violant les secrets qu'ils avaient choisi de taire. Je me sentais coupable. C'est depuis mon retour à Paris que j'ai entrepris d'enquêter, en interrogeant le peu de famille qui me reste. C'est donc là où ma tante m'a révélé que ma mère s'était suicidée. Elle jure m'avoir déjà tout raconté autrefois. Je ne sais pas si c'est vrai, peut-être ai-je tout refoulé.

D'après elle, à peine six mois après ma naissance, ma mère projetait sérieusement de quitter mon père, ne pouvant plus tolérer ses infidélités. Elle est partie avec moi dans ses bras se reposer dans la maison de campagne de sa mère. Mon père, n'acceptant pas l'idée de se séparer d'elle, l'appelait sans cesse, la suppliant de revenir, lui promettant la fidélité et tout le reste, pour la reconquérir. Jusqu'à son suicide, à l'approche de mes quatre ans, ce genre de scènes se serait souvent répété. Ma mère, soupçonnée de dépression, voire de folie, aurait même été deux fois hospitalisée en psychiatrie lors de ses crises. Ma tante m'a avoué qu'après ces événements, tous étaient inquiets pour moi, non pas à la pensée de la disparition de ma mère, mais quant aux sérieux risques que je courais moi, sa fille, de devenir folle aussi plus tard.

Je suis persuadée maintenant que c'était pour rassurer mes tantes, avec lesquelles j'ai tout de même vécu jusqu'à mes dix-huit ans, que j'essayais toujours de passer inaperçue, je veux dire que j'étais sage, gentille, obéissante. Je me devais de leur prouver que je ne deviendrais pas folle comme ma mère. Ma stratégie de survie se résumait alors en un slogan en trois mots que je ressassais : "faire profil bas". Par crainte d'être rejetée, je me fermais, je censurais mes colères, mes opinions, mes différences. J'avais si peur d'être perçue comme folle. Cependant, malgré tous mes efforts, elles me critiquaient sans arrêt et ne m'accordaient aucune confiance. Pour elles, je ne faisais que des bêtises. Elles ont refusé de se porter caution quand j'ai loué mon premier appartement. Quasiment persuadées que je serais bientôt internée, héritière de la dépression maternelle, elles rejetaient l'idée d'avoir à supporter les loyers impayés.

Ces confidences relatives au suicide de maman m'ont beaucoup perturbée. Je me suis d'abord sentie abandonnée, comme si quelqu'un m'empoignait par la taille et me jetait du haut d'une falaise. Il m'a paru tristement évident, surtout, que si ma mère s'était donnée la mort, c'est qu'elle ne m'aimait pas, que je ne comptais pas pour elle, que je n'étais pas assez importante à ses yeux pour qu'elle veuille rester en vie et m'élever. Il n'y avait donc que ses histoires d'amour avec son mari qui comptaient. Je me suis dit aussi que c'était sans doute à cause de moi, après tout, si mes parents se disputaient, que mon père n'aimait pas suffisamment ma mère et qu'il allait voir ailleurs. C'est donc moi qui les avais séparés du fait même de ma naissance. Tout était ainsi de ma faute.

C'est sans doute pour compenser ce manque de proximité dans ma famille que je consacre, depuis toute petite, pas mal d'énergie à tisser et à entretenir des liens. J'ai plein d'amis à travers le monde entier. J'essaie de les unir, de les rassembler. C'est beau une grande tablée avec des gens qui s'apprécient.

Dans ma famille, tout le monde cloisonne. Ma demi-sœur adore que je sois sa sœur, mais avec mon demi-frère elle agit comme s'il n'était que son frère à elle et pas en même temps le mien. Elle l'appelle "son" frère. Je perds du coup ma place, je me sens à l'écart. Mon père avait la fâcheuse habitude aussi de diviser pour mieux régner. Il cultivait le mensonge et les secrets.

Troisième version concernant le décès de ma mère, défendue par ma seconde tante : elle n'est pas morte en tombant d'un escabeau, ni en mettant volontairement fin à ses jours. Elle aurait été assassinée par mon père. Je sais qu'elle est assez "parano", cette tante. Elle m'a exposé sa version en m'affirmant aussi qu'elle me l'avait déjà racontée. Ensuite, elle a fondu en larmes alors qu'elle ne montre d'habitude aucune émotion. Elle est très rigide, mais a conservé toutes ses facultés. D'après elle, ma mère ne souffrait pas de dépression. Elle voulait simplement quitter mon père à cause de ses nombreuses infidélités, mais elle n'y arrivait pas, lui restant malgré tout très attachée. Lorsque mon père a annoncé sa mort, il aurait raconté des choses bizarres. Il parlait d'une panne de voiture sur la route, ou soutenait qu'elle avait abusé des barbituriques, etc. Curieusement, il a vendu deux jours plus tard sa voiture, comme s'il voulait effacer très vite des traces, comme s'il ne s'était rien passé du tout. J'avais l'impression de me trouver dans un mauvais polar. Il est vrai que mon père a eu, un soir, un accident de voiture avec sa maîtresse à ses côtés. Celle-ci est décédée sur le coup. Mais la police n'a pas poursuivi mon père, personnage influent et haut placé. Il a dû, d'après ma tante, "entortiller le truc", pervers et manipulateur comme il était.

Cette version a eu l'effet d'une bombe sur moi. Elle m'a bouleversée. Cependant, j'ai ressenti une immense joie le soir, en rentrant chez moi. Je me disais que ma mère ne m'avait donc pas abandonnée en se suicidant et qu'elle m'aimait. Je l'avais récupérée ! J'ai pensé surtout que, même si mon père n'avait pas réellement tué ma mère, il l'avait tout de même psychologiquement assassinée par ses tromperies. Elle me chérissait donc et ne m'avait pas abandonnée !

Quelques jours après les révélations de ma tante paranoïaque, j'ai fini par découvrir, au milieu d'une tonne de paperasses, le certificat de décès de ma mère : morte par inhalation de gaz ! Elle s'était bel et bien suicidée. C'est incontestable. C'est terrible mais je dois l'accepter.

De toute façon, mon père était un obsédé sexuel. Je me souviens que, quand j'avais dix-douze ans, il me montrait des dessins érotiques "artistiques", disait-il. Après, il me racontait ses histoires de maîtresses. Ça m'oppressait, j'avais mal pour ma mère. Une fois, quand j'avais dix ans, il m'a dit froidement que ça lui ferait très plaisir si j'acceptais de coucher avec lui. Je n'ai rien pu lui répondre. Cela m'a glacée. Je n'osais pas entrer en conflit avec lui. Une seule fois je lui ai lancé, j'ignore aujourd'hui pourquoi : "Tu es un enfoiré !", il s'est mis à rire, alors que j'en ai été malade pendant trois jours. Mon père m'aimait je pense, mais il n'avait aucun sens des limites. »

Nous comprenons mieux maintenant le sens inconscient du processus de l'expiation chez ma patiente. Flore, la petite fille en elle plus exactement, se croyant coupable de l'abandon maternel, se punit en se laissant attirer par l'échec, en fuyant les possibilités d'être heureuse, de gagner, de réussir, d'aimer, d'être vivante. Elle s'interdit de réaliser ses désirs de femme adulte. « Quand ça marche, dit-elle, j'arrête ! »

Parfois, comme ici chez Flore, l'expiation poursuit non pas un seul, mais un double but, à la fois masochiste et sadique. Elle s'engage et s'exerce ainsi dans deux directions opposées, d'auto- et d'hétéro-agressivité. Autrement dit, le sujet, tout en se punissant, cherche à punir, dans le même mouvement, ceux qui ont compté dans sa vie. Le suicide, par exemple, physique ou psychologique, représente et concentre ces deux dimensions, se détruire en détruisant ses proches. Par conséquent, en laissant rater sa vie, en ratant son travail, son existence de femme et de mère, Flore châtie conjointement ses tantes ; celles qui la critiquaient sans cesse, qui ne lui accordaient aucune confiance et soupçonnaient qu'elle allait sombrer dans la folie incessamment. En se sabotant, Flore empêche ses deux mères substitutives d'être fières d'elle. Elle les déçoit, les sanctionne, mais se moleste aussi de n'avoir pas correspondu à leur idéal, à leurs attentes.

Les circonstances de la disparition de sa mère, non élucidées durant des années, non mises en mots et non conscientisées, l'ont empêchée d'achever son deuil pour pouvoir continuer à se développer. C'est sans doute à ce cadavre maternel, transformé en fantôme car privé de sépulture, que Flore faisait souvent allusion en parlant d'un « trou noir avalant mes forces ». C'est de plus ce vide qui constitue la source de sa fatigue, de son désespoir, de son manque d'envie de vivre, de son incapacité à « se coacher » elle-même, bref de sa dépression, « une force négative qui me bloque et me tire en arrière ». C'est enfin ce cadavre non enterré qui a obstrué jusqu'ici sa vanne libidinale, lui interdisant de vivre sa féminité, en désirant et en se laissant désirer par un homme dans la confiance et le respect. Rien n'est plus horripilant que la culpabilité du survivant : « Quand je me dis qu'aujourd'hui, à cinquante ans, je suis vingt ans plus vieille que ma mère au moment de sa mort, je me sens envahie par un torrent émotionnel. »

La vie amoureuse et sexuelle de ma patiente se trouve d'autant plus enrayée en raison des sollicitations incestueuses de son père, qui a confondu de façon perverse ses deux statuts de père et d'amant. C'est injustement Flore qui éprouve la culpabilité que son père dénie. Quant aux deux tantes, les deux cadettes de la mère de Flore, elles sont aussi empêchées de survivre à leur jeune sœur suicidée/assassinée. Elles se sont fermées à l'amour des hommes, à l'enfantement. C'est une manière d'expier une double culpabilité chez elles : celle de n'avoir rien pu tenter, d'abord, pour sauver leur sœur, celle, ensuite, de lui avoir survécu. La différence entre une mort naturelle (par accident ou maladie) et un suicide renvoie au fait que le suicidé tue psychologiquement son entourage par son auto-assassinat sans pour autant s'éclipser paisiblement des mémoires, son deuil s'avérant impossible.

Le paranoïaque et l'hypocondriaque sont tous les deux victimes en réalité du même processus d'expiation. Accablés et obérés pareillement par les deux fantasmes de culpabilité et de mauvaiseté, ils s'auto-flagellent, bien que de deux manières opposées. Si le premier se croit agressé depuis l'extérieur par la méchanceté et la malveillance des autres, le second s'imagine qu'il est persécuté depuis l'intérieur par toutes sortes de maladies imaginaires. L'expiation sert ainsi, chez l'un comme chez l'autre, mais en vain bien sûr, à recouvrer l'innocence et la bonté. Ils s'interdisent ainsi toute tranquillité d'esprit, toute paix intérieure, se devant de rester constamment vigilants, mobilisés et aux aguets. L'hypocondrie représente, dans ce contexte, une forme de paranoïa où l'ennemi persécuteur se cache non pas au dehors mais à l'intérieur même du corps de son souffre-douleur. Ces deux symptômes constituent donc l'envers et l'endroit de la même médaille.

C'est enfin cette quête de la mère qui a poussé Flore à s'expatrier à trente-cinq ans dans une tribu d'Indiens où, comme à l'intérieur de la matrice, elle se sentait accueillie, chaleureusement entourée, comprise, en sécurité, appréciée de façon inconditionnelle pour ce qu'elle était. Cependant, cette parenthèse, cette prothèse matricielle a progressivement perdu de ses vertus consolatrices/antidépressives, renvoyant à nouveau ma patiente à son vide intérieur, concrètement incomblable. Voilà pourquoi elle s'est trouvée face à une dépression qu'elle qualifie de « noire ». Tout ce qui arrive est pour le bien, comme l'a dit un grand sage. La dépression n'est pas une maladie, mais une chance, au contraire, l'occasion de changer de regard, sur soi et sa vie, de grandir. Elle représente une crise certes douloureuse, mais qui contient les germes d'un renouvellement salvateur, à condition qu'elle soit accueillie, entendue et travaillée, et non combattue. Elle a représenté en effet pour Flore l'occasion de revenir chez elle, en elle, pour retrouver sa petite fille en détresse, prisonnière du fantôme de sa mère. Au fond, ma patiente est revenue en France poussée par une force mystérieuse pour retrouver sa mère, afin de pouvoir en faire le deuil, l'enterrer enfin, l'intérioriser, et devenir ainsi sa propre mère pour s'aimer et cesser de se maltraiter.

Ce qui empêche le sujet d'effectuer ce deuil et de réhabiliter sa mère intérieure, c'est toujours son insistance à rechercher des substituts maternels à l'extérieur. Il se laisse berner par la conviction enfantine naïve qu'un jour, quelqu'un ou quelque chose lui ouvrira les portes du bonheur, lui fera retrouver l'Éden matriciel en lui procurant la paix, la chaleur et la sécurité qui lui ont manquées. Or, il s'agit là d'une illusion qui ne fait à long terme qu'accentuer la dépendance du sujet à l'égard des objets et des personnes, tout en l'éloignant de son intériorité, de son être profond. Devenir une bonne mère pour soi, se regarder avec tendresse, respect et indulgence nécessite le deuil de toutes ces mères substitutives destinées à suppléer celle qui a fait défaut dans le passé.

La réhabilitation de la mère intérieure permet ainsi à l'adulte de ne plus s'épuiser à satisfaire concrètement depuis le dehors son besoin d'amour, celui de son enfant intérieur en réalité, perçu comme vital, à assouvir dans l'urgence. Elle l'aide à ne plus s'égarer, consommé par la consommation addictive des objets ou celle cannibalique des personnes. L'essentiel pour recouvrer la paix ne consiste pas à contenter ses besoins régressifs d'enveloppement, mais à repérer sa carence matricielle, à la reconnaître pour en faire le deuil. Il est de toute évidence bien plus ardu de renoncer à ce qui a manqué jadis, à l'absence, qu'à ce qui a pu être vécu pleinement, en son lieu et temps.

Ainsi, il ne s'agit plus de combler un vide, mais d'en prendre acte, conscience, de l'accepter, c'est-à-dire de consentir à ce qui fut, pour réduire considérablement son intensité et sa nuisance ; se brancher à son intériorité et à ses sources, au lieu de quémander des gouttelettes d'eau aux uns et aux autres. Le renoncement à ce besoin infantile permet la résurgence du désir adulte. Ce recentrage depuis le dehors (substituts matriciels) vers le dedans (mère intérieure) s'accompagne de changements considérables au niveau non seulement des liens que le sujet entretient avec lui même, mais aussi de ceux qu'il a tissés avec les autres.

Cela concerne entre autres le destin réservé à l'agressivité naturelle, jusque-là orientée masochistement contre soi-même, culpabilisée et interdite à l'expression. C'est donc la quête intensive de la mère, le besoin addictif de trouver l'enveloppement matriciel, l'amour et la reconnaissance des autres qui contraint le sujet à lutter contre ses deux fantasmes de culpabilité et de mauvaiseté imaginaires, pour se montrer bon, gentil, pur et innocent. Il s'agira désormais d'être un peu moins bon dehors, mais plus indulgent avec soi-même, plus maternel justement, en prenant soin de sa personne, en se préférant à autrui, en se croyant légitime et en s'accordant du mérite. C'est d'ailleurs quand on renonce à la mère substitutive que les autres éprouvent le désir spontané et sincère de nous chérir, sans s'y sentir forcés. Le vrai lien ne se noue pas entre les adultes mais, au niveau infra verbal et inconscient, entre les êtres profonds, les enfants intérieurs.

Quand je l'ai connue, Flore n'avait pas accès à son agressivité naturelle. Terrorisée par le jugement des autres, elle craignait sans cesse qu'on la juge méchante ou mauvaise, folle ou en passe de le devenir, à l'image de sa mère. C'est pourquoi elle n'osait jamais dire « non » ni fixer la moindre limite. Elle se maltraitait sans pour autant faire du bien aux autres, puisqu'elle encourageait ainsi leur côté sadique. En réalité, elle n'était jugée par aucune personne ni instance extérieure. L'impitoyable procureur se trouvait en elle-même, se sustentant de ses deux fantasmes de culpabilité et de mauvaiseté. Et puis, tous les conflits relationnels qu'elle réussissait à éluder en se montrant gentille à l'excès, loin de se volatiliser, s'incrustaient dans son âme et la déstabilisaient. Elle a appris progressivement que c'est en disant parfois « non » qu'elle pourrait authentiquement dire « oui » aussi, dans la gratuité du désir cette fois, et non sous la pression du besoin infantile de plaire ou de la crainte d'être rejetée. Souvenez-vous du vieil homme et du serpent !

6

BESOIN D'ÊTRE PARFAIT ?

NICOLAS

Nicolas est un bel homme de cinquante-huit ans aux cheveux grisonnants. Il est mince, élégant et avenant. Il me remercie d'emblée chaleureusement d'avoir accepté de le recevoir. Il se dit cependant un peu gêné de venir consulter pour des futilités, alors qu'il existe tant de personnes aux prises avec de « vraies souffrances ».

« Oui, je suis embêté de venir me plaindre, alors qu'il ne me manque en réalité rien. J'ai d'ailleurs failli décommander il y a une heure notre entrevue. En écoutant les informations à la radio ce matin quand je prenais mon petit déjeuner, j'ai éprouvé un certain malaise, une honte même, à l'idée de venir vous parler de mes soucis de luxe, comparés aux drames, bien sérieux ceux-là, que tant d'humains subissent quotidiennement à travers le monde, guerres, exils, misères, maladies graves, et j'en passe. J'ai néanmoins réussi, cela ne m'arrive pas souvent, à ne pas m'écouter cette fois, pour pouvoir honorer mon rendez-vous.

Voilà, j'ai cinquante-huit ans. Je suis avocat dans un grand cabinet parisien. Je suis marié, je vis avec la même femme depuis trente-deux ans déjà. Nous avons deux enfants, une fille de trente et un ans et un fils de vingt-neuf ans. Mon épouse est professeur de français en lycée. Ma fille est pédiatre, mais mon fils cherche encore sa voie. Il a essayé pas mal de domaines.

Depuis quelques années, il a décidé de devenir acteur de cinéma. Notre fille est tout à fait autonome financièrement, mais pas lui. Je me fais parfois un peu de souci pour eux.

Je vous en parle puisque je suis là pour vous raconter ce qui ne va pas. Ma fille a mené une vie sentimentale tumultueuse assez précocement à partir de quinze ans. Jusqu'à ses vingt-cinq ans, elle a eu une sexualité que je trouvais assez débridée, n'hésitant pas à fréquenter en même temps deux ou trois garçons. Elle a accumulé pas mal d'échecs et de déboires, en s'amourachant surtout de personnes peu recommandables. Mais elle mène maintenant, depuis cinq ou six ans, comme si elle avait glissé d'un excès à l'autre, une existence on ne peut plus chaste. Elle se consacre quasi entièrement à son travail de pédiatre, s'occupant de ses "bébés" comme elle dit, sans compter ses heures, prenant très peu de congés. Elle ne nous parle plus d'aucune relation sentimentale. Elle est passée d'un été caniculaire, si l'on peut dire, à un hiver glacial. Nous nous sommes demandé, avec sa mère, si elle n'était pas devenue lesbienne, mais non, je ne le crois pas.

Quant à moi, je ne souffre en fait d'aucun problème important, rien de particulier. J'ai tout ce qu'il me faut, femme, enfants, santé, bel appartement, argent. Peut-être suis-je parfois un petit peu malheureux parce qu'il ne me manque rien justement, je ne sais pas ! Je souffre en fait d'une difficulté, voire même d'une incapacité à me satisfaire de ce que je suis et de ce que j'ai. Oui, c'est bien cela, mon problème, c'est l'insatisfaction. Je cours sans arrêt après une chose, puis une autre, ailleurs, plus, mieux. Je ne dirais pas que je ne suis pas dans le présent, que je ne jouis pas de ce que la vie m'offre. Non, j'aime mon travail. Je suis content de m'occuper de mes clients, je fais le maximum pour les secourir. Je prends aussi plaisir à manger et à boire, ou lorsque je me promène dans les bois en contemplant de beaux paysages. Mais je ne suis vraiment comblé que quand je fais l'amour, notamment avec une autre femme que la mienne. Ah oui, j'ai un peu honte de l'avouer crûment, je suis un homme à femmes. Je n'ai aucun scrupule. Je ne me sens pas du tout coupable. Mais je ne voudrais pas qu'on l'apprenne, par peur qu'on me juge mal. Je crains aussi de faire de la peine à mes proches, surtout à mon épouse, qui ignore tout évidemment.

Par contre, je n'ai jamais rien caché de ma vie à mes maîtresses successives. Nulle n'ignore que je suis marié et que je n'ai pas du tout l'intention de divorcer. Je ne veux pas quitter ma femme ; elle serait si malheureuse. Là dessus, j'ai toujours été clair. D'ailleurs, dès qu'une fille s'apprête à me demander de m'engager davantage avec elle, je prends mes distances et je cesse de la fréquenter. Du reste, il existe de nombreuses femmes comme moi, en couple ou célibataires, qui préfèrent également ce genre de relations non conventionnelles. Elles veulent être libres, profiter de leur vie sans avoir de comptes à rendre. Je suis surtout attiré par leur beauté physique. Je ne suis pas indifférent à leurs qualités humaines, mais elles ne sont pas primordiales pour moi, ce n'est pas ce qui m'attire vers elles. Souvent, ce sont d'ailleurs elles qui font le premier pas et me draguent. Je n'ai jamais été amoureux d'aucune femme, pas même mon épouse. Être amoureux, je ne sais pas ce que ça veut dire. Je ne crois pas avoir jamais éprouvé ce sentiment. J'ai beaucoup d'affection pour mon épouse. Nous nous entendons plutôt bien, enfin, cela dépend des périodes. Elle me reproche d'être toujours insatisfait, pressé, exigeant, perfectionniste en un mot. Elle se plaint de mon manque de présence à la maison, de mes envies de sortir tout le temps et de voir du monde, alors qu'elle est du genre casanier, même un peu solitaire. Il est vrai que je suis attiré par les gens, je recherche le bruit et le mouvement. J'aime être entouré. Tout seul, j'ai peur, je m'ennuie. Elle voudrait que je sois un peu plus positif, plus serein, plus souvent à la maison, que je passe plus de temps avec elle et lui offre ma tendresse, sans que ça se passe forcément par le sexe. Je supporte difficilement ses griefs, je me sens agressé. Je me mets alors en colère ou cherche à me justifier. La différence entre maintenant et il y a dix ans, c'est qu'avant, j'étais persuadé qu'elle disait n'importe quoi. Je commence à me rendre compte aujourd'hui qu'elle n'a pas forcément tort. Je le reconnais, mais je ne peux pas le lui avouer. Je me sens forcé d'avoir toujours raison.

Je vous l'ai dit, je ne crois pas avoir été amoureux d'elle. Je l'ai épousée parce qu'elle me plaisait bien, sans plus, qu'elle était gentille, qu'elle m'aimait très fort et qu'elle m'admirait, surtout. Je n'ai pas eu de coup de foudre. Je l'ai épousée plutôt par confort. J'avais le choix entre elle et une autre, en réalité ; c'est elle que j'ai décidé d'épouser finalement, après bien des tergiversations. L'indécision commençait à m'épuiser.

J'ai toujours procédé ainsi, d'ailleurs. Je cours après la perfection dans tout, pour une paire de chaussures, un canapé, une voiture, un lieu de vacances, ou un restaurant. J'hésite, je doute, je pèse le pour et le contre, qu'il s'agisse d'une affaire importante ou mineure. J'ai peur de me tromper, de prendre la mauvaise décision, surtout de me faire arnaquer. Et je crains sans cesse de blesser, de décevoir. Je ne supporterais pas qu'on me juge mal, qu'on me critique, qu'on soit mécontent de moi, en définitive.

Dans l'ensemble, malgré toutes mes précautions avant de prendre une décision et de passer à l'acte, je suis rarement satisfait de mon choix. Au début, je suis content, mais c'est après-coup que je me mets à le regretter. Je me dis que j'aurais pu faire mieux ou gagner davantage. Je tente alors de rendre la marchandise ou de l'échanger, de renégocier le contrat, si c'est possible. Sinon je pique des colères, j'en suis conscient, disproportionnées. Je menace de porter plainte, cela m'est évidemment d'autant plus facile que je suis moi-même avocat. C'est toujours mon épouse qui réussit à me calmer et m'aide à relativiser. Lorsque quelque chose ne correspond pas à ce que j'aurais souhaité, plus rien ne va.

Donc, je n'ai jamais réussi à aimer suffisamment une femme pour lui rester fidèle, ne penser qu'à elle, ne désirer qu'elle. Par contre, je suis certain de l'amour et de la fidélité de mon épouse à mon égard. Je pense que c'est sans doute la seule personne, hormis mes deux enfants, peut-être, qui m'aime de façon authentique. Je l'envie de pouvoir m'aimer. Je ne m'en sens pas capable. Mais je me dis aussi parfois qu'elle est bête, parce que je ne la mérite pas. Les maîtresses ne m'aiment pas vraiment, je le sens, mais elles m'admirent, plus exactement. Elles apprécient ma position en projetant sur moi des tas de fantasmes : la réussite, la compétence, l'autorité, l'argent.

Mon épouse est une très bonne mère. Elle s'occupe bien de la maison, mais, sur le plan sexuel, ça n'a jamais été le pied. Elle n'est pas frigide, bien sûr, elle se refuse rarement, mais ce n'est pas vraiment ça. Elle ne me fait pas rêver, pas vibrer. Elle est assez pudique dans l'ensemble. Elle ne m'accorde, quand nous faisons l'amour, que le minimum syndical, refusant les positions qui m'excitent. Ma maîtresse actuelle, je ne la trouve pas extraordinaire non plus. Nous faisons très bien l'amour. Elle me comble sur ce plan-là, mais tout de suite après, je m'ennuie avec elle. Nous n'avons rien d'intéressant à échanger. Et puis, elle est systématiquement en retard à nos rendez-vous, ce qui m'embête énormément, étant donné mon emploi du temps minuté. Ce serait impensable d'arriver en retard au tribunal. De plus, c'est toujours le bordel chez elle, le désordre, le lit défait, la vaisselle entassée dans l'évier. C'est une fille rêveuse, romantique, elle n'a pas les pieds sur terre. Tout cela fait que je ne me sens pas en sécurité avec elle.

Quant à mes deux enfants, je pense que je les aime, mais ils ne me comblent pas non plus. J'avoue avoir souffert de la période de boulimie sexuelle de ma fille. Je me sentais coupable, me disant qu'elle avait sans doute deviné mes infidélités envers sa mère et qu'elle cherchait à me punir de cette façon. Aujourd'hui, elle ne s'intéresse plus qu'à son travail et sacrifie sa vie sentimentale. Mon fils rêve de devenir acteur, mais il est pour le moment sans emploi. Ni l'un ni l'autre ne correspondent à mon idéal de réussite sociale et d'épanouissement affectif. Quant à mes clients, j'éprouve certes de la sympathie pour certains, de l'agacement pour d'autres, mais pas davantage. Je reste insensible à leur souffrance et à ce qui les préoccupe. Si je fais le maximum pour les secourir, ce n'est pas par compassion pour eux, mais pour qu'ils m'admirent.

En ce qui me concerne, je trouve que moi non plus je ne suis pas arrivé là où j'aurais voulu être. J'imagine que beaucoup de personnes, de l'extérieur, envieraient ma situation. Je les comprends sans problème. Je dois correspondre en effet à certains clichés. Mais moi aussi j'envie les autres, certaines familles autour de moi. Les hommes sont peut-être moins préoccupés par la réussite sociale, mais ils semblent mieux dans leur peau. Je les vois vivre, rire, insouciants, satisfaits de leur sort. Moi, par contre, je ne suis satisfait de rien, ni de personne, à commencer par moi-même. Je ne mène pas la vie qui me plairait. Je me considère même par moment comme un raté. J'ai toujours été opposé à la résignation. Si, depuis le début de l'humanité, chacun se contentait béatement de ce dont il disposait, nous serions encore dans les cavernes. Il n'aurait existé aucune créativité, aucune invention, aucune découverte, nul progrès.

Je suis exigeant sur le plan professionnel. Je garde chacun de mes clients le temps nécessaire. J'examine avec attention son dossier. Je ne bâcle jamais une affaire. Avec le temps, malgré plus de trente ans d'expérience, j'ai encore peur de faire un mauvais procès, en négligeant un détail qui pourrait changer toute l'affaire. J'ai horreur de me tromper. Je voudrais que mon travail soit toujours parfait, irréprochable. Lorsqu'un client me complimente parce que j'ai gagné son procès, je suis très content sur le coup, mais j'oublie finalement assez vite. Par contre, s'il formule une critique, je mets plusieurs jours à m'en remettre.

Tout conflit, aussi insignifiant soit-il, me rend tendu, crispé. Je dépense beaucoup d'énergie à me justifier, à prouver que j'ai raison et que les autres ont tort ou se trompent. Ensuite, je rumine, je rabâche sans arrêt, comme si mon contradicteur se trouvait toujours face à moi, comme au tribunal. Je joue alors les deux rôles, celui de l'accusé et celui de l'accusateur.

Dans ces moments-là, la peur panique d'avoir tort et de déplaire déclenche deux autres craintes fréquentes et pénibles ; celle d'être ou de devenir fou et celle d'être agressé dans la rue. Je sais parfaitement que je me fais des idées, mais cela n'y change rien. J'ai envie de disparaître, de tout casser, de me suicider. Je ne le ferai jamais, bien sûr, je me sentirais beaucoup trop coupable d'accabler mon épouse et mes enfants. Pour me défouler, je vais courir ou nager. Je me sens mieux tout de suite, mais, très vite, mes angoisses reviennent.

La vraie consolation, la thérapie suprême, c'est de faire l'amour, de préférence avec ma maîtresse du moment. Rien qu'une petite heure passée dans ses bras m'apaise et me requinque. Ensuite, je me sens revivre. Que voulez-vous, je ne fume pas, je ne bois pas, alors le sexe représente pour moi la drogue idéale. Je vous l'avoue un peu honteusement, mais je suis là pour vous dire tout ce que j'ai sur le cœur. Ce n'est même pas les femmes que j'aime, Jeanne ou Catherine, mais le sexe. J'ai quelques amis, mais je refuse de leur confier mes états d'âme. Je me sentirais en position de faiblesse si je leur dévoilais mon intimité. Je sais que c'est de l'orgueil mal placé. Ma femme n'hésite pas du tout à raconter sans pudibonderie ses divers soucis à ses copines, qui en font d'ailleurs de même avec elle sans se gêner. Je ne souhaite surtout pas me confier à mon épouse. La communication n'est pas assez sereine avec elle. Chaque fois que je lui parle de moi, au lieu de m'écouter gentiment, elle cherche tout de suite à me consoler ou à me prouver que je me trompe, ou enfin à me prodiguer ses conseils. Alors, je ne lui raconte plus rien. Je fais comme si tout allait bien. »

Ce que je trouve très saisissant dans le discours de Nicolas, c'est l'extrême décalage entre l'introduction et la fin ; ça commence bien et ça finit mal. Mon patient prend la parole en se disant gêné, honteux même, de venir exposer ses soucis de luxe, comparés à de vraies souffrances mais, ce récit, au départ édulcoré, s'assombrit et vire progressivement au tragique, puisqu'il avoue être traversé parfois par l'idée de se suicider, ainsi que par la hantise de devenir fou.

Ensuite, il existe un sérieux décalage chez Nicolas entre la réalité objective et la représentation imaginaire qu'il a de lui-même. Mon patient est plutôt bel homme, dans la force de l'âge, en bonne santé, riche et reconnu. Il est entouré d'une femme aimante et de deux enfants. Il jouit des faveurs sexuelles de nombreuses maîtresses, qui sont pour lui des « drogues idéales ». Que pourrait-il demander de plus ? Qu'ajouter encore à ce tableau envié, j'imagine, par plus d'un homme !

Je ne cesse de le répéter, l'image qu'une personne se fait d'elle-même, de sa beauté, de son intelligence, de ses talents, de ses qualités ou de ses défauts, n'a rien à voir avec la réalité de son être. Elle dépend uniquement de l'amour, de la valeur, du respect qu'elle s'accorde, en fonction évidemment de l'enveloppement matriciel dont elle a joui ou pas dans son passé. C'est donc précisément le marasme narcissique qui pousse Nicolas à quémander gloutonnement l'amour, le sexe plus précisément, tout en étant incapable d'aimer quiconque à son tour, comme s'il était anesthésié. Le besoin infantile ne laisse aucune place au désir adulte. D'où l'urgence et l'importance capitale de distinguer ces deux plans, l'image et la réalité. C'est évidemment la confusion, l'amalgame entre ces deux axes, ces deux niveaux, qui constitue la source principale des tourments. Pour le dire autrement, il serait salvateur de différencier l'adulte de l'enfant intérieur en détresse pour commencer à se percevoir d'une façon moins émotionnelle et donc plus saine, c'est-à-dire avec confiance dans ses capacités et la reconnaissance de ses limites.

Je suis également persuadé que l'incapacité à aimer chez mon patient représente une autre source importante de souffrance. Tout humain éprouve le désir de recevoir de l'affection et de la tendresse, mais il a pareillement besoin d'aimer, de donner de façon active. Tout amour non exprimé se transforme en haine de soi, en un venin attaquant le psychisme de l'intérieur.

C'est ainsi l'écart, le déphasage entre la réalité et l'idéal qui se trouve à l'origine de cette totale insatisfaction chez Nicolas, inassouvi et mécontent de tout et de tous, à commencer de celui qu'il est aujourd'hui, de sa femme, de sa maîtresse, de ses enfants... Pourquoi rien ni personne ne réussit à le combler ?

Le problème majeur de mon patient réside dans une aspiration acharnée et tyrannique à vouloir être parfait, sur tous les plans et dans tous les domaines. Cette quête d'excellence représente en fait un mécanisme de défense destiné à contrebalancer une très mauvaise image de lui-même, un narcissisme dénutri, éclopé, en raison de la présence massive de la D.I.P. Celle-ci a été combattue énergiquement jusqu'ici, voire déniée. Être parfait constitue une bouée de sauvetage à laquelle Nicolas s'accroche pour ne pas se noyer, afin de persuader lui-même et les autres de son innocence et de sa bonté. C'est pour cela qu'il craint constamment d'être critiqué, mal jugé, de décevoir, d'avoir tort, de se tromper, de prendre une mauvaise décision, de commettre des erreurs, de devenir fou, d'être coupable et mauvais, en somme. Il se trouve ainsi dans un interminable procès contre lui-même. C'est la raison pour laquelle il s'épuise à faire coïncider la réalité de sa vie à son idéal de perfection. Il ne peut que s'égarer sur cette voie, dans la mesure où les objets du monde extérieur, le travail, la famille, les finances, les amours, ne pourront jamais combler son vide affectif. C'est son intériorité qu'il se doit de réhabiliter, son être profond demeuré longtemps dans le dénuement et l'obscurité, et devenu par là son persécuteur. Ce qu'il redoute, ce n'est point la possibilité de perpétrer une action répréhensible, somme toute inévitable dans la vie, mais l'idée que tout le monde puisse découvrir qu'il est, malgré les apparences, d'essence mauvaise.

Voilà pourquoi toute entreprise de perfection est vouée à l'échec, non point parce que, comme le rappelle le dicton populaire, « la perfection n'est pas de ce monde », mais parce que, même lorsqu'elle advient, elle ne réussit pas à modifier d'un iota l'image délétère que l'adulte, son enfant intérieur plus exactement, abrite au fond de lui-même. Une difficulté intérieure n'est nullement résoluble par recours à des stratagèmes extérieurs. Disposer de la fortune, jeunesse, beauté, célébrité, intelligence, santé, de jolies femmes ou de charmants hommes autour de soi, pourquoi pas ? Tout cela, cerise sur le gâteau, pourrait rendre la quotidienneté parfois plus agréable, plus confortable. Aucun de ces bienfaits ne saurait néanmoins effacer la D.I.P., le manque de confiance et d'amour de soi.

Pis encore, plus le sujet avance dans la voie de l'avoir, de la brillance et de l'impeccabilité, exactement à l'exemple de Nicolas, et plus il s'éloigne de son être profond. Il se qualifiera de mauvais et de minable, étant donné son incapacité à se contenter de celui qu'il est et de ce qu'il a. Plus on croit se rapprocher de son idéal et plus celui-ci se dérobe et s'éloigne, accentuant ainsi paradoxalement l'écart. La souffrance morale du nanti, sa culpabilité, peuvent se révéler encore plus lancinantes que celles du démuni. Il se reprochera en plus d'être ingrat, de se plaindre alors qu'il ne lui manque rien.

Parfois le médicament peut se transformer en poison, et la solution en un autre problème, plus ardu encore ! Il est certain que l'obsession de la perfection empêche non seulement Nicolas de jouir du présent, mais qu'elle aggrave la coupure chez lui entre les deux mondes du dedans et du dehors : le premier est ignoré, alors que le second se trouve surinvesti. Ce déséquilibre le dépossède encore davantage de lui-même, le rend de plus en plus dépendant et addict aux choses et aux personnes, le coupant de sa bonté profonde. Le perfectionnisme ne représente ainsi pas, chez Nicolas, le signe d'une aspiration, d'un désir adulte d'accomplissement, mais le symptôme d'une souffrance psychique, le révélateur de la D.I.P. On utilise en général le terme de « signe » dans un sens positif, évoquant, par exemple, les signes d'une évolution, d'une amélioration. Le mot symptôme s'emploie, au contraire, dans une acception plutôt négative, qui évoque un dysfonctionnement, une pathologie : les symptômes de la grippe, ceux du cancer ou de la schizophrénie.

Il existe, en gros, deux sortes de perfectionnisme, de nature tout à fait différente, l'un sain et l'autre névrotique. Dans le premier, le sujet s'efforce d'accomplir une tâche, une œuvre, un travail le mieux possible. Il fait alors preuve de sérieux, de persévérance, de rigueur, de volonté, de courage, d'énergie, de patience. Il n'est nullement interdit de nourrir des ambitions, de viser haut. Sans cette stimulation, toute création deviendrait inconcevable ou, au mieux, médiocre. Comment composer une musique, jouer d'un instrument, écrire un roman, peindre un tableau, danser, sculpter, mener une recherche scientifique ou, plus prosaïquement, fabriquer une table ou confectionner un vêtement, si l'on est privé de passion, d'ardeur, d'idéal ?

Je dirais que la différence entre les deux perfectionnismes se situe au niveau de leur enjeu. Celui-ci concerne, dans le premier cas, le travail, la tâche. Le sujet, mû par le désir d'accomplissement, ressentira une réelle sensation de plaisir, de satisfaction, de joie même, en cas de réussite ou, à l'inverse, de la tristesse et de la déception s'il vient à échouer. Quoi de plus naturel ?

Toutefois, quel que soit le résultat, le sujet ne confondra pas son être, sa personne tout entière avec l'ouvrage, l'objet. Il s'en réjouira ou s'en désolera, mais ces émotions resteront circonscrites à l'intérieur des limites, distantes des excès d'idéalisation et de dramatisation. Sa vie ne se trouvera pas en jeu, ressuscitée ou brisée. Si par contre, l'enjeu c'est le sujet lui-même et non plus l'objet, il s'agit d'un perfectionnisme névrotique.

L'insuccès ou l'imperfection fortement dramatisés peuvent, tel un séisme, faire s'écrouler son identité, sa légitimité, sa raison d'être au monde. C'est la productivité et la performance qui justifient l'existence de Nicolas, qui servent d'indicateurs de sa valeur. Piégé dans une logique insensée et illogique du tout ou rien, l'opération dix moins un n'est plus égale à neuf, mais à zéro, tristement. Toute imperfection lui sert de prétexte à confirmer sa nullité, sa mauvaiseté, son incapacité. Par contre, la satisfaction, même en cas de réussite, ne sera pas forcément au rendez-vous, ou seulement de façon éphémère. Le succès sera jugé incomplet, insuffisant, relativisé, « peut mieux faire », dans les mêmes proportions que l'échec est pathétiquement enflé. Le perfectionniste névrosé ne s'intéresse ainsi pas vraiment aux choses ou aux êtres pour ce qu'ils sont réellement. S'il est mû par le besoin, voire l'injonction d'être le meilleur, c'est plutôt pour attirer la sympathie, l'attention, l'estime, la reconnaissance, l'admiration des autres, pour se prouver qu'il est innocent et bon, ni mauvais ni coupable. Voici pourquoi il se montre si sensible à la critique, au reproche, à la remise en question, à l'erreur. Il s'épuise à démontrer qu'il sait, qu'il a raison, qu'il voit juste, qu'il ne se trompe jamais, qu'il est irréprochable, ni fautif ni mauvais. Son arrogance de façade, sa présomption apparente, certes parfois agaçantes, ne constituent en fait qu'un écran, qu'un cache-misère destiné à camoufler tant bien que mal sa disette narcissique, la mauvaise image de lui.

Quelle serait l'origine de la certitude de Nicolas d'être coupable et mauvais, et qu'il essaie vainement de compenser par son obsession de la perfection ?

« Mon père, que j'ai perdu quand j'avais vingt-deux ans, était né et avait terminé ses études de médecine en Allemagne. À l'âge de trente ans, il a décidé de venir en France, à Toulouse exactement, pour effectuer un stage en milieu hospitalier. C'est là où, peu après, il a rencontré ma mère, jeune infirmière de vingt-deux ans. Ils avaient donc huit ans d'écart. Un an plus tard, ils ont décidé de se marier. Les parents de ma mère, de confession juive, ignorant totalement jusque-là que leur fille fréquentait un « goy » (un non-Juif) et, pire encore, un « boche », se sont fortement opposés à cette union. C'était en 1962, dix-sept ans après la Seconde Guerre mondiale et la Shoah.

J'ai appris cette histoire il n'y a pas si longtemps. J'en ai été bouleversé. Mes grands-parents s'étaient exilés en 1939 en Suisse. Ils ont eu trois filles là-bas, dont ma mère, l'aînée, née en 1940. Peu après la guerre, ils sont tous revenus en France et ont décidé de s'installer à Toulouse. Ils avaient perdu nombre d'oncles et de tantes dans les camps.

Seconde révélation que je trouve aussi terrible que la précédente, mon grand-père paternel a été embrigadé, comme des milliers d'autres jeunes à l'époque, dans l'armée allemande et envoyé comme soldat en Pologne. Mon père a toujours juré, documents à l'appui, que mon grand-père n'avait rien eu à voir avec les nazis et qu'il n'avait jamais été antisémite dans son esprit.

En dépit de l'opposition de mes grands-parents, ma mère a décidé d'épouser l'homme qu'elle aimait. D'abord par amour, mais aussi pour tourner ces pages noires de l'histoire plutôt que de cultiver la haine. Quelques mois après ma naissance, ma grand-mère s'est radoucie. Elle a consenti à revoir sa fille et à accepter son gendre. Ensuite, les liens entre eux ont été plutôt corrects, mais plus aussi chaleureux qu'auparavant ; la grand-mère n'a jamais totalement pardonné à sa fille d'avoir introduit chez elle le fils d'un « soldat nazi ».

En tout cas, mamie Esther était vraiment adorable avec moi, davantage peut-être qu'avec mes sœurs. Elle acceptait tous mes caprices, ce qui ne plaisait pas trop à ma mère. Avant ma naissance, celle-ci avait fait une fausse couche. Alors, quand elle a été enceinte de moi, elle était inquiète de me perdre. Elle avait donc, elle me l'a avoué une fois, cessé toute relation sexuelle avec mon père, par crainte de revivre une seconde fausse couche ; la première s'était produite peu après un rapport. Mon père, frustré, l'avait menacée de la tromper avec une autre femme, ce qu'il n'a jamais fait, en définitive. Ainsi, mon père se voyait d'une part rejeté par sa belle-mère en raison de son passé, et de l'autre, par sa propre femme du point de vue sexuel. Le couple n'est jamais redevenu comme avant, quelque chose s'étant brisé entre eux. Ils ne jouissaient plus de la même complicité, de la même chaleur.

J'ai eu deux sœurs ensuite, deux et cinq ans plus tard. La première est vétérinaire aujourd'hui, et la benjamine, infirmière. Ma mère a été une bonne mère pour nous, surtout avec moi, son fils aîné. Elle me surprotégeait un peu, quand même. Mon père intervenait parfois pour qu'elle cesse de « m'étouffer », mais sa parole n'avait pas beaucoup d'impact. Elle était peut-être une moins bonne épouse, un peu froide, critique et directrice. Elle n'hésitait pas à le réprimander devant nous, à le rabaisser, à lui donner des ordres, comme à un petit garçon. Lui, par contre, ne réagissait pas trop. Il se comportait comme si de rien n'était ou comme s'il en avait l'habitude, pour éviter le conflit.

Moi, je me suis rendu compte depuis tout petit qu'ils n'étaient pas très heureux l'un avec l'autre. Pourtant, ma mère avait été si déterminée à l'épouser, au point de rompre avec sa famille. Même si j'ignorais tout de l'amour physique, j'ai très tôt deviné la frustration sexuelle de mon père, mais aussi des « moments de grâce » qu'épisodiquement ma mère lui accordait. Il m'est arrivé de me demander si elle n'avait pas épousé un « goy » et « boche » juste pour enquiquiner ses parents, surtout sa mère, par révolte bien plus que par amour pour lui. J'avais souvent peur qu'ils se séparent, ou plus exactement que mon père finisse par en avoir assez et qu'il abandonne tout pour retourner définitivement en Allemagne.

C'est curieux, nous ne le considérions pas comme un Français à part entière, à commencer par ma mère, qui se moquait parfois, gentiment, il est vrai, de son accent. Le pauvre, il n'a en fin de compte pas réussi à trouver sa place d'homme. Il était d'un côté écrasé par la forte personnalité de ma mère et de l'autre, il éprouvait un certain malaise, de la honte, disait-il, quant à ses origines.

En ce qui concerne mes grands-parents paternels, mon grand-père est décédé avant ma naissance l'année même où mon père est arrivé en France. Ma grand-mère, nous ne la voyions pas souvent, une ou deux fois par an, en France ou en Allemagne. Elle est décédée quand j'ai passé mon bac, à dix-sept ans. Je ne connais pas grand-chose de leur vie. Mon père, enfant unique, n'évoquait pas volontiers son passé. Lorsque nous l'interrogions, il semblait se défiler, du coup nous n'insistions pas. Je l'ai perdu quand je passais le barreau, la même année que ma grand-mère maternelle. Quelques semaines auparavant, nous avions fêté ses cinquante-cinq ans dans une ambiance assez décontractée. Il est mort subitement d'une rupture d'anévrisme. Il est vrai que les derniers temps, il avait semblé surmené, un peu déprimé aussi. Il buvait et fumait plus que de coutume. Dès qu'il allumait une cigarette, il se faisait réprimander par ma mère qui ne supportait pas l'odeur du tabac froid. Cependant, ses abus d'alcool et de tabac sont sans lien avec son décès subit.

Mes parents ne pratiquaient aucune religion. Mon père était d'origine catholique, mais il se voulait farouchement athée. Ma mère revendiquait la culture juive, mais ne voulait pas entendre parler des rituels. Par contre, ma grand-mère célébrait certaines fêtes juives, la Pâque, par exemple, que j'aimais bien, avec les pains azymes. Théoriquement je suis juif, parce que je suis né de mère juive. Cependant, je ne connais rien à la religion. On ne m'a rien appris sur ce plan-là. Je ne me sens donc ni juif, ni chrétien.

Petit, j'étais un enfant assez calme. Je ne voulais pas causer trop de soucis à mes parents. Notre père, nous ne le voyions pas beaucoup. Il était très occupé en tant que médecin. Ma mère, enseignante, travaillait moins, mais elle était toujours hyper prise, d'autant plus qu'elle devait aussi s'occuper de sa mère, assez régulièrement hospitalisée pour des problèmes d'insuffisance rénale. Ma mère a donc perdu en peu de temps son mari et sa mère. C'était trop pénible pour elle, elle est restée toute seule, mes sœurs et moi ayant déjà quitté la maison.

Sinon, enfant, j'ai subi deux chocs qui m'ont beaucoup perturbé. Le premier s'est produit quand j'avais huit ans, pendant nos vacances d'été au bord de l'océan. On chahutait avec un copain de classe sur un petit bateau gonflable, peut-être un peu trop loin de la plage. Soudain, le bouchon a sauté et le bateau s'est dégonflé. Nous avons basculé tous les deux dans l'eau. Je me suis orienté et précipité vers la plage, hurlant pour appeler au secours. Mes parents, assez loin, n'ont pas tout de suite entendu mes cris. Quelques nageurs, comprenant ce qui se passait, se sont élancés vers nous. Mais mon copain, ayant trop paniqué, a coulé. Mon père a vite appelé les pompiers tout en lui prodiguant les premiers soins nécessaires. Malheureusement, il n'y avait plus rien à faire. Mon copain n'a plus rouvert les yeux. C'était horrible pour nous tous. Je tremblotais comme une feuille en sanglotant. En quelques secondes, un vrai cauchemar avait succédé à notre bonheur. J'ai tout de suite cru que c'était de ma faute. J'étais à l'origine de ce grand malheur. C'était bien moi qui l'avais invité à venir se baigner avec nous. C'était moi aussi qui lui avais dit de monter sur le petit bateau. C'était enfin moi qui, au lieu de le secourir tout de suite, m'étais dirigé vers la plage, ignorant totalement qu'il ne savait pas nager. Ma mère était effondrée. C'est elle qui avait proposé à la maman d'emmener son fils.

Cette histoire a bouleversé notre vie. Ma mère a longtemps déprimé. Du coup, elle s'est encore davantage éloignée de mon père, accentuant ainsi ma peine et ma culpabilité. J'en étais bien malheureux. Je suis resté seul avec ma douleur, et pis encore, avec ma culpabilité. Nous n'en avons jamais reparlé. Je n'ai bénéficié d'aucune écoute, ni de prise en charge psychologique. J'aurais tant voulu qu'on me parle, qu'on me rassure, qu'on m'apaise, qu'on me dise que ce n'était pas de ma faute.

Le second traumatisme, différent du premier, bien moins tragique, concerne notre déménagement, d'un bout de la ville à l'autre. Ce changement a eu pour conséquence mon placement dans un pensionnat à l'âge de onze ans. Mes parents se sont opposés à ce que je change d'école. Ils m'ont donc inscrit à l'internat, malgré mes protestations. J'étais si malheureux ! J'ai vécu ça comme une exclusion, d'autant plus que mes sœurs avaient, elles, le privilège de rester chez nous en changeant d'école. Je pensais qu'ils me punissaient de la noyade de mon copain, trois ans auparavant. C'est depuis cette époque que, pour me racheter en quelque sorte et leur prouver que j'étais un bon garçon, je me suis mis à bien travailler à l'école. J'étais le premier pratiquement dans toutes les matières. Je suis resté trois ans dans ce bahut avant que mes parents acceptent de me reprendre avec eux et de m'inscrire dans le même lycée que mes sœurs. »

Nous pouvons sans doute mieux saisir à présent le sens et l'intérêt du perfectionnisme chez Nicolas, la raison de sa susceptibilité à la critique, de son refus catégorique de se tromper ou d'avoir tort. Le perfectionnisme névrotique représente l'une des multiples facettes de la D.I.P. Il a pour fonction principale de lutter contre les deux fantasmes de mauvaiseté et de culpabilité pour rassurer le sujet quant à son innocence et sa bonté.

C'est exactement ici que se situe la problématique centrale de la névrose obsessionnelle, dénommée à l'heure actuelle par le sigle T.O.C., pour troubles obsessionnels compulsifs. La quasi-totalité de l'énergie psychique du sujet se trouve gaspillée dans la rumination, une lutte incessante et anxieuse, épuisante donc, contre la crainte de mal agir, de commettre des erreurs, d'être contaminé ou de contaminer les autres, de fauter, de nuire, de blesser, d'exprimer des bêtises, ou de proférer des propos agressifs. Le sujet imagine ainsi de nombreuses stratégies pour éviter ou réparer tout désordre, toute impureté, en somme toute imperfection. Son seul et unique objectif consiste à se débarrasser des fantasmes de culpabilité et de mauvaiseté pour paraître pur, bienfaisant et parfait. C'est la raison pour laquelle il est obsédé par l'ordre, la précision, la propreté dans tout ce qu'il entreprend. Il vérifie par exemple un nombre incalculable de fois qu'il a bien fermé le robinet d'eau, éteint le gaz ou posté le chèque des impôts, sans réussir toutefois à se calmer. Il se lave cinquante fois les mains, vérifie l'argent qu'il a dépensé ou qui lui reste encore. En fait, il tente par tous les moyens de conjurer l'angoisse, la terreur plus exactement, que la moindre tache, la plus petite imperfection déclenche, avec toutes les angoisses de représailles que cela comporte, à savoir le désamour et le rejet. Sa préoccupation majeure, en faisant preuve d'une grande sévérité envers soi-même et d'une exigence parfois sadique à l'égard des autres, consiste à s'assurer de son impeccabilité.

Paradoxalement, toutes ces précautions, loin de procurer l'apaisement escompté, ne font qu'accentuer son supplice. Plus on lutte contre un symptôme, plus on l'aggrave et plus on s'affaiblit soi-même. L'obsessionnel s'arroge sans difficulté la paternité de tout succès, dans son travail ou sa famille. Il laisse par contre orphelin tout échec, même si et surtout s'il en est à l'origine. Enfin, il est particulièrement avare envers lui-même puisqu'il se pense indigne. Par contre, il peut se montrer très généreux à l'égard des autres, saisissant là l'occasion privilégiée d'exhiber sa bonté et de se faire admirer.

La femme ayant été abusée sexuellement dans son enfance, attouchements ou pénétration, présente à l'âge adulte des T.O.C., en particulier les deux symptômes majeurs de la névrose obsessionnelle, à savoir l'ordre et le nettoyage.

En consacrant la majeure partie de son énergie et de son temps à ranger, à mettre de l'ordre, à ajuster, à disposer chaque chose à sa place, elle lutte en fait contre le désordre de générations et de fonctions dont elle a été victime naguère. Le père ou le professeur qui a abusé sexuellement d'elle a confondu, amalgamé par son inconduite les deux axes de la différence des générations (adulte/enfant) et celle des fonctions (père/amant) qui devaient demeurer soigneusement distingués. Ils ont provoqué le désordre, l'embrouillement, « le bordel » en elle.

De même, en lavant, balayant, aspirant, astiquant et désinfectant, du matin au soir, elle s'épuise à se purifier à se purger de la salissure, de sa culpabilité en réalité, celle d'avoir été salie, victime de la perversion. Elle lutte, autrement dit, à travers ces deux symptômes, contre ses fantasmes de culpabilité et de mauvaiseté, évidemment sans y parvenir.

De quoi Nicolas serait-il fautif, en fin de compte ? Qu'a-t-il commis de si condamnable ? Rien, évidemment. Il n'a fait que porter des préoccupations qui n'étaient pas les siennes. Il s'est épuisé, en pharmakos, à rembourser des dettes qu'il n'avait point contractées, à réparer les pots qu'il n'avait pas cassés et dont il ignorait d'ailleurs jusqu'à l'existence même.

Les deux fantasmes de culpabilité et de mauvaiseté sont intrinsèquement reliés. Ils se nourrissent mutuellement comme dans un cercle vicieux. Déjà, alors même qu'il n'était pas encore sorti du ventre de sa mère, celle-ci, inquiète de le perdre, précédemment traumatisée par une fausse couche, avait cessé toute relation sexuelle avec son époux. Tout se passe comme si Nicolas, par sa venue au monde, séparait, démariait ses parents. Il a donc pu se croire fautif, en quelque sorte, des insatisfactions paternelles. Mon patient n'y est évidemment pour rien dans ce contretemps. Nous en sommes tous convaincus, grâce à notre conscience et notre logique raisonnante. Mais, le nourrisson, lui, et peut-être même le fœtus, transformant les coïncidences fortuites en relations de cause à effet, perçoit les choses tout à fait autrement, sans pouvoir le dire, ni se le représenter. Il est certain, en tout cas que, même très désiré et attendu, Nicolas n'est pas né au sein d'un triangle serein en raison des angoisses de sa mère relatives à sa grossesse et les frustrations de son père causées par l'abstinence de son épouse. La première se trouvait coupée de sa féminité, le second amputé de sa virilité par la « faute » du futur bébé.

Il existe sans doute un certain lien entre la boulimie sexuelle actuelle de Nicolas et le fonctionnement du triangle dans son Ailleurs et Avant. Il est en effet très fréquent que l'enfant, héritant des insatisfactions de ses parents, réalise, pour les compenser par procuration, ce qui n'a pas été vécu chez eux, donc refoulé. « À père avare, fils prodigue », dit le dicton. Il peut arriver à un père immoral, pervers et violent, par exemple, d'engendrer un ange ou un saint, comme si l'enfant se donnait pour mission, en pharmakos, de corriger un déséquilibre. Il peut parfois pousser sur un tas de fumier des fleurs d'une beauté sublime et d'une senteur inégalable. À l'inverse, une mère « parfaite », irréprochable, sage, peut mettre au monde une fille à son exact opposé, libertine, perturbée et perturbante, révoltée contre l'autorité et refusant toute limite à ses pulsions. « Qu'a-t-on fait au Bon Dieu pour avoir des enfants pareils », entend-t-on ainsi chuchoter quelquefois dans les chaumières.

L'enfant s'imprègne de ce qu'il voit et entend autour de lui, certes. Il est marqué par l'ambiance éducative et morale dans laquelle il baigne, par les modèles et les exemples qu'on lui propose. Cependant, il est branché surtout, au-delà les paroles, à l'inconscient de ses parents, aux enfants intérieurs de ceux-ci, plus exactement. C'est donc par le biais de ce canal infra-verbal que les parents s'incarnent à travers leurs descendants, en les chargeant de leurs idéaux et de leurs brisements. Ainsi Nicolas s'évertue-t-il, à travers sa boulimie sexuelle, en bon fils thérapeute, à combler son père, à lui procurer ce dont il était privé, à le rendre heureux, en définitive. N'oublions pas qu'il s'agissait d'un homme plutôt déprimé, déprécié par sa belle-famille et son épouse. Il n'osait pas prendre la place qui lui revenait dans le triangle familial, en raison de l'autoritarisme de sa femme, certes, mais également de son sentiment de honte par rapport à ses origines. Nicolas continue aujourd'hui à fonctionner en guérisseur, en sauveur de son père, même si celui-ci a disparu. Il n'est donc pas vraiment séparé, suffisamment différencié de son géniteur, ni de son passé. Il a du mal à désirer par et pour lui-même, en son nom propre, restant aliéné à celui de l'autre.

Les deux registres de comptabilité, celui du père et celui du fils, se trouvent ainsi mélangés. Nicolas, héritier des frustrations paternelles, s'est donné pour mission de les satisfaire. C'est précisément là que réside le motif profond de son insatisfaction, malgré sa réussite objective dans tous les domaines. Sa faim et sa soif demeurent intactes, son insatisfaction, totale, alors qu'il a tout pour être heureux, et qu'il ne manque de rien. Sa consommation boulimique des objets et du sexe, au lieu de le combler, creuse son vide intérieur abyssal. Pourquoi ? Parce que, même en s'empiffrant, ce n'est jamais Nicolas en réalité qui s'alimente. Il croit se nourrir, certes, mais c'est son père qu'il ravitaille, à travers lui, par procuration. Ainsi, plus il mange et plus il devient affamé.

C'est donc la raison pour laquelle la quête de la perfection n'aboutira jamais à nulle satisfaction, puisqu'elle n'est pas motivée par le désir adulte, mais par le besoin infantile de guérir ses parents, par l'exigence de correspondre à leur idéal. Ce n'est donc pas pour lui-même qu'il travaille, mais pour les autres, ceux qu'il incarne, ceux qu'il abrite au fond de lui. Dans ces conditions, l'insatisfaction sera toujours au rendez-vous quoi qu'il arrive. De même, l'enfant intérieur ne réussira jamais, quoi qu'il fasse, à combler ses parents. Mieux vaut par conséquent investir son énergie vitale dans la maison/soi.

Mon patient s'ingénie aussi, le petit garçon en lui plus exactement, à prouver à travers ses conquêtes féminines qu'il plaît. L'acte sexuel représente pour lui « la thérapie suprême », « la drogue idéale », dit-il, un pansement narcissique, un anxiolytique/antidépresseur l'aidant à assouvir provisoirement son besoin infantile de se sentir bon, de calmer son angoisse d'abandon. Il n'approche pas les femmes porté par le désir de s'unir à elles, mais par la nécessité vitale impérieuse de sustenter son narcissisme, de rafistoler l'image délabrée de lui-même. Il ne les considère pas comme des personnes, avec leur personnalité et leurs qualités humaines, mais comme des « sex toys », des objets consommables, des baumes contre sa détresse morale.

Cependant, on peut repérer trois autres sources importantes qui alimentant les fantasmes de culpabilité et de mauvaiseté chez mon patient. Les deux premières renvoient à son passé existentiel, personnel et le troisième à son histoire transgénérationnelle. La noyade de son copain contribue assurément à embraser la culpabilité de Nicolas et à dégrader sa représentation narcissique. Mon patient a été fortement ébranlé par ce drame. S'il avait perdu ce même copain dans d'autres circonstances, il en aurait été certainement bien moins affecté. C'est bien la culpabilité qui a aggravé, sur le champ et à long terme, sa certitude de mauvaiseté ; la culpabilité de se croire à l'origine de ce malheur, celle d'avoir assisté à sa souffrance, celle d'avoir été impuissant à le sauver, celle de lui survivre, et enfin celle de s'être imaginé, de surcroît, fautif de la dépression maternelle suite à ce drame. Il est vraiment dommageable qu'il n'ait pu bénéficier à l'époque d'une prise en charge psychologique. Celle-ci l'aurait sans doute aidé à s'exprimer, à mettre en mots ses émotions, à relativiser. Le travail de deuil en aurait été amplement facilité. Le sujet est certes déstabilisé suite à un traumatisme réel. Cependant, l'impact et la profondeur du choc à long terme, les traces qu'il laissera dans le psychisme dépendront de l'élaboration dont il a pu bénéficier. Ce soutien psychologique aurait pu lui être dispensé, non pas forcément par un professionnel, mais déjà par ses parents.

D'ailleurs, Nicolas l'a souligné à plusieurs reprises, ceux-ci, absorbés par le travail et l'intendance, étaient psychologiquement absents, bien que physiquement présents. La seconde infortune de mon patient concerne sa mise en pension à l'âge de onze ans, à la suite du déménagement. Il a vécu cet événement comme un châtiment venant punir la perte de son camarade. Il s'est cru d'autant plus personnellement visé que ses deux sœurs n'ont pas vécu un traitement équivalent. Cet épisode, ressenti comme un abandon, a servi de preuve et de confirmation à sa certitude de mauvaiseté. C'est très certainement pourquoi Nicolas, afin de se « racheter », dit-il, a décidé d'être le premier dans toutes les matières à l'école.

Voilà pourquoi le perfectionnisme névrotique représente non pas une aspiration saine incitant à mieux travailler ou à devenir meilleur, mais le besoin infantile coercitif de lutter contre ses deux fantasmes de culpabilité et de mauvaiseté, la nécessité de prouver son innocence et sa magnanimité. Le perfectionnisme névrotique prouve ainsi la coupure du sujet avec sa bonté profonde. Contrairement à la croyance répandue, le perfectionniste ne jouit pas, malgré ses apparences, d'une bonne confiance et d'une solide estime de soi, bien au contraire. Plus il est faible et plus il se blinde. Plus il se croit disgracieux et plus il est tenté de se maquiller et de se farder. Savez-vous pourquoi le tambour fait tant de bruit ? Parce qu'il est creux !

Mais au fond, pourquoi Nicolas, comme tant d'autres, s'épuise-t-il à se montrer parfait ? Pourquoi est-il si important pour lui de prouver son innocence et sa bonté ? Pourquoi se sent-il contraint de briller, d'exceller ? S'agit-il d'un orgueil mal placé, d'une frivolité ? Non, ceux qui sont concernés par cette problématique se trouvent en réalité en souffrance sans oser s'en plaindre. Ils s'ingénient donc à camoufler leur faille. Je pense que se croire imparfait est ressenti avec gravité, de façon tragique même, dans la mesure où l'imperfection renvoie à un vide intérieur et révèle des pans inanimés du psychisme. Ce que Nicolas craint fondamentalement lorsqu'il est critiqué, c'est d'être « nié », comme il le dit. La mise en pension a suscité des angoisses de même nature : être exclu, disparaître, ne plus compter dans le cœur de ceux qu'il chérit, ne plus faire partie du cercle des vivants. C'est sans doute aussi cette crainte d'inexister, mise en place dès son séjour dans le sein de sa mère (puisque celle-ci avait peur de perdre son bébé) qui a été ravivée lors de la noyade de son camarade, lui-même ayant survécu.

Ainsi, la quête de la perfection et les conquêtes sexuelles, revêtent une importance vitale, revitalisante, aux yeux de Nicolas. Elles l'aident principalement à se sentir en vie, en sécurité à l'intérieur d'un corps réel et entier, dans le cœur, le regard et la parole des autres. Mais, dans cette perspective, le perfectionnisme névrotique représente une bouée de sauvetage et non pas une force, comme certains seraient tentés de le croire.

Cependant, la D.I.P. de Nicolas, tissée et sustentée par ces deux épisodes marquants de son existence, s'est trouvée constellée, considérablement amplifiée par son héritage transgénérationnel. Il n'a pas été anodin pour lui de descendre d'un grand-père « goy » et « boche », ainsi que sa grand-mère, ayant indirectement souffert de la Shoah, le nommait. Nicolas a hérité d'un lourd passif, d'un poids massif de culpabilité transgénérationnelle. Même si son grand-père paternel n'a rien commis de répréhensible, son nom reste collé à des pages noires de l'histoire. Nicolas porte le même patronyme, l'incontournable nom de famille !

J'ai eu à m'occuper de nombreuses fois de personnes issues, soit du camp des victimes de barbaries, soit, à l'inverse, de celui des bourreaux, même si ces derniers n'ont nullement participé de façon active, ni personnellement aux massacres. Toutes, sans exception, sont ployées sous une lourde masse de culpabilité, celle de la victime innocente et du survivant, en ce qui concerne les premières, et celle héritée, quant aux secondes, des fautes commises par leurs aïeux. Il est évidemment impossible de se débarrasser en quelques années de ce fardeau, comme il est inconcevable d'effacer son histoire pour la réécrire selon son idéal. Le mieux serait encore, et de loin, d'accepter de le porter, de le reconnaître, de « vivre avec », finalement, sans s'ingénier à refiler sa « patate chaude » à son voisin, sans chercher non plus à le projeter sur un bouc émissaire. Plus on combat le symptôme indésiré et dérangeant, et plus on accentue sa nuisance en s'affaiblissant soi-même.

Le mieux serait d'accueillir, sans s'acharner toujours à vouloir que cela soit autrement, sa croix, sa culpabilité, celle de son enfant intérieur, de l'agréer, de l'admettre. Cela n'implique pas l'aveu d'une quelconque inconduite, crime ou délit. Cela signifie plutôt de reconnaître son identité victimaire, en cessant de dénier, de rejeter et de combattre l'idée de la faute, la croyance de l'enfant intérieur, certes d'un point de vue rationnel fausse et infondée, en sa mauvaiseté du fait d'avoir souffert. C'est ce consentement qui seul sera susceptible de pacifier le sujet avec lui-même et de booster son énergie psychique au lieu de la dilapider.

Guérir ne veut pas dire se débarrasser de ce qui dérange, trouble ou déplaît, mais « faire avec ». Alors, non seulement il cessera totalement sa nuisance, mais il se muera, à l'inverse, en terreau nourricier. C'est là où le vilain plomb de l'alchimiste se transmue en or. Dix moins un n'est donc ni zéro ni neuf, mais bel et bien onze !

Quelques séances après le début de sa thérapie, Nicolas m'a avoué : « J'ai l'impression que je commence à changer de regard. Il n'y a encore pas si longtemps, j'éprouvais un sentiment de fierté et de puissance à l'idée de la perfection, celle de réussir sans faillir tout ce que j'entreprenais. Aujourd'hui je me dis, au contraire, dès que cette injonction me saisit, que je déraille, que je m'égare, que je m'éloigne. J'arrête alors de m'agiter, je me penche sur moi-même et je me parle. Ça m'aide à lâcher prise et à me décrisper. Je deviens moins sévère, moins exigeant envers moi-même et mon entourage. »

7

PACIFIER LES CONTRAIRES

Le Moi adulte, tel qu'il apparaît à la conscience, ne reflète pas à lui seul la totalité de l'identité. Celle-ci se présente plutôt comme un diamant à multiples facettes, ou comme un arc-en-ciel aux teintes variées, ou enfin, une mosaïque multicolore avec ses tonalités diverses. Elle n'est pas constituée d'un bloc unique, monolithique, telle une sculpture en bronze, en bois ou en pierre. Elle est composée de parties de natures variées.

Autrement dit, le Moi n'est pas le seul à habiter la maison/soi, à désirer ou à craindre, à rire ou à pleurer. Il cohabite (en colocation, dirions-nous aujourd'hui) avec d'autres résidents, en compagnie du petit garçon ou de la petite fille intérieure en premier lieu, chacun portant des exigences spécifiques. Ces colocataires peuvent vivre ensemble en harmonie, si chacun respecte la légitimité des autres, au sein d'une coexistence pacifique. Mais il peut arriver aussi, à l'inverse, en fonction de l'importance de la D.I.P., qu'ils se querellent, l'un cherchant à chasser les autres afin de s'ériger en maître exclusif des lieux. Le sujet se trouve alors déchiré, séquestré dans un fonctionnement monotone, monocorde. Il développera, par exemple, à l'excès, c'est-à-dire de façon rigide et prédominante, un côté intellectuel, ou jouisseur, ou rêveur, ou émotionnel, ou travailleur, ou religieux, ou sexuel, au détriment des autres, également fondés et nécessaires. Je pense que la compréhension de cette idée fondamentale constitue l'amorce et le socle, le terreau nourricier, sur lequel la psychothérapie peut s'implanter, permettant ainsi à l'être profond de germer et de fleurir : l'identité est d'essence plurielle.

C'est d'ailleurs la reconnaissance de cette diversité, la conscience et l'acceptation de cette pluralité de visages, qui aidera paradoxalement le Moi à s'unifier, à devenir un, non interchangeable avec quiconque, non dissocié, comme peut l'être le schizophrène. C'est par exemple la reconnaissance de ce Moi pluriel qui permet à la femme de se réaliser, pour vivre en toute harmonie ses deux dimensions de féminité et de maternité, sans antinomie, sans nul conflit. Chacune de ces deux forces sert alors de garant et de limite à l'autre.

En revanche, en cas de D.I.P., elles se trouveront déliées. La femme se trouvera inféodée à l'une ou à l'autre, elle sera soit trop maternelle, fermée à l'amour et au désir sexuel, soit, à l'inverse, trop femme, désinhibée du point de vue pulsionnel. Autre conséquence délétère de la D.I.P. : elle introduit la dissociation, le divorce, le clivage, au sein de la dialectique féconde des contraires, notamment entre le couple bonté/mauvaiseté, amour/agressivité.

Au lieu que chaque axe, chaque pôle demeure relié à l'autre en lui servant de garant et de limite, leur lien se brise. Le sujet, coupé de son intériorité devenue persécutrice et *ipso facto* de sa bonté profonde, entreprend de lutter donc contre ses deux fantasmes de culpabilité et de mauvaiseté. Il gaspille ainsi la plus grande partie de son énergie libidinale, au-dehors, du coup exagérément idéalisé et censé le combler, dans le dessein de démontrer son innocence et sa bonté, évidemment sans succès.

Le manque de sérénité, plus exactement la guerre civile intérieure dont tant de personnes souffrent à l'heure actuelle, prend son origine et sa violence dans cette fissure, cette division intrapsychique entre la contrainte de se vouloir parfait, bon et innocent, et la certitude inconsciente d'être coupable et mauvais. Cette conviction que le sujet refoule et refuse de reconnaître s'impose cependant à lui, en dépit de toute l'énergie qu'il déploie pour s'en désencombrer. En revanche, la paix intérieure est tributaire de la restauration de la dialectique féconde des contraires, seule susceptible de mettre fin au morcellement identitaire, au manichéisme infantile et toxique bon/mauvais.

C'est grâce à cette connexion que le sujet retrouvera son intériorité, qu'il sera encouragé à s'accepter comme imparfait, vrai, cessant ainsi de guerroyer contre son ombre, les fantasmes de mauvaiseté et de culpabilité. C'est paradoxalement la reconnaissance de l'obscurité qui lui permettra de renouer avec sa bonté profonde, de retrouver la lumière. Devenir moins bon avec les autres, en somme, et mieux avec soi-même, plus bienveillant, moins sévère !

RÉMI

Rémi a cinquante-cinq ans. Il a l'air très courtois et prévenant. Il est habillé avec discrétion mais élégance. Il travaille depuis longtemps déjà dans une association humanitaire connue et très active, spécialisée dans la défense « des malheureux, des mal-nourris et mal-logés ».

Il reste debout quelques instants, comme s'il hésitait à s'installer pour exposer l'objet de sa venue. Toutefois, aussitôt assis, il prend la parole comme soucieux d'aller directement au but, sans plus perdre de temps.

« Voilà, je traverse une période assez compliquée actuellement. Dans l'ensemble j'aime bien les gens et la vie. J'entretiens avec eux des rapports positifs. Mais, en même temps, j'ai un fond que je trouve assez triste. Je ressens une lame dépressive, comme une musique de fond, en sourdine, qui me parasite et me freine dans mes élans. J'ai toujours du mal à savoir ce que je ressens, à mettre des mots sur mes émotions ou sur ce que je voudrais exactement. Je ne sais jamais trop quoi choisir comme plat au restaurant, par exemple. Sinon, je suis immédiatement ému par les paysages, la lecture de certains textes, l'écoute d'une musique.

Seulement, quand je suis face à quelqu'un, je ne sais plus, je doute, je perds mes moyens je suis comme anesthésié. C'est souvent bien plus tard, après-coup, avec du recul, que j'arrive à comprendre vaguement ce qui a pu se passer, d'un point de vue intellectuel, sans ressentir d'émotion, froidement.

Je viens vous voir pour que vous m'aidiez à trouver la paix en moi. Je me sens pas mal tourmenté. Je pratique pourtant un peu de méditation et du yoga. Ça me fait du bien sur le moment, mais après, je me retrouve comme avant.

Je vis avec une femme de cinquante ans qui est médecin du travail dans l'Éducation nationale. Nous avons un petit garçon de neuf ans ensemble. Chacun a eu, par ailleurs, un autre enfant d'un premier mariage ; elle un fils de seize ans et moi, une fille de dix-sept. Nous nous sommes rencontrés chez des amis communs pendant les vacances. Nous venions de divorcer tous les deux. Un an plus tard nous avons décidé de nous pacser et de nous installer ensemble. C'est une femme que j'aime beaucoup, que j'apprécie et respecte. J'éprouve de l'affection pour elle. Je la trouve douce et tendre, rassurante surtout. Nous faisons plein de choses tous les deux. Nous partageons une complicité, une connivence intellectuelle que nos amis nous envient.

Seulement, voilà, sexuellement je ne la désire pas. Je n'ai rien à lui reprocher vraiment. Physiquement je la trouve belle et désirable aussi, objectivement, si elle n'était pas mon épouse, je veux dire. Tant d'hommes aimeraient bien être à ma place, j'imagine, j'en suis même certain. Mais, que voulez-vous, elle ne m'excite pas, elle ne me fait pas vibrer. Je me sens parfois si coupable de ne pouvoir répondre à sa demande, de la frustrer. Je me force parfois à lui faire l'amour. J'ai envie de dire que j'exécute mon devoir conjugal. Je ne voudrais pas la blesser, elle est si sensible. Souvent, je dois inventer un prétexte pour y échapper ; fatigue, mal de tête, l'heure tardive... Marion ne m'a jamais attiré d'ailleurs, même au début de notre relation.

Je m'étais dit que nous arriverions à tout régler petit à petit, à force d'habitude et de dialogue. Le fait de me sentir aimé par elle, désiré, en sécurité, primait à l'époque sur mon ressenti et le plaisir sexuel. Marion était, elle est toujours, tout à fait à l'opposé de mon ex, particulièrement chiante, une mégère conflictuelle et stressante à souhait. Au fond, c'est sans doute mon besoin de sécurité et d'apaisement, et ma soif de paix qui m'ont poussé à accepter de vivre avec Marion. Oui, c'est elle qui m'a proposé qu'on se mette ensemble. Moi, j'ai accepté tout de suite. Ça me paraissait plus pratique. Maintenant, j'ai peur d'être méchant avec elle et de l'abîmer si jamais je lui proposais de nous séparer. Cela me paraît inconcevable.

La sexualité a depuis toujours été une affaire pas évidente pour moi. J'éprouve un blocage, une inhibition même, sur ce plan-là, une peur, une trouille plutôt, avec les femmes, notamment celles qui me paraissent collantes. Je n'ai ainsi pas beaucoup de conquêtes à mon actif. Je n'ai jamais été, même dans ma jeunesse, un séducteur. J'ai rarement pris l'initiative de draguer une fille. C'est plutôt elles qui m'abordaient. Ensuite, lors des rapports, je souffrais souvent d'impuissance ou d'éjaculation précoce. Faire l'amour se transformait en une épreuve au lieu de représenter une excitation joyeuse. J'en garde un sentiment amer d'insatisfaction. Je dirais que j'ai une sexualité empêchée, dans l'ensemble bridée, complètement décalée par rapport à mon idéal. D'ailleurs il m'est assez pénible, par pudeur, de parler de sexe à une femme.

Là, depuis environ trois ans, j'ai une relation extra-conjugale avec une collègue qui travaille dans la même association humanitaire que moi. Nous arrivons à nous voir sous divers prétextes professionnels. Nous parlons, déjeunons ou dînons, mais nous faisons surtout l'amour, disons une fois par semaine. Nous avons aussi l'occasion de passer quelques jours ensemble lors des voyages d'études ou de formation, en France ou à l'étranger. Avec elle, par contre, ça se passe très bien sur le plan sexuel. Plus de panne, ni d'éjaculation précoce. C'est un bel échange, une formidable rencontre, une vraie jouissance entre nous. J'ai envie d'avouer que je suis amoureux d'elle, mais je n'oserais pas. D'abord parce que je me sentirais trop coupable vis-à-vis de Marion, et puis, ça me fait peur de m'attacher à ma maîtresse qui a vingt ans de moins que moi et qui n'a par ailleurs aucun projet de vie commune à long terme avec un homme. Elle se veut totalement libre, cette femme. Elle ne souhaite ni se marier ni avoir d'enfant, maintenant ou plus tard. Elle prend soin d'ailleurs de ne sélectionner que des hommes indisponibles, avec qui tout engagement est d'emblée impossible. En plus, je ne suis pas son seul amant. Depuis que nous nous fréquentons, elle en a connu quelques autres, tous de sa génération, c'est-à-dire bien plus jeunes que moi. Le jour où je ne lui plairai plus, ce sera une catastrophe, mon 11-Septembre à moi ! Je deviens vieux, j'en suis conscient, le champ des possibles se rétrécit désespérément.

Évidemment, cette femme n'a rien d'une nymphomane, mais elle tient à garder sa liberté d'aimer qui elle veut. Je suis d'ailleurs au courant de toutes ses aventures. Elle me parle spontanément des hommes qu'elle « apprécie », c'est bien le mot qu'elle emploie. Je ne sais pas ce que je ressens précisément, un cocktail d'émotions : un peu de jalousie sûrement, une certaine fierté aussi qu'elle continue, malgré tout, à me désirer, mais une peur terrible enfin qu'un beau jour elle ne veuille plus me revoir. Elle est, comment dire, une libertaire, à l'image d'une prostituée sacrée. Mon problème c'est que je n'arrive pas à réunir la tendresse et la sexualité chez une seule et même femme. Je ne suis pas vraiment amoureux de mon épouse, je ne la désire pas sexuellement, alors même que physiquement elle est très bien. Nos relations sont donc basées sur la tendresse, l'amitié, la sécurité, la complicité intellectuelle, mais pas sur le désir sexuel, en tout cas de mon côté. Par contre, rien qu'en pensant à ma maîtresse, mon corps est envahi d'une excitation agréable, mon sexe se met à durcir. L'amour et la sexualité sont dissociés chez moi.

J'apprécie certains éléments ici et d'autres là, pas sur la même personne. Cette situation m'indispose. Je me sens très coupable envers mon épouse. Je ne sais pas comment elle réagirait si elle apprenait mon infidélité. Ce serait terrible pour elle. Elle serait cassée, brisée. Elle a quitté son premier mari parce qu'elle était excédée par ses adultères. Je ne la trompe pas seulement avec une autre, mais, pire encore, je la trahis au niveau des sentiments, c'est bien plus grave. Cette division me fatigue et me déprime. Je me sens comme déchiré entre la raison, qui me pousse vers ma femme, et le cœur, qui m'attire vers ma maîtresse. C'est une épreuve qui me démoralise, et je me sens impuissant à trouver une issue honorable. J'aspire tant à l'union et à la paix ! J'en ai vraiment marre de cette double vie. Je trouve stressant de devoir mentir sans arrêt et de faire semblant au lit, comme si de rien n'était. Il est devenu urgent pour moi de me rassembler. Je ne sais plus qui je suis, ni où, ni avec qui. »

J'ai trouvé le récit de Rémi véritablement pathétique, poignant, surprenant de surcroît, puisque l'infidélité représente de nos jours non plus un drame comme jadis, mais plutôt un possible incident de parcours dans la vie d'un couple, voire même quelquefois une banalité. Il commence à exister, en dehors et en plus des sites de rencontres classiques, destinés aux célibataires, gays et travestis, de nombreux autres spécialisés dans l'adultère. Je connais par ailleurs beaucoup d'hommes et de femmes vivant officiellement en couple sous le même toit, mais qui trompent leur partenaire, de façon systématique ou occasionnelle, sans états d'âme, sans se poser toutes ces questions. Il existe, enfin, des hommes et des femmes « modernes », en nombre croissant, qui, même s'ils ont cessé de s'aimer, continuent à vivre « en amis » sous le même toit, tout en ayant chacun de son côté une « histoire » avec une autre personne, une soirée par ci, un week-end par là. Ils ont tendance à justifier cette pratique bâtarde par recours à des considérations économiques (éviter de payer deux loyers) ou pour l'intérêt de leurs enfants.

Rémi aurait pu se considérer après tout comme heureux, chanceux et privilégié de pouvoir jouir de deux femmes, en satisfaisant d'un côté son besoin de sécurité auprès de son épouse et en assouvissant librement son désir auprès de sa maîtresse.

Alors, pourquoi se plaint-il ? Mon étonnement est d'autant plus grand que le discours de Rémi – cela m'a été confirmé par la suite – est dépourvu de toute connotation morale ou religieuse, nous dirions « surmoïque ».

Alors, comment comprendre ses doléances ? Serait-il possible de leur trouver un sens en rapport avec le clivage qu'induit la D.I.P., au sein de l'identité plurielle et de la dialectique féconde des contraires ?

« Je suis l'aîné de la famille. Ma mère s'est fait avorter pour sa troisième grossesse quand j'avais huit ans, je crois. Économiquement, c'était assez compliqué pour mes parents à l'époque d'élever plus de deux enfants. Je pense que j'ai toujours connu ma mère dépressive, surtout après la naissance de mon petit frère, j'ignore pourquoi. Mon enfance a été jalonnée par ses rechutes, et donc de ses hospitalisations successives. Elle a fait de nombreuses tentatives de suicide aussi, a subi plusieurs électrochocs. Je la trouvais souvent allongée sur son lit en robe de chambre. Elle pleurait quand j'allais la voir. Elle cherchait à me rassurer en me disant : « Ne t'inquiète pas mon chéri, maman est juste un peu fatiguée. Va jouer dans ta chambre et tout ira bien. » Elle prenait un tas de cachets qui l'ensuquaient complètement. Elle semblait aller mieux parfois, et puis, non, d'un seul coup, ça retombait. Elle disparaissait à nouveau à l'hôpital psychiatrique. En rentrant de l'école, je ne la retrouvais plus. C'était le désespoir absolu ! Je demandais des explications à mon père, mais il ne répondait que par des banalités, pas grand-chose. J'ignore encore aujourd'hui la cause de la dépression de ma mère. Il s'agit vraiment là d'un secret, d'un sujet tabou, comme tout ce qui touche à notre histoire familiale, à commencer par le passé de mes parents.

Mon père, un vrai paranoïaque qui se sentait persécuté, dénichait toujours une intention critique ou agressive dans mes interrogations ou dans mon ton. Quant à ma mère, il était bien difficile de l'approcher pour échanger avec elle. Lorsqu'elle se trouvait à la maison, mon père insistait pour qu'on la laisse tranquille. Il nous disait de nous taire et de ne pas bouger. Il s'est toujours donné pour rôle de la protéger, je ne sais contre quel danger, en édifiant une barrière invisible autour d'elle. Peut-être même qu'en s'interposant entre elle et nous, comme entre elle et les médecins, il tentait de l'écarter des soins, de l'empêcher d'exprimer ses souffrances et ses souhaits. D'ailleurs, il a décidé à plusieurs reprises de la ramener de l'hôpital sur un coup-de-tête, contre l'avis médical.

Il nous culpabilisait souvent, mon frère et moi, en soutenant que nous étions complices des médecins qui ne cherchaient qu'à l'assommer. Du coup, je n'ai jamais eu de vrais liens avec aucun de mes parents, dans la tendresse et la sécurité. Tout ce que je savais, c'est que je devais être gentil, pour ne pas ajouter à leurs problèmes. J'avais toujours peur d'être méchant avec ma mère, peur de la déranger, de l'abîmer. Je m'efforçais donc d'être irréprochable en l'aidant dans ses tâches, certainement pour me sentir aimé, vu que tout ce que je pouvais dire ou faire était susceptible de provoquer des catastrophes.

Lorsqu'il nous arrivait de chahuter, mon frère et moi, mon père criait très fort pour que nous arrêtions d'embêter notre mère. Après, il venait s'excuser et se mettait à pleurer. Avec lui, le dialogue a toujours été compliqué. Non seulement nous ne pouvions pas discuter de l'état de santé de notre mère, mais, en outre, il n'a jamais vraiment voulu nous éclairer sur son passé : pourquoi ses parents avaient-ils divorcé, pourquoi sa mère avait-elle été déportée et internée dans les camps par les Allemands, pourquoi répétait-il détester son père ? Et puis, ça fait maintenant des années que j'insiste pour qu'il me raconte ce qui s'est passé pendant la rafle du Vél' d'Hiv', en juillet 1942, au cours de laquelle nombre de ses copains juifs ont été déportés. Il me raconte certains épisodes, mais par bribes, avec parcimonie. Il est curieux, cet homme. Et moi, mes racines, je les connais à peine.

Pendant toute ma jeunesse, j'ai été inquiet pour ma mère et le couple de mes parents. Je me disais d'ailleurs que, si maman était malheureuse, c'était sûrement parce que je n'avais pas été gentil avec elle, mais je m'imaginais souvent que c'était peut-être aussi à cause de papa. Celui-ci la soignait pourtant comme une mère ou une infirmière, mais je ne sentais pas d'amour dans ses paroles et dans ses gestes. Je pensais même parfois qu'elle était un peu en danger avec lui. Au fond, je crois que je me méfiais de mon père. Quand il leur arrivait de se disputer, ma mère sombrait à nouveau dans la déprime. Il est vrai qu'il ne lui fallait pas grand-chose pour basculer…

J'avais remarqué aussi que mes parents n'étaient pratiquement jamais en forme ensemble au même moment. Quand l'un allait, c'était l'autre qui décrochait, et vice versa. Je me disais qu'ils allaient peut-être se quitter un jour, divorcer. Leur rupture me paraissait imminente. Pourtant, aujourd'hui ils sont toujours ensemble, inséparables, à plus de quatre-vingts ans.

Dans ces conditions, c'était souvent ma tante qui palliait l'indisponibilité de ma mère. Elle s'occupait beaucoup de moi et de mon frère. J'ai peut-être été davantage élevé par elle, en tout cas plus câliné et sécurisé. Sans elle, j'ignore où j'en serais aujourd'hui. Elle était célibataire et n'avait pas d'enfants ; elle fréquentait depuis longtemps un homme marié. Ses relations adultérines, il était interdit d'y faire la moindre allusion. C'était un grand secret par peur que « l'autre », c'est-à-dire la femme légitime de l'amant, ne découvre la double vie de son mari. Cette tante était vraiment adorable avec nous. C'est en réalité elle qui comblait chez moi le déficit maternel. Du coup, c'était comme si j'avais deux mères. Elles se complétaient d'une certaine façon. Chacune m'offrait ce dont j'étais privé chez l'autre. Encore à l'heure actuelle, c'est toujours à ma mère et à ma tante que je souhaite la fête des mères, pour qu'aucune ne s'imagine que je préfère l'autre. Malgré toutes mes précautions, elles sont restées en rivalité, jalouses comme deux petites filles. Si j'appelle ma mère une fois et ma tante deux, ça déclenche une catastrophe.

Tiens, c'est justement en parlant avec vous que je me rends compte qu'il se passe vraiment la même chose entre moi, ma femme et ma maîtresse. Oui, chacune m'offre ce dont je suis privé ailleurs. Je n'y avais jamais pensé !

Enfant, je me sentais, je me souviens, un peu étouffé, par moments, avec ces femmes, comme livré à elles. J'étais sommé d'être gentil, affectueux et de leur obéir en faisant attention à ne pas les décevoir. J'avais peur de ne pas être à la hauteur de leurs attentes et leur idéal. Cette tante, ainsi que ma grand-mère maternelle, représentaient pratiquement les seuls membres de notre famille. Mes grands-parents paternels étaient décédés avant ma naissance. Ils avaient divorcé quand mon père avait été appelé à faire son service militaire. Il était brouillé avec son frère aussi, que nous ne voyions d'ailleurs qu'à titre exceptionnel.

J'ai appris récemment qu'il venait de décéder. Mon frère et moi, nous avons souhaité assister à son enterrement. Mes parents se sont montrés très contrariés, mon père notamment, que nous ayons décidé de nous rendre aux obsèques de leur « ennemi juré » sans leur permission. Exactement comme pour la dépression de ma mère, je n'ai jamais compris, personne ne m'a expliqué les motifs de la rupture.

L'ambiance familiale était donc dans l'ensemble assez grise, morose, les spectres de la tentative de suicide et de l'hospitalisation étant constamment agités. J'étais souvent inquiet de ce qui pourrait survenir. Alors, je n'ai pas réussi à vivre mon adolescence avec mes copains dans la légèreté. Je m'imposais la perfection à la maison comme à l'école. Lorsque j'écrivais un texte, par exemple, je ne supportais aucune rature. Je déchirais la feuille et en reprenais une autre vierge autant de fois qu'il était nécessaire. J'étais sérieux et studieux dans mes études. Je m'interdisais de sortir. Je n'étais pas vraiment tranquille.

Ma sexualité n'a pas pu s'épanouir à cette époque à cause de mon état de tension et de stress. Elle était comme bridée, freinée, empêchée. Je ne buvais pas, ne fumais pas, ne découchais pas, ne draguais pas les filles, même quand elles venaient vers moi. Dès le départ, l'échec était inscrit dans mon esprit, et je faisais ce qu'il fallait pour que ça rate. Je m'interdisais de m'attacher. M'amuser avec elles signifiait me désintéresser de ma mère, la renier, l'abandonner. Je ne m'en donnais pas le droit, d'autant plus que je ne la sentais pas en sécurité avec mon père. J'avais l'impression aussi que je ne méritais pas de sortir avec une jolie fille. Je manquais de confiance en moi. Je doutais fortement de mes capacités de séduction.

Je craignais surtout de leur créer des soucis, de les abîmer et de les décevoir. Alors même que j'avais leur âge, je me trouvais bien plus vieux qu'elles, comme si j'appartenais à une autre génération. Je n'étais évidemment pas indifférent à leurs charmes ni à leurs avances. Je me sentais souvent attiré, mais je luttais contre mes émotions en me persuadant qu'elles ne me désiraient pas sincèrement, que je me trompais quant à leurs intentions ou que, aussitôt ma flamme déclarée, elles me laisseraient tomber. J'arrivais parfois à éteindre complètement tout désir, à m'anesthésier, à me convaincre que je ne ressentais rien pour elles. Je construisais un mur invisible tout autour de moi, comme en ce moment avec mon épouse.

Je commence à comprendre progressivement ce qui différencie ma femme de ma maîtresse. Comme cette dernière se veut libre de fréquenter d'autres hommes, ne souhaite ni enfant ni mariage, je ne me sens pas responsable d'elle. Elle n'a pas vraiment besoin de moi. Je n'ai donc aucun devoir à son égard, aucun compte à lui rendre. Il ne m'appartient pas de la protéger ou de la rendre heureuse. Par contre, avec mon épouse, je me sens engagé, contraint, responsable. Elle me demande de lui faire l'amour, de l'aimer, de lui donner du plaisir, d'être gentil, de ne pas la blesser, de ne pas la décevoir, de ne pas être méchant, de ne pas la quitter pour une autre. L'une ne me réclame rien, l'autre me demande tout, mais je ne peux pas répondre.

Je pense parfois que je n'aurais jamais dû me remarier. Mon premier mariage avait été un échec total pour les mêmes raisons. Je ne supporte pas la fusion, le devoir conjugal, l'engagement définitif. Quand quelqu'un me formule une demande en me faisant comprendre que c'est important pour lui, je me bloque instantanément, par crainte de ne pas être à la hauteur, de le décevoir et de le desservir en fin de compte. C'est pareil avec ma tante. Je me sens endetté. Ses demandes affectives de reconnaissance et d'attention me stressent. J'ai peur de ne pas pouvoir les satisfaire. »

Au fond, Rémi n'est pas malheureux de se trouver déchiré, comme en ballottage entre deux femmes. Cette double vie vient, tout à fait à l'inverse, mettre en scène, concrétiser, l'existence d'un déchirement, d'une dissociation, d'un clivage, interne et ancien. Toute souffrance exagérée dans l'Ici et Maintenant renvoie à la détresse de l'enfant intérieur, à ce qui fut ou ne fut pas dans l'Ailleurs et Avant. Ainsi, la « bigamie » tourmentée de mon patient ne constitue pas la cause de son désarroi actuel. Elle est le reflet, la projection au-dehors, d'un trouble identitaire, d'une désunion entre les divers pans de son identité. Cette faille est repérable à tous les niveaux de son existence, passée et présente. Elle se repère dans la structure familiale, entre lui et sa mère, souvent absente, physiquement ou psychologiquement, entre lui et son père, entre ses parents eux-mêmes, entre son père et son oncle, etc.

C'est bien toutes ces déliaisons, ces liens non tissés dans le passé, blancs, consécutifs au vide matriciel subi et donc à la D.I.P., qui se trouvent à l'origine de la dissociation présente chez Rémi entre l'amour et le sexe, la raison et le sentiment, le dedans et le dehors. D'où son empressement à rechercher l'union, à se rassembler, à recouvrer la paix intérieure, comme il aime y insister. Cette disjonction se répète curieusement partout :

« Ma fille de dix-sept ans ne montre pas une envie exagérée de me voir, elle ne répond pas fréquemment à mes appels et à mes messages. Lorsqu'on se voit, elle ne me parle pas d'elle, c'est parfois le mutisme complet. Elle n'a pas très envie non plus de communiquer avec son petit frère. Elle me donne même l'impression de le jalouser. Elle ne parle pas avec sa mère non plus, elle préfère ses copains. Ma femme est également jalouse de ma fille, qu'elle trouve gâtée et irrespectueuse. Elle ne se montre pas du tout enthousiaste à l'idée de la recevoir ni surtout de partir en vacances avec elle. Remarquez, mon ex fait tout pour compliquer les rapports. Du coup, j'oublie ma fille quand je ne la vois pas, je ne pense pas à elle. J'envisage quelquefois d'avoir une discussion avec elle pour lui donner des limites, mais je crains de lui faire du mal et de la perturber. Après, je me sentirais trop coupable.

Je suis aussi désolé que mes enfants, même s'ils sont issus de deux mariages différents, vivent séparés l'un de l'autre. La réalité est finalement loin de l'idéal de famille soudée que je caressais auparavant. C'est pour ça qu'après mon divorce, j'avais fermement décidé de ne plus me remarier ni d'avoir d'enfants. Quand Marion s'est retrouvée enceinte, événement tout à fait imprévu, j'ai insisté pour qu'elle se fasse avorter. Je n'étais pas sûr de l'aimer suffisamment pour vouloir un enfant d'elle. Elle a beaucoup tergiversé, tiraillée entre l'envie de garder le bébé et celle de me contenter. Elle a dit « je ne sais pas » et puis « oui » et ensuite « non » et à nouveau « oui » à l'avortement. Finalement, le temps s'est écoulé et c'est devenu trop tard. Quand elle a fait sa première échographie, le médecin n'a pas pu voir le fœtus tout de suite. C'était comme s'il s'était caché dans un coin, comme s'il avait compris que nous ne voulions pas de lui, comme s'il se sentait en danger. »

Encore un lien qui a failli être avorté !

Au fond, Rémi est porté par une intense quête de liens du fait d'en avoir manqué durant toute son enfance, à l'intérieur du triangle, avec sa mère notamment. Cette boulimie est cependant marquée par le refoulement, voire le déni, pour trois motifs principaux. En raison d'abord des sentiments d'indignité et de non-mérite que son enfant intérieur, victime de la carence matricielle, donc coupable et mauvais, éveille en lui. Ces deux forces contraires, l'envie et l'interdiction de liens, entrent en conflit, tirant à hue et à dia, chacune poussant Rémi dans une direction opposée. C'est bien là l'exacte définition de l'ambivalence. D'ailleurs, plus le besoin d'attachement est puissant chez le sujet et plus sa crainte de l'engagement apparaît comme intense, et plus, par ricochet, les mécanismes de défense destinés à le faire fuir sont conséquents. Mon patient évite de s'attacher, en second lieu, par crainte de se voir délaissé, comme s'il s'agissait d'une malédiction, revivant de la sorte le traumatisme d'abandon originaire. Enfin, mais il s'agit là d'un point essentiel, étant donné la présence chez Rémi des deux fantasmes de culpabilité et de mauvaiseté (« ma mère était malade par ma faute »), s'attacher à une femme risque de titiller fortement ces certitudes. Le désir, l'envie de lien se révèle dans ce contexte risqués, dangereux, périlleux pour soi-même et pour l'autre, d'où la difficulté de le reconnaître, de le ressentir, et encore davantage de le vivre.

Mon patient semble projeter inconsciemment sur son épouse légitime l'image de sa mère. Il la considère comme fragile, délicate, cassable, comme s'il s'agissait d'un vase en cristal de Baccarat. Cette vision, loin de nous renseigner sur la chétivité ou la solidité psychique de Marion, reflète en réalité les propres craintes de Rémi concernant son potentiel de nuisibilité, sa peur de voir son épouse se briser par sa faute, comme naguère sa mère, s'il se montrait vrai, synonyme dans son esprit d'agressif, de méchant, de mauvais. De même, l'inquiétude exagérée du parent relative à la santé, à l'équilibre et à la réussite de son enfant, à son avenir, en somme, trahit bien plus le doute quant à sa bienfaisance et à son utilité de père ou de mère, que le fait que sa progéniture soit réellement en difficulté.

Autrement dit Rémi, le petit garçon en lui précisément, redoute sans cesse de faire du mal, de blesser, d'« abîmer », dit-il, les femmes de son entourage, y compris sa fille. Dans un tel état d'esprit, se lier à une femme le rend automatiquement fautif de ses infortunes, responsable aussi de son bonheur, ce qui l'engage, l'assignant à une place et à une fonction d'enfant thérapeute, avec tous les risques d'échec et de déconvenues que cette entreprise comporte. L'enfant intérieur de Rémi souffre ainsi d'une triple culpabilité : celle d'avoir été élevé par une mère dépressive en premier, celle, ensuite, relative à l'échec de sa volonté thérapeutique, de son incapacité à la guérir. Il se retrouve enfin dépositaire de la dépression de sa mère, qu'il a résorbée en bon petit pharmakos.

Voilà donc le sens des tourments de Rémi dans la relation avec son épouse pour qui il n'éprouve aucun désir sexuel, alors qu'à l'inverse, il est fortement excité par sa maîtresse. La première le sollicite, alors que la seconde, n'ayant nul besoin de lui, ne dépendant pas de son affection, le laisse parfaitement tranquille, c'est-à-dire qu'elle ne titille pas ses deux fantasmes de mauvaiseté et de culpabilité.

Mon patient éprouve une sainte horreur des femmes « collantes », dit-il, celles qui lui manifestent un peu trop d'ardeur. Curieusement, il s'agit là du même scénario que celui qui concerne son emploi :

« Dans mon travail, je me comporte depuis le début comme un brillant second, la substance grise, mais dans l'ombre. C'est moi qui suggère souvent au patron d'agir dans telle ou telle direction, d'adopter l'une ou l'autre stratégie. J'aurais pu devenir directeur si je l'avais vraiment souhaité, mais ça ne m'intéresse pas. J'évite les responsabilités par peur de commettre des bêtises ! »

Ainsi, dans le domaine professionnel, mon patient agit selon le même schéma d'évitement que dans la sphère sentimentale. Il préfère s'asseoir sur un strapontin que de siéger sur un vrai fauteuil, c'est-à-dire occuper la place qu'il mérite. Dans la mesure où devenir chef risque de le mettre face à ses deux fantasmes de mauvaiseté et de culpabilité, et donc dans l'obligation d'être parfait, dans un rôle de sauveur, de héros en somme, mais qui comporte certains risques d'échec. Véritable cercle vicieux donc !

Ainsi les troubles de la sexualité, l'absence d'érection ou l'éjaculation précoce chez l'homme ou la frigidité chez la femme n'ont, dans cette perspective, rien à voir avec le sexe, contrairement à l'affirmation des sexologues. Le lieu de l'apparition d'un symptôme ne saurait être confondu avec son origine. Une migraine peut provenir d'un dysfonctionnement hépatique ou d'un problème ophtalmique. Les ennuis sexuels de Rémi avec son épouse légitime, qui ne surviennent curieusement jamais avec sa maîtresse, reflètent le blocage de son agressivité saine.

Mon patient vit dans la hantise d'être mauvais, de faire mal, d'abîmer, de rendre malheureux, de décevoir. Il s'impose l'exigence obsessionnelle d'être bon, irréprochable, gentil, de guérir, au moins de ne pas rajouter aux douleurs et au désordre. Son énergie vitale est gaspillée dans la lutte contre ses deux certitudes de mauvaiseté et de culpabilité, dans la quête insatiable de la bonté et de l'innocence. D'où son appréhension de trop se lier, de trop s'approcher, de s'engager clairement avec son épouse, autrement dit de la pénétrer, par crainte de l'endommager, par obligation ensuite de la soigner pour neutraliser sa nuisibilité. Cette tension parasite et perturbe évidemment l'acte sexuel, mais son origine et sa signification seront à rechercher ailleurs. Elles renvoient à la D.I.P. affectant l'enfant intérieur, tenaillé par les deux fantasmes de culpabilité et de mauvaiseté.

Le récit de la vie de Rémi illustre également sans ambiguïté, à l'exact opposé de la théorie du complexe d'Œdipe, que le petit garçon ne cherche point à tuer son père pour s'accoupler incestueusement avec sa mère. Bien au contraire, inquiet pour ses parents, leur couple, leur santé, leurs finances, l'enfant souhaite que tout aille bien pour eux et qu'ils soient présents psychologiquement et physiquement, reliés ensemble, afin de lui assurer l'approvisionnement narcissique d'amour et de sécurité dont il a égoïstement besoin pour se développer.

Voilà pourquoi toute perturbation dans la construction et le fonctionnement du triangle risque de laisser des traces dans le psychisme de l'enfant. Il se croira alors fautif de la carence matricielle qu'il a subie, alors qu'il en a été la victime innocente et impuissante. Dans cette optique, ce qui paraît problématique chez mon patient, ce n'est plus tant la dimension vaudevillesque de sa bigamie, une sainte à la maison et une prostituée, fût-elle « sacrée », dehors. Ce n'est jamais vraiment l'adulte qui souffre en raison des aléas de son existence dans son Ici et Maintenant, mais la petite fille ou le petit garçon en lui affecté par la D.I.P.

Le sérieux trouble ici est relatif à la panne de la dialectique féconde des contraires, consécutive à la D.I.P., barrant l'accès à la bonté profonde. Chez mon patient, le bon et le mauvais, l'amour et l'agressivité se trouvent totalement déconnectés, déliés (au lieu d'être totalement intriqués) à l'avantage exclusif des premiers, les seconds étant chassés, éliminés et déniés. Ce qui prédomine dans tous les pans de son identité plurielle, travail, amour, sexualité, éducation des enfants, c'est l'impératif catégorique, l'exigence infantile tyrannique de ne pas nuire, de ne pas faire souffrir, d'être gentil, dans l'objectif de plaire, de se sentir exister, d'être aimé et reconnu.

N'oublions pas que Rémi a choisi, sur le plan professionnel, de se consacrer, au sein d'une association humanitaire à but non lucratif, à la prise en charge des défavorisés, des mal-logés et mal-nourris. La majeure partie de son énergie libidinale est ainsi investie dans la lutte contre ses deux démons, les fantasmes de culpabilité et de mauvaiseté. Il recherche avidement la paix et l'harmonie. Il s'entoure de mille et une précautions pour ne mécontenter et ne froisser personne. Il souhaite la fête des mères, ainsi que celles du calendrier religieux et les anniversaires, à ses deux « mères », comme il dit, sa tante et sa génitrice, pour qu'aucune ne se sente blessée ni ne devienne jalouse de l'autre. La dialectique féconde des contraires se trouve donc malencontreusement fracturée, sous la pression de la D.I.P. et des deux fantasmes de culpabilité et de mauvaiseté.

Il refuse de s'accepter tel qu'il est, son être profond, dans sa globalité, son entièreté, avec ses qualités et ses défauts, ses forces et ses faiblesses, ses zones d'ombre et de lumière, d'amour et d'agressivité. Il est bloqué sur une seule modalité d'être, marche avec une seule jambe, et ne se sert que d'une de ses mains. Sa libido ainsi rétrécie et brimée ne peut circuler de façon libre et fluide à travers les diverses allées du verger de son identité plurielle. Par delà son sentiment conscient de liberté, il ne jouit en fin de compte d'aucune autonomie psychique, puisqu'il est programmé pour dire « oui », consentir et obéir, accepter pour faire plaisir, pour se faire plaisir à lui-même, en réalité. Il éprouve beaucoup de difficultés à dire non, à refuser, à fixer des limites si les circonstances l'exigent.

Le refus de la complexité de l'existence rend celle-ci inévitablement compliquée, labyrinthique, embrouillée, dans la mesure où les deux dimensions constitutives de chaque couple d'opposés (bon/mauvais, positif/négatif), normalement inextricables et enchevêtrées, se désolidarisent, brisant ainsi la dialectique féconde des contraires. Ce clivage inconscient, au lieu de contribuer à l'apaisement de mon patient, accentue à l'inverse son tourment psychique. L'obsession de protéger les autres et de ne pas leur nuire, l'exigence d'être parfait, c'est-à-dire innocent et bienfaisant, se retournent contre lui-même. Tout conflit, redouté et évité, non exprimé, non géré avec l'autre au dehors, s'intériorise et se transforme en une guerre intérieure dévastatrice. Rémi se maltraite sans réussir pourtant à faire le bonheur des autres. Un bon acte, par définition, profite ni seulement à l'un ni seulement à l'autre, mais aux deux partenaires, de façon solidaire !

La D.I.P. n'introduit pas une coupure au niveau des seuls couples : amour/agressivité et dehors/dedans, hypothéquant de la sorte la dialectique féconde des contraires, et contraignant donc le sujet à l'unilatéralité, à l'uniformité et, par voie de conséquence, à la pauvreté psychique. Elle disloque de même toute une série d'autres connexions. Elle ronge, à titre d'exemple, les jointures ou les raccords entre les trois dimensions du temps, ainsi qu'entre le trio corps-raison-émotion, normalement soudés et en interaction permanente. Ainsi, chez l'adulte porteur de la D.I.P., hier, aujourd'hui et demain ne sont plus solidairement associés. Au lieu que le sujet puisse s'engager pleinement dans le moment présent, parce qu'il est enraciné d'une part dans le passé et projeté de l'autre vers l'à-venir, il se voit délogé de son Ici et Maintenant. Il survit ou vivote, soit dans le passé rose ou noir, soit dans le futur, idéalisé ou redouté, dans la nostalgie ou dans l'utopie. Il laisse se faufiler entre ses doigts l'instant présent, si éphémère, fugitif et évanescent !

Quant au trio corps/émotion/raison, celui-ci se trouve scindé également sous l'effet de la D.I.P. Ces trois tronçons de l'être, au lieu d'interpréter ensemble, au sein d'une coexistence pacifique, la même pièce, se clivent ; l'un peut prendre l'ascendant sur les deux autres. C'est la raison pour laquelle certains fonctionnent de façon quasi exclusivement cérébrale, « intello », laissant l'émotion et le corps en jachère, alors que d'autres privilégient les sensations physiques, la nourriture, le sexe, l'argent, l'action. Une troisième catégorie va développer enfin une émotionalité à fleur de peau, frisant la sensiblerie. Elle cherchera à appréhender la vie dans son entièreté sous le prisme d'une vision affective, psychologique, à l'exclusion de toute distance et logique, sans même tenir compte d'exigences réelles qu'elle qualifiera dédaigneusement de « bassement réalistes ».

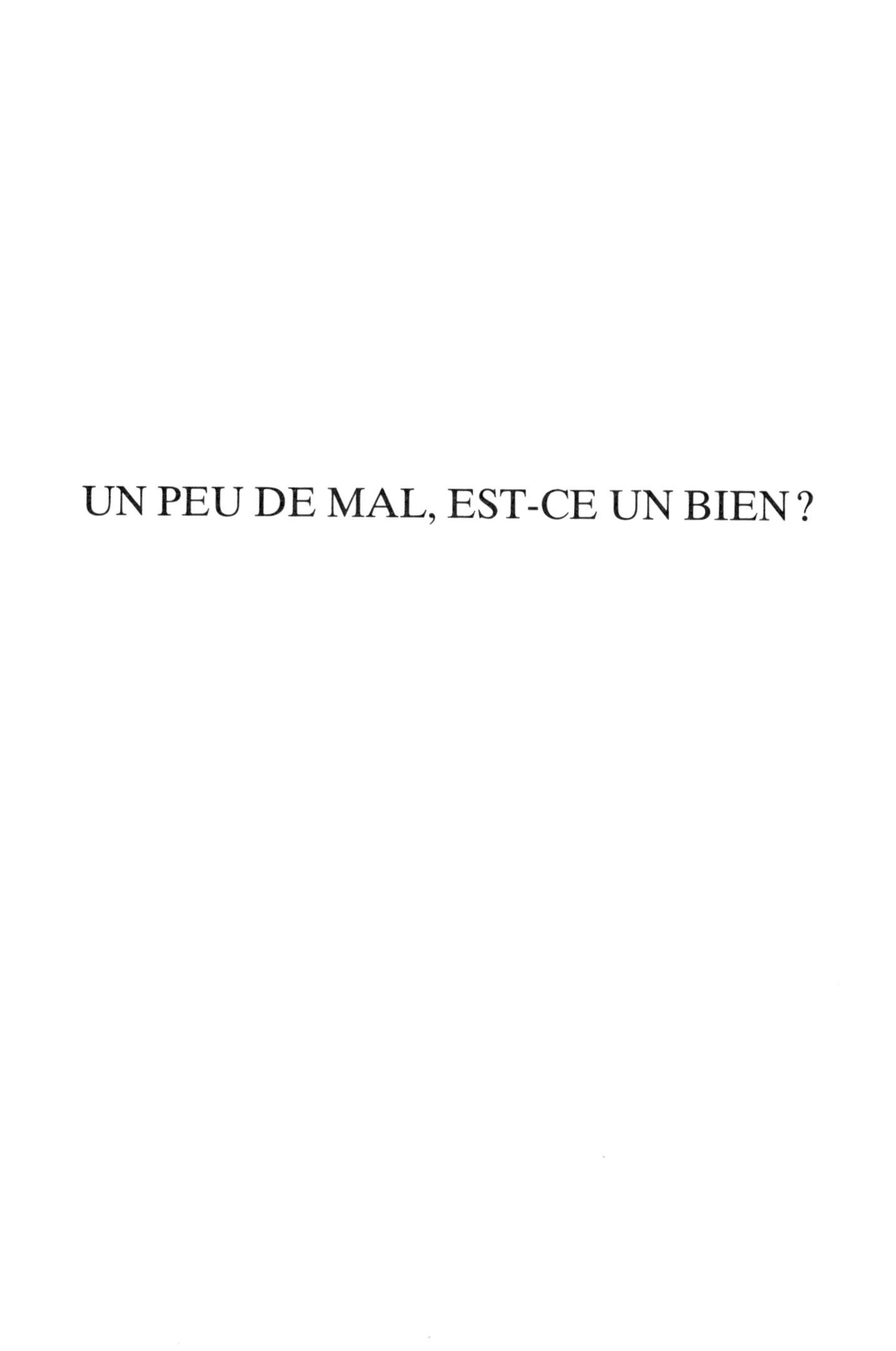

UN PEU DE MAL, EST-CE UN BIEN ?

« Le bien que tu feras à toi même, c'est le mal que tu ne feras pas à autrui ! »
Le Talmud

La hantise de paraître coupable et mauvais, symptôme principal de la D.I.P., sans aucun rapport avec la réalité, représente la préoccupation majeure des humains, au même titre que celles relatives à l'abandon ou à la mort. Elle intoxique le psychisme tel un poison et pétrifie l'énergie libidinale. C'est elle qui détourne en définitive le sujet de sa bonté naturelle et qui lui impose une image médiocre, dénutrie, dépourvue de toute qualité, mais encombrée, par contre, de défauts et de fautes.

Le sujet se croyant ainsi réellement fautif et mauvais, alors même qu'il a été jadis victime innocente et impuissante de carence matricielle, se lance dans une lutte acharnée contre ses fantasmes ainsi que dans une quête intense d'innocence et de bonté, de perfection, en somme, pour se penser enfin digne de la reconnaissance d'autrui.

Cependant, ce combat et cette espérance démesurée de salut, loin de rasséréner le psychisme, occasionnent de surcroît un trouble supplémentaire : le blocage de la dialectique des contraires. Ils rongent sournoisement les articulations et jointures qui servent à connecter les éléments opposés, mais non incompatibles et même tout à fait complémentaires. La bonté et l'innocence, par exemple, se dissocient de la mauvaiseté et de la culpabilité pour se retourner contre eux et les refouler comme s'il s'agissait d'ennemis.

Toute thérapie s'attelle dès lors, à l'aide d'une promenade dans le passé, personnel et transgénérationnel, à retrouver, d'une part, son enfant intérieur caché, convaincu d'être fautif et mauvais et, d'autre part, à restaurer la dialectique des contraires, enrayée par la D.I.P.

La redécouverte du continent supposé disparu de son enfance et l'assemblement des contraires permet au sujet d'entendre enfin mais d'écouter surtout, sans s'épuiser à la récuser, la plainte de la petite fille ou du petit garçon en lui se jugeant coupable et mauvais. C'est précisément l'acceptation de cette ombre inacceptable qui permet à l'adulte d'accéder à la lumière, au meilleur de lui-même. L'essentiel du travail thérapeutique reposera ainsi non pas sur l'acharnement à déraciner sa D.I.P., de toute façon inextirpable, mais sur la reconnaissance de certaines distinctions salvatrices : Mon enfant intérieur souffre certes d'une image négative de lui-même, du fait d'avoir jadis souffert, mais je suis adulte aujourd'hui, femme ou homme, imparfait, ni seulement bon ni uniquement mauvais, ni totalement coupable ni purement innocent, engagé surtout dans une existence nouvelle.

Tous les tourments proviennent de la confusion entre le passé et le présent, entre la réalité et la croyance. Réussir à jongler avec les deux pôles de la dialectique des contraires, comme avec le Yin et le Yang, le féminin et le masculin, l'amour et l'autorité, la joie et la tristesse, comporte d'inestimables bénéfices. Cela favorise l'autonomie psychique, nourrit la confiance en soi, garantit l'unité de l'identité plurielle et, surtout, initie au désir, libérant de l'oppression du besoin infantile de plaire. Le sujet ne craint plus de déclencher un tsunami s'il ose se montrer vrai. Il ne dit plus « amen » à tous par peur de blesser ou de déplaire. Il ne s'exténue plus, enfant thérapeute-pharmakos, à panser toutes les plaies. Il osera dire non parfois, fixer des limites, frustrer, exprimer son agressivité longtemps censurée, sans brutalité, de façon juste et saine. C'est en étant bon avec soi-même, en cessant de materner interminablement son enfant ou son compagnon qu'on aidera le premier à devenir adulte et le second à assumer son rôle d'amoureux, sans les asservir à satisfaire nos besoins infantiles de fusion.

Il est d'ailleurs impossible de se délivrer de ses fantasmes de culpabilité et de mauvaiseté en se montrant irréprochable, parfait. On peut néanmoins réduire considérablement leur emprise et leur intensité. En cessant de les refouler d'abord, mais surtout en endossant cette culpabilité ontologique que tout processus d'autonomisation, de devenir soi induit forcément, sorti de la matrice, différent des autres et distant de la conformité.

Ce n'est pas vraiment la D.I.P. avec son cortège d'émois « négatifs » qui bloque le psychisme et le soumet à la torture, mais tous les mécanismes de déni, de fuite et de combat utilisés pour la gommer. Certaines solutions engendrent parfois davantage de souffrances et de problèmes qu'elles n'en résolvent !

Assumer sa D.I.P. empêche notamment qu'elle soit gobée, héritée par sa progéniture, contrainte de rembourser plus tard des dettes qu'elle n'a pas contractées et de réparer des pots qu'elle n'a jamais cassés.

Malheureusement, la culture moderne d'esprit manichéen, binaire et clivant n'encourage guère ses membres à cultiver cette dialectique, bien à l'inverse. Dissociant d'une façon simpliste et sans nuance, le bien du mal et le positif du négatif, elle acclame par le biais de la publicité et de la propagande politico-médiatique l'idée d'un bonheur marchandise, concrètement réalisable grâce à une parfaite adéquation entre la réalité et l'idéal. Les valeurs telles que l'amour, la liberté, la santé, la jeunesse, la réussite, la force, le progrès, le gain, la forme, le plaisir, la richesse se trouvent unilatéralement survalorisées.

Leurs contraires : la faiblesse, l'agressivité, la maladie, la vieillesse, le manque, la perte, l'échec, la tristesse, la souffrance... se voient, à l'inverse, déniées et bannies. Elles représentent pourtant l'incontournable tragique existentiel, consubstantiel à notre humanité.

De plus, l'évacuation de ces contraires, loin de rasséréner le sujet, le fragilise, le rend anxieux, allergique au surgissement de la plus petite contrariété. Il sera sans cesse taraudé par des angoisses diverses ne reflétant au fond que le retour de ses émois refoulés. Une telle idéologie dissociante, même cachée, fait écho insidieusement aux fantasmes de mauvaiseté et de culpabilité de chacun et les galvanise, au lieu de les apaiser. La croissance vertigineuse des dépenses de santé, à l'heure actuelle, en l'absence de toute pandémie, est justement révélatrice de l'intolérance collective à la maladie, à la souffrance physique et psychologique, à la mort, comme s'il s'agissait de phénomènes injustes et anormaux. À preuve, l'augmentation exponentielle de la consommation des médicaments, notamment psychiatriques, antidépresseurs et anxiolytiques, dans l'illusion d'enrayer un affolement que la médecine et le commerce ne cessent paradoxalement d'entretenir, motivés par d'énormes intérêts financiers.

À son tour, une certaine psychologie de bazar, héritière des méthodes d'Émile Coué, préconise de cultiver les pensées et émotions « positives » et de chasser les « négatives ». Elle érige l'optimisme en clé du bonheur, une attitude positive en prenant la vie du bon côté, en se concentrant sur ce qui va bien, en regardant le verre plutôt à moitié plein, en se disant que ça ira mieux demain, que je retrouverai la santé, et réussirai grâce à l'amour et aux pensées positives à vaincre l'infertilité et le cancer. Ces autosuggestions n'ont évidemment aucune influence sur l'enfant intérieur déprimé. Loin de neutraliser ses fantasmes de culpabilité et de mauvaiseté, elles les embrasent, bien au contraire, le sujet se reprochant de ne pas se sentir heureux selon les normes, alors même qu'il aurait tout pour l'être ! Ce n'est pas l'adulte, gouverné par le petit garçon ou la petite fille en lui, qui peut décider de ne plus ruminer en laissant de côté les regrets du passé et sa peur de l'avenir.

L'Occident d'aujourd'hui, enlisé dans le manichéisme (*ou*), méconnaît les vertus de la paradoxalité (*et*).

La récompense d'un bien, de trop de bien, trop de Yin et point de Yang ou inversement l'altruisme privé d'amour de soi ne peuvent justement qu'être un mal, comme y insiste le serpent, symboliquement bivalent, négatif et positif. Exactement comme celui de l'Éden invitant Ève à manger le fruit défendu, il incarne le mal qui fait du bien. Il est l'initiateur, l'accoucher, le vivificateur, le guide, l'énergie qui préside à la prise de conscience, le guérisseur, d'où l'origine du caducée médical. Il place ainsi notre vieillard du conte persan face à lui-même, à son enfant intérieur, au petit garçon en lui qui manque d'amour de soi et qui est donc soucieux de trop bien faire et de se montrer trop bon, en lutte contre ses deux fantasmes de mauvaiseté et de culpabilité. Le renard, symbole de la malice, de la ruse, de la débrouillardise, l'invite, à son tour, à faire preuve d'un brin d'égoïsme, d'un zeste d'indifférence au sort d'autrui, pour préserver sa vie et s'épanouir.

Cet ouvrage a été imprimé en France par
CPI
pour le compte des Éditions Fayard
en avril 2016

Ce volume a été composé
par INOVCOM

Fayard s'engage pour
l'environnement en réduisant
l'empreinte carbone de ses livres.
Celle de cet exemplaire est de :
750 g éq. CO_2
Rendez-vous sur
www.fayard-durable.fr

64-4445-1/01
N° d'impression : 135051